词汇学理论与应用

（三）

《词汇学理论与应用》编委会　编

商　务　印　书　馆
2006年·北京

编 委 会：（按姓氏音序排列）

　　　　　李如龙　苏宝荣　苏新春　徐祖友

　　　　　张志毅　赵世举　周洪波　周　荐

执行编委：赵世举

说 明

由武汉大学文学院和商务印书馆主持召开的"汉语词汇学首届国际学术讨论会暨第五届全国研讨会"于 2004 年 4 月 18 日至 23 日在武汉大学举行。

如同前四届会议每届都有新的气象一样,本届会议又有了新的变化——会议力倡如下宗旨:

融汇中外,沟通古今,强化理论建设,关注语言生活。

主要议题有:

①着眼于继承、借鉴与创新以及多学科结合的汉语词汇学理论研究。

②面向中文信息处理和语用的汉语词汇研究。

③海外华人语言生活与《全球华语词典》编纂问题研究。

这种变化无疑昭示一种新的学术观念和研究取向,表明了汉语词汇学研究的新发展。

会议代表来自 11 个国家和地区,其中正式代表 107 人,列席代表 47 人。中外学者,古汉语研究者和现代汉语研究者,理论研究者和应用研究者,打破楚河汉界,汇聚一堂,相互切磋,别开生面。整个会议隆重、热烈而富有成效。

会议收到论文 125 篇,研究的内容几乎涉及古今汉语词汇理论与应用研究的各个重要方面,研究的广度与深度较以前有明显的推进。很多论题充分体现了会议的宗旨,具有很强的理论性、现实性和实用性。由于篇幅有限,我们只选取 24 篇编入《词汇学理论与应用》,以飨同道。

本辑由赵世举主持选编工作,编委会成员有(按姓氏音序排列):李如龙、苏宝荣、苏新春、徐祖友、张志毅、赵世举、周洪波、周荐。

此外,武汉大学的翟颖华同志参与了英文部分的编校工作,谨致谢意。

编　者

2005 年春

目　录

词汇研究很难但很重要——在汉语词汇学首届国际学术
　　讨论会暨第五届全国研讨会开幕式上的讲话 …………陆俭明(1)

词汇学的新进展………………………………张志毅　姜　岚(4)
汉语词汇研究的解释学路径初探 ……………………周光庆(26)
词汇系统在竞争中发展 …………………………………李如龙(38)
关于汉语词汇系统宏观问题的初步思考 ………………赵世举(56)

词语兼类的功能显示与深层语义分析 …………………苏宝荣(67)
语源义认定中的认知因素 ………………………………张联荣(78)
汉语四字格词语词汇化问题管见——一种不定数四字格
　　词语的历时考察 ………………………………………张延成(91)
当代汉语新词语对同义词场的扩展与筛淘………………刘晓梅(108)

当代中国文学中的脏字詈语研究……………………〔英〕杨　岚(122)
汉语外来词音译的四种特殊类型 ………………………吴礼权(162)
现代汉语音译词的对音规律分析……………………〔法〕齐　冲(180)
字母词规范设想 …………………………………………郭　熙(207)
从宏观角度看社区词 ……………………………………田小琳(216)

论华语区域特有词语……………………………汤志祥(231)
浅谈台湾词语同大陆的差异………………………余桂林(255)

现代汉语词典释义中的几个问题…………………陆俭明(266)
说"词典"之"典"——兼评《新华新词语词典》……冯学锋(276)
《现汉》的语法、语用释义及其对释义元语言提取的影响
　　………………………………………………苏新春(284)
影响同形同音词与多义词区分的深层原因………张　博(308)
《全球华语地区词词典》：全球华社地区词的大整合
　　………………………………………………汪惠迪(328)

词汇现代化与语言规划……………………………苏金智(339)
小学作文词汇使用情况………………………〔日〕山田真一(347)
复合词"从小"语义指向的计算机识别……………赫　琳(358)
现代汉语词汇与韩国语汉字词的特征比较……〔韩〕朴相领(366)

CONTENTS

The Vocabulary Study: Difficult but Important
.... Lu Jianming (1)

New Headways of Lexicology
.... Zhang Zhiyi & Jiang Lan (4)

Probing An Explanatory Approach to Chinese Lexicon Research
.... Zhou Guangqing (26)

Lexical System Develops in Competition .... Li Rulong (38)

A First Step Study on Macro-problems in Chinese Lexical System
.... Zhao Shiju (56)

The Function Display of Word Concurrency and Its Deep
Semantic Analysis .... Su Baorong (67)

The Cognitive Elements in Defining the Etymological Meaning
.... Zhang Lianrong (78)

On The Lexicalization Of The Four-Character Idioms of Chinese
.... Zhang Yancheng (91)

Expanding and Filtration to Synonymy Fields from Neologism of
Mandarin of the Present Age .... LiuXiaomei (108)

"Bad Language" in Contemporary Chinese Literature
.... 〔England〕 *Yang Lan*(122)
The four special kind of the transliteration of the Chinese
.... *Wu Liquan*(162)
Analyze on the Principles of the Phonetic Transcription of
   Loanwords in Modern Chinese
.... 〔France〕 *Qi Chong*(180)
Suggestions on Lettered Words in Chinese .... *Guo Xi*(207)
To look at Hong Kong Community words from a
   macroscopic-perspective .... *Tian Xiaolin*(216)
Some Aspects on the Lexicon Variations in Different Regions of
   Chinese Language .... *Tang Zhixiang*(231)
A Brief Talk on the Difference of Words Used in Taiwan and in
   Mailand .... *Yu Guilin*(255)

Some Issues on the Meaning Explaining in Dictionary
.... *Lu Jianming*(266)
On Functions of Dictionaries .... *Feng Xuefeng*(276)
Grammatical and Pregmatic Explanation in Contemporary
   Chinese Dictionary and Its Effect of Distillation about
   Mealanguage of Explanation .... *Su Xinchun*(284)
Deep-seated reasons influencing distinguishing Perfect Homonym
   from Polyseme .... *Zhang Bo*(308)
Dictionary of Chinese-Global: Community Expressions
.... *Wong Wai Tik*(328)

Lexical Modernization and Language planning
.... *Su Jinzhi*(339)
Vocabulary Used in Chinese Children's Writing
.... [*Japan*] *Shinichi*(347)
Computer Identification on Semantic Orientation of Congxiao
.... *He Lin*(358)
The characteristic comparison of the modern Chinese language
  phrase and Chinese characters in the Korea language phrase
.... [*Korea*] *Pak Sang-Lyung*(366)

词汇研究很难但很重要

——在汉语词汇学首届国际学术讨论会暨
第五届全国研讨会开幕式上的讲话

北京大学　陆俭明

大会主席,各位学者专家,女士们,先生们:

首先我热烈祝贺汉语词汇学首届国际学术讨论会暨第五届全国研讨会胜利召开。

词汇研究是语言研究中的一块硬骨头,我自知在词汇研究方面的功底不够,所以一直没敢去碰这块硬骨头。关于词汇研究,我只想说六个字:很难但很重要。

说词汇研究难,有两方面的理由:

一是要求研究者要通古今、通文字、音韵、训诂,要了解历史,了解文化;而要做到这两个"通"和这两个"了解",可不是一件容易的事。

二是研究词汇必然碰到意义的问题,而意义本身就是一个很复杂、很难研究的东西。当初以布龙菲尔德为首的美国结构主义学派,其所以只研究形式不管意义,就因为觉得意义太复杂,太难研究,而不是他们没有注意到意义。

说词汇研究很重要,因为有四个方面都离不开它:

第一个方面是,汉民族母语语文教学离不开它。对母语为汉语的人来说,入小学、进中学,主要是要学习书面语,而书面语学习的最重要的方面,是书面语词的学习与掌握,具体说就是书面语词的词义和用法的准确理解与掌握。因此说,我们的语文教学离不开它。

第二个方面是,对外汉语教学离不开它。第二语言教学中,汉字教学、语音教学和语法教学确实很重要,但是更重要的是词汇教学。这一点,前辈学者专家吕叔湘、张志公、张清常、朱德熙、胡明扬等都不止一次谈到过。因此说,对外汉语教学离不开它。

第三个方面是,中文信息处理离不开它。中文信息处理中的三个关键性内容——词处理、句处理、篇章处理,都离不开语义知识库的建设;而对任何一个语义知识库而言,确定一个词的"词义"则是一项最基本的任务。而对具体词语意义的认识,特别是一个词语义项的分合问题,则是大家必须面对的共同问题。对具体词义的准确认识与描写就建立在对一个个具体词的词义的研究之上。因此说,中文信息处理离不开它。

第四个方面是,汉语语法的本体研究离不开它。汉语语法本体研究真正需要解决的问题是如何对各种语法成分或者说各级语法单位进行分类,以及如何构建语法成分之间的组合规则系统。换句话说,语法研究基本都围绕着索绪尔所说的聚合关系和组合关系展开的。以往侧重于从语法单位的功能的角度去考虑一切。上个世纪80年代开始,逐步重视语义与句法的接口问题,注意形式和意义的互相渗透、互相验证;进入90年代后,在语法研究中对意义给予了高度的关注;而跨入新世纪后,人们发现各种所谓语法规则,无不受结构中词语的具体意义的制约。这就是说,词的具体意义对语法本体研究有着至关重要的关系。因此说,我们语法的本体研究离不开它。

总之,汉语词汇研究很难但很重要。因为难,所以汉语词汇研究虽然有悠久的历史,但在整个现代汉语的研究中,还比较薄弱;因为重要,所以必须加大对词汇研究的力度,鼓励有志于从事现代汉语词汇研究的年轻人,投身于这一事业,勇于从老一辈学者专家手中接过词汇研究的重任,把现代汉语词汇研究的整体水平大大提高一步。

最后,祝大会圆满成功。谢谢大家。

词汇学的新进展

烟台师范学院　张志毅　姜　岚

在 20 世纪余晖的映射下,在 21 世纪曙光的照耀下,本来门庭冷落的词汇学,渐渐有点门庭若市。这都是因为它周围的一群"邻居"发达了而又有求于它,特别是它的词义研究。这些显贵起的"邻居"有:语义学、语用学、机器翻译学、计算语言学、信息处理学以及较为传统的词典学等。众擎易举,众望所归,近十几年来的词汇研究已经有了相当可观的进展。今举十一个要点,概述如下。

一　词汇主义

世界语言学,在后结构主义阶段,首要倾向是词汇主义(lexicalism)。

R. Hudson 1991 年出版了一本 *English Word Grammar*。其第一部分"理论",第一章"总论",第一节"语言学中的若干新趋势",总结了目前语言学的最新的八种倾向:(1)词汇主义,(2)整体主义,(3)跨结构体主义,(4)多样结构主义,(5)关系主义,(6)单一层次主义,(7)认知主义,(8)实现主义。

显然,词汇主义居八大倾向之首。为什么?因为词汇主义就是这样一种趋势——从语法结构事实的解释转移到词汇事实的解释。这一趋势的精神贯穿在其他多个趋势之中:整体主义就是要求词库和语法统一为整体;跨结构体主义要求寻找结构体的共性,用尽可能少的原则管辖多种结构体,有些内容可以放到词汇库里去解决;多样结构主义是要求寻找结构体的个性,使各种语言的特殊结构尽量显现出来,以便用词汇手段来解决特殊结构问题,因而减少了语法规则项目;关系主义要求更关注词与词之间的依存组合关系;单一层次主义,词汇功能语法和广义短语结构语法等反对乔姆斯基的表层深层论,主张单一层次,词汇功能语法更强调词库的作用,让词汇承担更多的语法任务。总之,词汇是重点,语义是重点,词义是重中之重。因此,词汇语义学成了当前语言学研究的首要任务。20世纪80年代中期以来俄欧美出现了几十部词汇学、语义学专著。

二 词的离散性研究

Discreteness(来自拉丁语 discrete,意为被分离)多译为离散性,指人类语言符号可以分析为有确定的边界,符号之间没有连续的过渡。这一基本特性在词汇方面表现为,人们通过操作程序可以切分出词,它大于词素,小于自由短语。

从19世纪开始,学者们用科学观渐渐尝试从语流中提取词,推进词的界定。H. Sweet(1875)提出游离法测验有无独立意义和能否再分解。19世纪70年代 C. S. Peirce 提出标记词和类型词(Lyons 认为相当于"言语词"和"语言词")。20世纪,O. Jespersen(1924)提出隔开法这一形式标准。L. Bloomfield(1926)提出单说论,即自由说。陆志韦(1937)先提出"同形替代"法(1956年放弃),后又(1957)提出扩展法。王力(1943—1946)运用插入法和转换法。А. И. Смирницкий(1952)正式提出剩余法。到1959年吕叔湘先生总结并阐发了中外的有关研究成果,提出划分词的六个原则。其中除了游离法、同型替代法、扩展法三原则外,又比较注重语音标准,分列了三条原则:一是重音,二是轻声音节,三是语音停顿。对六个原则,吕先生都强调了其弹性和例外。1979年吕先生又再次强调了单用、剩余、拆开、扩展、意义、词长这六个因素,并强调应该区分"词汇词"和"语法词"。

过了10年,即1989年,随着中国进入了信息时代,研究实现计算机自动分词。又经过中文信息处理界的几年研究,1993年国家技术监督局公布了《信息处理用现代汉语分词规范》(GB/T13715—92)作为国家标准。除了单用和不能扩展两个传统的重要标准之外,又新提出了三个带有操作性的原则:(一)有一定的语法结构关系,(二)有一定的音节结构,(三)组合成整体意义(词义有整体性,不是成分的加和)。其基本原则是"结合紧密,使用稳定",也就是"同现率"高。这样切分的单位叫做"分词单位",它是具有确定语义或语法功能的基本单位。它比词有较大的容量,包括了较固定的词组。1994年王洪君除了再次强调"不能扩展"和"整体功能"标准之外,又特别注重"搭配规则":如果语言结构体的结构不同于短语的结构,那么那个语言结构体便是词,如"蛋白、船只"等。1999年孙茂松先生提出,语料库的分词应该倾向于切成"心理词",尽量靠近"语法词"。所谓"心理词",是指语言共同体大多数成员感觉上认同的一个词。所谓"语法词"主要是指用不能扩展法判别出的词。如"蓝天、湖边"是心理词,不是语法词。此外,还有所谓"词汇词",主要指有"专指义"的字串,如"无缝钢管"。

人机分词,各有侧重,可以取长补短,珠联璧合,求得更多的统一,以便分词更客观、更科学、更精细,共同求得一个个"定音定型定构定义定用的自由的最小的语言单位"。这七个条件并不要求所有的词同时具备,如单纯词不具备定构(固定结构)条件,量词、文言词、虚词等不具备自由条件。

三 词的同一性研究

词,以其离散性而相互区别,又以其同一性(identity)而把一个词的不同变体统一为一个词。词的同一性,简言之就是词及其变体具有共同属性,是同质异体。该词的各种变体虽然都表现出词的次要的具体特点,但是却具有该词的主要的统一性质。变体是围绕该词的中心词义,同属于该词在言语中的不同扮演者(多有形式结构差异)。

Слова/Word/词,是有歧义的,为了避免歧义,人们开始思考一个新术语。20世纪初,索绪尔已经认识到了"同一个名词的两个形式""同一个动词有两个不同的面貌",即词的同一性问题。受音位这一概念的启发,20世纪20年代有人提出了"лексема/lexeme/词位"。这样就便于讨论词汇的抽象单位——词位。(克里斯特尔,1997/2000:202)但是对词位的认识至今仍未统一,主要有以下几个视角。

语义视角。В. В. Виноградов(维诺格拉多夫)在《修辞学和任务》(1923)和《论词的形式》(1944)中把多义词整体叫做词位,把言语中用于某个意义的词汇单位即语段词叫做词。词位和词就是常体和变体的关系。А. И. Смирницкий(1954),高名凯(1963)接受了这一观点和提法。另一观点和提法是:词位"是最小的语义单位"(W. Fleischer,1969),"指语言意义系统中能区别于其他类似单位的最小单位"(Richards等,1992/2000:262),"指一种语言语义系统的最小区别性单位"(克里斯特尔,1997/2000:202)。

语法视角。"一个词的整个词形变化体系,词形变化的全部形式有时候叫做 lexeme。"(兹古斯塔,1968/1983:159)"词位是一种抽象单位,在实际口头或书面的句子中,它能以各种不同形式出现,即使经过屈折变化,也仍被视为属于同一词位。"(Richards 等,1992/2000:262)。

语音形式视角。倪波等(1995:79)认为,词位是符号(能指),语音(文字)外壳,通常体现为一系列语法形式,是表达平面,"是词的某一个意义所固有的全部形式的总和"。我国近些年来研究的异形词就是词位在词形上的两个或多个无值变体。

词典视角。"词典中,每一个词位都得作为一个单独的词条或次词条来处理。"(J. Richards,1992)"词位是指词典里的一个词。"(Lyons,1995)"词位按惯例是在词典里作为词条单独列出的单位。"(D. Crystal,1997)

综合视角。词位是"一些语言学家给语言词汇(Vocabulary)的基本单位起的名称"。(R. R. K. Hartmann,1993)学者们从语义、语法、语音、词典等视角,揭示了词位的不同侧面,有利于理解和把握词位整体。这里特别值得关注的是莫斯科大学权威教授 А. И. Смирницкий 于 1954 年发表的《论词的问题》姊妹后篇《词的同一性》一文,以 Виноградов 的"变体"思想为起点,提出七种词位变体:语音变体,词形变体,语义变体,语法变体,构词变体,修辞变体,方言变体。到 1956 年在他的遗著《英语词汇学》中着重阐述了词的同一性和词的语法变体、词汇变体、修辞变体、方言变体。1963 年高名凯在《语言论》里着重阐述了语音变体和词汇语义变体(特指多义词的一个义位)。1978 年 Горбачевич 的《词的变体和语言规范》作为苏联科学院系列专著,特别强调了变体是在词的同一性条件下的,它着重分析了重音变体、音位变体、语音变体和形态变体。

2002年郭锐提出了个体词或例(token)和概括词或型(type)的关系,大体相当于词位变体和词位的关系。所谓"例"(token),就是言语用例,即是语言单位类别实例,有人叫"语段词";所谓"型"(type),就是语言系统中的抽象单位,即是语言单位类别标记类型。在确定词的同一性时必须把个体词(或例)归并为概括词(或型)。如何归并,郭锐提出五个原则:

(一)区分成分义和结构义,概括词必须具有成分义,用于结构义是个体词。如:A.他死了;B.他死了父亲。A死,用于成分义;B死,用于结构义。AB"死"是同一性概括词,即是同一词位。B死是结构带来的意义,语言系统中没有这个意义,其特点是在结构中"成系统"(汉语中有很多这样的一价变化动词和状态动词),"能类推"。

(二)区分词汇化的转指和句法化的转指,前者在转指前后是两个概括词,后者在转指前后是一个概括词。转指,是指由动词、形容词意义转化指称有关的对象。其中有两种:一种是形成固定用法或固定意义,即词汇化转指,如"领导"由行动转指施事或"领导者",应视为两个概括词;另一种是临时用法或临时意义,即句法转指,如"有肥有瘦"的"肥、瘦"是临时指肥肉、瘦肉,它们与形容词"肥、瘦"应分别视为一个概括词。

(三)区分词汇化的转指和词汇化的自指,前者视为两个概括词,后者视为同一概括词。所谓词汇化的自指,是指动词、形容词处于宾语(主语)位置时,纯粹指动作、行为或性质自身,如:A"研究问题"——B"进行研究",A"收入不平衡"——B"保持平衡"。AB"研究",AB"平衡"是一个概括词。

（四）区分构词、构形和句法现象，原词（work）及其构词（worker）是两个概括词，原词（work）及其构形（worked）是一个概括词，原词（"走、商量"）及其句法组合式（"走了"）或句法重叠式（"商量商量"）是同一概括词。

（五）区分 X 和 X 的/地。"逻辑""急躁"是名词、形容词，"逻辑地/的""急躁地/的"是句法组合（具有副词性），二者是两个"不同一的成分"。"吃"是动词，"吃的"是句法组合（具有名词性），二者也是两个"不同一的成分"。

"胖胖"是单音节形容词重叠形式，不成词，"胖胖的"是状态词，是一个概括词。

"大大"是单音节形容词重叠成副词，"大大的/地"是状态词，是两个不同的概括词。

四　词义研究

什么是词义？自 Platon 的指称说以来，至少有几十种。C. K. Ogden 等（1923）引述了 23 种，G. Leech（1983）转引了 12 种。比较著名的有观念说、用法说、关系说、反应说、因果（三角）说、概念说、四角（梯形）说、五因素说。其中比较通行的是反映说，从 А. И. Смирницкий, Р. А. Будагов，到高名凯、吕叔湘，其主要观点是：词义是人们对客观对象的概括反映。这个观点偏离了 В. В. Виноградов 的原意。现在的研究已经恢复了原意并向前推进了五步：第一，反映者是语言共同体，即使用语言的人们。第二，反映的时限是在一定的时代。第三，反映的内容不是一个客观对象,而是客体世界、主体世界、语言世界三个世界;而且不是世界本身,而是对世界的理解,这就是所谓的最显著语义特征。因而词义中包括客体、主体、语言三种因素。第四,反映的信道(channel)有三个。一思维信道,二直观信道,三情感信道,因而词义有三种存在形态,即思维形态(多是学科义位),直观形态(多是普通义位),情感形态(多是普通义位)。第五,Lyons(1995:78—80)把词义分出外指意义(denotation)、内指意义(sense)和特指意义(reference),它们分别是:一反映语言以外的一类(个)事物,二反映语言内部单位关系意义,三反映语境中的特定一个事物。一部好的语文词典应该给出一个义位的最显著语义特征、最简化的外指义、必要的内指义。

义位的语义成分微观分类和定名,也有一定的进展。义位是由义值和义域组成。义值是由基义和陪义组成。基义包含范畴特征、表意特征或指物特征,其中都可析出核心义素和边缘义素。就相关义位而言,可以析出它们的共性义素(即超义素)和个性义素(含主要个性义素和次要个性义素)。就语言之间比较而言,可以析出普世义素(全人类共性义素)、跨语言的区域性义素、民族(含文化等)性义素,与此相关的还有个人义素。一部好的语文词典应该精选上述义素,特别是核心义素。

陪义,就是附属义素,传统词汇学和传统语义学叫色彩(意义)。英语通常称为 connotation,多译为内涵(义),这是个常引起混乱的译名。其实拉丁语的 con-本义为"带",notātiō 本义为"标记",直译应为"带标记",即除基义外还带附属义标记。附属义即陪义的研究,已趋于细化,现今已分出九类:①次要属性陪义,②情态陪义,③形象陪义,④风格陪义,⑤语体陪义,⑥时代陪义,⑦方言陪义,⑧语域陪义,⑨外来陪义。一部好的语文词典应该简明扼要地注明上述陪义。

义域,是指义位的意义范围,包括:①指称一个对象的大小域、②指称多个对象的多少域、③伙伴域(Lyons 说"观其伴,知其义",即搭配伙伴)、④适用域(指语体、语域等)。一部好的语文词典应该在释义正文、夹注或例语里界定义域。

关于词义演变的研究,从 H. Paul 到王力的三分说(扩大、缩小、转移,前二项之和占总数 18%,故不是主要规律)已经发展为多分说,从一因说(社会原因)发展为三因说(客体、主体和语言三世界原因),从原子观发展为整体观,提出"同场同模式"等新观点。一部好的语文词典应该不断吸收词义演变研究的新成果。

五　语料库方法

1959 年英国伦敦大学 R. Quik(夸克)等人开始建立了语言学史第一个 100 万词次的计算机语料库。40 多年来,相继出现了布朗(Brown)语料库、LOB(三个大学名的第一个字母,G. Leech 领导)语料库、LLC 口语(伦敦——隆德口语)语料库、COBUILD(英柯林斯和伯明翰大学)语料库、朗文(Longman)语料库、英国国家语料库 BNC、国际英语语料库、法语语料库(1.5 亿词)、历史英语语料库(850—1720 年,1600 万词)、北京语言文化大学的汉语词频统计语料库、北京航空航天大学等单位的语料库、台湾中央研究院平衡语料库、香港城市大学的中文六地区共时语料库、北语的现代汉语研究语料库、汉语的精加工语料库以及语言所词典室的语料库、国家语委的语料库等等。今天的语料库有了飞速发展,出现了新的趋势:①规模巨型化。由百万词次发展到千万、几千万、上亿、几亿、十几亿、几十亿、几百亿、几千亿、几万亿(词次或字次)。美国 Lexis—Nexis 公司 1998 年机储文档已达 15 亿件,15000 亿字符。②类别多样。有综合性的、百科性的、专科性的、专项性的、语文性的、报纸类的、杂志类的、文学作品类的、口语的、书面的、共时的、历时的、共同语的、方言的等等。③内容求全。综合的语文类语料库的内容构成尽量求全。语义求全,口语、书面语及其内部的各种语体尽量均衡求全。语域求全,语言或词语使用的领域,如商业语言、法律语言、政治语言、外交语言、宗教语言、新闻语言、文学语言等等。④加工求精。编排科学,检索简便,功能齐全,校对精细。⑤标注求足。给语料的词语句的标注尽可能达到足量,如语义标注、语法标注、语用标注等。⑥速度神化。查百万词次语料库中的一个词,由最初几个小时,提高到几分钟,今天只用几秒钟。

今天的语料库已经成为能量巨大的语言样本集。它正在改写着词汇学研究的历史。它是词汇学的强有力的新工具、新手段,更是能量巨大的方法。它对一个词位的义值(含基义和陪义)和义域、同义词辨析、词位及其变体、词汇的同质和异质、词的各种定量分析、义位的组合、词的动态参数等研究,能提供足量的组别语料,借以印证、充实、修订,甚至于颠覆以往的结论。如"a. 勘查/b. 勘察",甲词典说它们是没有差别的异形词,乙词典说 a 多用于事情,b 多用于地矿。我们用十几亿的巨型语料库去检验,甲纯属描写,乙渗透着规范意向,但是乙有点偏离语言事实,规范应以语言事实的主导倾向为基础。可以这样说,当今的词汇学研究,离开巨型语料库,几乎寸步难行。

语料库方法,对于语言、词汇、语义、语用等学科是具有共性的方法,而对于词汇、语义学科是重要的方法。

六 词汇函数

20世纪60年代由俄国权威语言学家 И. А. Мельчук 等创意,由院士 Апресян(1974:36—55)发展的莫斯科语义学派60年代独创了《意义⇔文本》转换模式这一思想,并论述了其核心概念之一"词汇函数"及其类型。Новиков(1982:30—31,257)和倪波等(1995:11—13)都有一定的介绍,张家骅等(2003:46—77)作了较详细的阐述。

函数,是从数理逻辑借来的概念。其公式为:$y=f(x)$。其中 x 是自变量,f 是所取的值(语义类型),y 是因 x 及所取值而变化的因变量。利用这一公式分析词间的极多的语义关系,概括出70多种类型。其中主要的类型,用拉丁缩略语表示,有:(1)Syn(同义),(2)Anti(反义),(3)Taxon(类义),(4)Gener(属概念),(5)Polys(多义),(6)Conv(转换),(7)So(同义派生名词),(8)Ao(同义派生形容词),(9)Adv$_0$(同义派生副词),(10)Vo(同义派生动词),(11)S$_1$(主体题元),(12)S$_2$(客体题元),(13)S$_3$(第三题元),(14)Sloc(场所),(15)Sinstr(工具),(16)Smod(方式),(17)Son(声响),(18)Dimun(指小),(19)Augm(指大),(20)Magn(极端特征),(21)Bon(良好),(22)Ver(符合规范的特征),(23)AntiVer(不正常),(24)AntiBon(不好),(25)Oper(辅助动词,后面接动词,如"进行帮助"),(26)Funco(进程),(27)Incep(开始),(28)Fin(停止),(29)Caus(使出现,使、让、叫),(30)Liqu(使不存在),(31)Fact(实现),(32)Real(使实现),(33)Prepar(使就绪),(34)Degrad(变坏),(35)Labor(处置,如"加以,把……当,以……为"),(36)Func(动作来源或指向,如"来自、出自、涉及、指向、针对"),

(37)Perf(完成,达到内在界限),(38)Sing(数量单位,次数单位)。(1)—(10)是共性词汇函数,(11)—(19)是名词性词汇函数,(20)—(24)是限量性词汇函数,(25)以后是动词词汇函数。

上述语义类型模式,可以分析俄英法德匈波阿汉日等许多语言的词的聚合关系和组合关系(主要是固定搭配关系)。以汉语为例:

y	=	f	(x)
鸡架(窝)	=	Sloc[住所]	鸡
牛棚	=	Sloc[住所]	牛
猪圈	=	Sloc[住所]	猪
狗窝	=	Sloc[住所]	狗
鸟巢	=	Sloc[住所]	鸟

y	=	f	(x)
化解	=	Liqu[使不存在]	(矛盾)

词汇函数的研究,操作的主要内容是,由某词 x 在一定的值域 f 中得出相关词 y,这样就能反映出一种语言的词汇性联系,因而有助于揭示词汇系统性,有助于认识一种语言的特点,有助于编纂搭配词典,有助于认识同义词等现象。

七 计算词汇学和计量词汇学

计算词汇学和计量词汇学,是两个相关而不相同的小学科。

计算词汇学,是 20 世纪 80 年代兴起的。它是从计算机应用的角度,研究词义的表示、输入、输出。现在主攻方向有两个:一个是电子词典的理论与实践,一个是语料库的理论与实践。

计量词汇学的出现,在西方较早。从19世纪90年代开始,德英美俄等国编了一些频率词典。美国1920年开始有常用词定量研究。后来有 M. Swadesh(1952)、S. C. Gutschinsky(1956)、D. Hymes(1960)相继写了 Lexicostatistics(词汇统计学)。在中国,1921年后也有陈鹤琴、王文新的常用词(另有常用字)计量研究的尝试。而真正的计量词汇研究和计量词汇学则是80年代出现的,先后有程湘清(1982)的《先秦双音词研究》,程曾厚(1983,1987)的《"计量词汇学"的三项选词标准》和《计量词汇学及其它》,张双棣(1989)的《〈吕氏春秋〉的词汇研究》,陈原(1989)的《现代汉语定量分析》,周荐(1991)的《复合词词素间的意义结构关系》,毛明远(1999)的《〈左传〉词汇研究》,苏新春等(2001)的《汉语词汇计量研究》。此外还有多本频率词典。它们都借助计算机用定量或统计方法描写一种语言的全部或部分词汇的频率、结构、关系、分布、风格、规律等。词汇的定量研究推进了定性研究。"定量""定性"的反复研究的指导思想是从整体系统论到控制科研范围(专书、专题等封闭域)的控制论,再到信息传递、信息反馈的信息论,借以帮助我们完成后结构主义语言描写的两个趋势之一:穷尽性(另一个是外显性)。

八 比较词汇学

近些年,比较词汇学出现了多向比较研究的趋势:一是古今比较,二是普方比较,三是方方比较,四是汉外比较,五是外外比较。四、五项的"外"指外国语和外族语,含英、俄、法、德、日、朝(韩)、蒙、藏、壮、维等等。词汇比较已有许多理论指导,这里再介绍近几年的几种理论倾向。

第一,在词场中比较词汇的更替演变。如孙逊(1991)《论从表示人体部位的词派生的词或词义:比较词义学探索》,解海江(1994)等《汉语面部语义场历史演变》。

第二,在词义演变规律论下比较古今词汇和词义。如李宗江(1999)的《汉语常用词演变研究》。

第三,在语言外部因素观照下比较词汇和词义研究。如徐正考(1994)的《论汉语词汇的发展与汉民族历史文化的变迁》。

第四,在历史比较语言学和类型学指导下比较词汇研究。如孙宏开(1991)《从词汇比较看西夏语与藏语族羌语支的关系》,陈庆英(1992)《西夏语同藏语词汇比较》,陈保亚(1995)《从核心词分布看汉语和侗台语的语源关系》,哈斯巴特尔(1993)《蒙古语词和朝鲜语词比较》。

第五,在词化、编码度理论指导下的词汇比较研究。G. A. Miller 和 P. N. Johnson—Laird 1976 年在 *Language and perception* 中提出编码度,它是研究两种语言或方言或古今对应或同一义场内编码粗细(多少)以及一个对应码的长度(是词,还是语)。如许高渝(1997)《俄汉词汇比较研究》,解海江(2004)《汉语编码度研究》(厦大博士论文)。

第六,在特征词理论指导下的词汇比较。特征词理论是李如龙教授在 1998 年提出的,1999 年在方言会上作过《论方言的特征词》的报告,2001 年在《中国语言学报》发表了《论汉语方言的特征》,同年主编出版了一本专著《汉语方言特征词研究》。特征词起初指在一个方言区普遍使用,而在周边方言区不用或极少用的词。

其实推而广之,我们认为古今和汉外语里也有特征词。如果就词反映的内容说,我们认为特征词可以分为四类:一类是反映自然客体世界的,一类是反映社会客体世界的,一类是反映主体世界的,一类是反映语言世界的。词汇比较中,应以后三类为主,这是特征的特征,是比较研究中的亮点。

第七,在语义学指导下的词汇比较研究。从传统的词义差异比较转向义位、义素、语义特征,基义和各种陪义(色彩)的比较。这样就把词汇比较引入语义的深层次。在这个层次上,两种语言的词,哪怕是表示自然客体的词(太阳≈sun),极少有等值的,至少其组合义是有差别的。

第八,在隐性词义范畴下的词汇比较。隐性范畴(covert categories)是 B. L. Whorf 1956 年提出的,它跟有词缀、词尾和屈折变化的显性范畴相对。隐性词义范畴专指隐性范畴中的词义对立现象。如用于人和动物的有以下对立现象:

名词对立。"尸体"指人的,英语多用 corpse,汉语多用"尸首";指动物的,英语多用 carcass(e),汉语多用"尸体"(也常用于人)。初生者,汉语中,人曰"孩子、婴儿",兽禽曰"崽(犊、驹)"。

动词对立。德语人吃为 essen,兽吃为 fressen。汉语人生育为"养",动物生育为"下",而"生"则通用。

形容词对立。汉语的"胖"多用于人,"肥"多用于动物。"男、女"用于人,"公、母"用于动物。

量词对立。汉语"位"用于人,"头、匹"等用于动物。

在动物范畴内也有词义对立现象,如汉英的马、牛、狮、熊、狼、狗、猫、鸡、鸭等都用不同的词表示叫声。在人范畴内也有词义对立现象,如汉英的"美丽"/beautiful 多用于女性,"英俊"/handsome 多用于男性。

受隐性词义范畴制约,移用于人的动物词,大多贬化。这类比较也大有文章可做。

第九,在词汇语义两极化和正极化理论下的词汇比较。概念场的多值思维和现象,到语义场常简化为二值思维和现象,如"大/小,高/低,强/弱"等。这是人类语言的普世现象。对此,A. korzybski(1933)、E. Sapir(1944)、S. I. Hayakawa(1978)、G. Leech(1983)先后以"二值倾向""两端概念"的术语作了归纳。后来,Н. Арутюнова(1980,1987,1998)、Ю. Апресн(1995),张家骅(2003)不仅阐述了"两极化"现象,而且阐发了"正极化"现象。

两极化现象,是指在性状义聚合轴上,表两极的词(如"大""小"),远远多于表中间状态的词。

正极化现象,是指如下七种现象:(一)正极词(如"大")多于负极词(如"小"),两者的比例为1.8∶1。多数情况是正极词多于负极词,少数情况负极词多于正极词,两种情况之比为2.6∶1。(二)正极词比负极词使用频率高,两者比例为10∶4。(三)正极词派生出负极词,如:对>不对。中间义引申出正极义,如"运气"的"命运"义引申出"幸运"义。(四)正极词比负极词构词能力强,两者比例为6∶1。(五)在词或短语的组合中,常见序列为,正极词在前,负极词在后,如"大小、好坏、多少"等。(六)某些短语中,表中间义的名词偏向正极义,隐含高评价义素,如"显出气质,够质量,培养意志"等。偏向负极的,相对少些。(七)问句中多用正极词,如"大不大?""有多大?",偶尔用负极词,这时常倾向负极义。这一点,在讨论标记理论时大多涉及过。

上述极化现象产生的原因是:人们心理要求减少或排除不愉

快的话题或报道。这就是 Pollyanna 假说。(张家骅,2003:118)

总之,词汇比较正在从旧理论过渡到新理论,从表层描写过渡到深层描写,再进入深层解释。

九　词的组合研究

传统词汇学不研究组合问题,现代词汇学开始研究组合问题。词汇学研究组合,不同于语法学研究组合,除了语法、逻辑和现实条件外,它更注重组合的语义条件。语义的组合研究,已经从搭配理论原则转入组合许多规则的研究。

1934 年,德国学者 W. Porzig(波尔齐格)在研究语义场时提出并触及了词的线性组合关系。20 世纪 50－60 年代,结构语义学除了语义场关系和词汇语义结构关系两大课题之外,渐渐地把组合问题作为第三大课题。70 年代,R. Montague 再次强调了意义组合原则。80 年代 R. Jackendoff 认为语义学有"四性"要求:(1)语义区分的充分性,(2)各语言语义的普遍性,(3)词义到句义结合性,(4)对语言特性的能释性。

1979 年,Ю. Д. Апресян 从词的典型的语义组合模式的视角,列了 25 项语义价(通说为"格")。

1989 年,Э. В. Кузнецова 的 *Лексикология русского языка* 第二版第六章专门讨论了词汇中的组合关系的 5 个问题:(1)词汇组合的基本规律,(2)词汇组合的成分分析,(3)合标准组合和上下文类型,(4)潜在的组合及其在不同上下文中的体现,(5)上下文逻辑分析是标准组合显化手段。

1992年,А.Л. Семенас 的 *Лексикология современного китайского языка* 第三章专门讨论了复合词的两种组合结构:一种是形

式结构模式 20 种,其中名词 7 种,动词 8 种,形容词 5 种;另一种是语义结构模式 52 种。这些都反映了莫斯科大学语义学派的学术思想。

2001 年张志毅、张庆云的《词汇语义学》第四章第一节"义位组合论"专门讨论了语素之间的组合和义位之间的组合,共得出选择(同现)规则 16 种,序列规则 9 种。

词汇组合规则的研究的未来趋势是细化和形式化。

十　动态词汇学

在 dynamic linguistics(动态语言学)下,有 dynamic phonetics(动态语音学),dynamic phonology(动态音系学),dynamic semantics(动态语义学),继而正在产生 dynamic lexicology(动态词汇学),后者引入语境、时间、语用等因素,主要研究词汇语义在历时,特别是共时大背景下变异、变化规律。在这方面研究用力较多,成果突出的是葛本仪教授及其高足杨振兰博士。葛教授(2001)《现代汉语词汇学》有专章"词汇的动态形式探索"。杨振兰(2003)的博士论文是《动态词彩研究》(山东人民出版社)。外语方面的有:汪榕培(1997)的《英语词汇的最新发展》,刘可友(1997)的《论词义的动态变化和语符消失现象》,S. Patter(1995)的 *Changing English* 的第三、四章"新词""科学词汇",张海燕(1999)的《近年来俄语词汇发展的某些特点》。

关于词义的动态研究,其理论已经突破了 M. Paul 的逻辑学模式,L. Bloomfield 的修辞学模式,E. Wellander 的历史学模式,И. В. Арнольд 的发生学模式,W. Wundht 的心理学模式,进入了语言学的综合模式,从原子观进入整体观,从个案研究进入系统研究,其轴心规律是:同一义场演变模式大体相同。详见汪榕培等(1997)《九十年代国外语言学新天地》以及张志毅等(2001)《词汇语义学》第五章"义位演变论"。

十一　词源学研究

词是反映三个世界的,即客体世界、主体世界、语言世界,词对人类所认识的古今中外的万事万物无所不包。因此词源研究的复杂性远远超出了所有语言学家的视野和思考所及。于是词源研究更需要"有容乃大"的胸怀。

新旧世纪之交的词源学,正在兼容七个学派,占据八种理论制高点。

这七个学派是:

第一,哲学派。古希腊和古中国各自都发出了名实论争的撞击火花,这火花照亮了后人的思考空间:名实联系是必然的吗？词源学是寻找词的"真实"意义吗？这些开启智慧的问题,在中外学者的头脑里悬浮2000多年。

第二,语文词源学派。继承它在通经、解字、释词中留下的无比丰富的语料和开阔的思路。

第三,历史比较词源学派。学习它的科学性、谱系性、系统性、原则性。即在语族间比较同源词必须掌握三个严控原则:语音共性原则,形态结构共性原则,语义共性原则。

第四,民族语言词源学派。这是举世瞩目的中国词源学流派。因为中国有55个少数民族,约用120种语言,其语言主要分布在汉藏语系和阿尔泰语系。对它们的词源研究,主要有三个成果:一是类型学的关系词比较;二是深层对应法,如邢公畹

(1993)在汉台语亲属语言比较中拿对应的两组同音词比较;三是词族理论。

第五,方言词源学派。这也是举世瞩目的一个中国词源学流派。其主要成绩是方言底层词(消亡或弱势语所残留的)研究和方言同源词研究。

第六,区域类型学派。这是超越亲属语言语系历史比较的一派,它比较的是地域相邻的非亲属语言或谱系不明的相邻语言的关系词或借词。如汉语同日、越、朝(韩)、蒙、侗、台、苗、瑶语等之间的词源比较。它令人扩大了视野,给人提出了新问题。

第七,通俗词源学。一些人正在深入研究其中词语内部形式变异问题,吸纳其中的丰富语料和研究成果。

争取占据的八个理论制高点是:(一)历时系统论。(二)宏观词源学,也叫外部词源学,顺应 20 世纪 60 年代以来的语言学大趋势之一——互渗论,语言与世界互渗,词与物互渗,用语言世界和语言外世界研究词源问题。(三)语言联盟论,是对谱系论、同源论的补充(陈保亚,1996)。(四)综合运用中西有效的八个方法:①R. K. Rask 的语言对应法,②F. Popp 的语法对应法,③P. A. Будагов 语义对应法,④M. Swadesh 的核心词检测法,⑤中国的词族对应法,⑥深层对应法,⑦系联法,⑧定量分析法(严控内省式的简单枚举法)。(五)根词和衍生词异质论。(六)同源词和关系词异质论。(七)字源和词源异质论。(八)词源义和词义异质论。

当然,词汇学还有一些新进展。限于篇幅此处不能一一介绍。介绍上述 11 个方面,旨在提供科研和教学的前沿和起点,提供值得借鉴的理论和方法,可以占据的理论制高点以及由此穷目的视野。

主要参考文献

陈保亚　1996　《语言接触与语言联盟》,语文出版社。
陈保亚　1999　《20世纪中国语言学方法论》,山东教育出版社。
戴维·克里斯特尔　2000　《现代语言学词典》,商务印书馆。
高名凯　1963　《语言论》,科学出版社。
葛本仪　2001　《现代汉语词汇学》,山东人民出版社。
郭　锐　2002　《现代汉语词类研究》,商务印书馆。
哈杜默德·布斯曼　2003　《语言学词典》,商务印书馆。
黄昌宁、李涓子　2002　《语料库语言学》,商务印书馆。
李如龙　2001　《汉语方言特征词研究》,厦门大学出版社。
林杏光　1999　《词汇语义和计算语言学》,语文出版社。
吕叔湘　1984　《汉语语法论文集》(增订本),商务印书馆。
倪　波、顾柏林　1995　《俄语语义学》,上海外语教育出版社。
苏新春等　2001　《汉语词汇计量研究》,厦门大学出版社。
孙茂松等　1999　《高频最大交集型歧义切分字段在汉语自动分词中的作用》,《中文信息学报》第1期。
汪榕培　2000　《英语词汇学研究》,上海外语教育出版社。
汪榕培等　1999　《九十年代国外语言学的新天地》,辽宁教育出版社。
王洪君　1994　《从字和字组看词和短语：也谈汉语中的词的划分标准》,《中国语文》第2期。
杨振兰　2003　《动态词彩研究》,山东人民出版社。
张家骅等　2003　《俄罗斯当代语义学》,商务印书馆。
张志毅、张庆云　2001　《词汇语义学》,商务印书馆。
Апресян, Ю. Д.　1974　*Лексическая семантика , синонимические сред смвɜ языка* , М.
Семинас, А. Л.　1992　*Лексикология современного китайского языка* , М.
Смирницкий, А. И.　1956　*Лексикология английского языка* , М.
Hudson, R.　1991　*English word Grammar* , USA.
Новиков, Л. А.　1982　*Семантика русского языка* , М.
Кузнецова, Э. В.　1989　*Лексикология русского языка* (изг. втброе), М.

Lyons, J.　　1995　*Linguistic Semantics An Introduction*, Cam. Uni. Press.
Richards, J. C. ...　2000　《朗文语言教学及应用语言学辞典》,外语教学与研究出版社。

汉语词汇研究的解释学路径初探

华中师范大学 周光庆

汉语词汇的形成发展,常常对于所指称的存在物具有一定的解释性,并在解释中表现出对于民族人的彰显性;而汉语词语在语言交际中的运用和理解,则不仅往往是对于人与事物的重新彰显和解释,而且这种重新彰显和解释正是原词原义不断发展、新词新义不断派生的原始动因与潜在基点。这些普遍存在却又习焉不察的"词汇解释现象"都从一个特定角度显示出民族人的基本生存方式以及对世界的能动关系,因而具有深刻的本体论意义。如果能够从解释学路径对此进行系统的研究,就很有可能从中开拓出汉语词汇研究的新视角与新境界,开拓出民族文化世界研究的新视角和新领域,促使汉语历史词汇与其他人文学科研究的有机结合和相辅相成。

上篇:词汇的形成发展对存在的解释

任何语言的词汇,都是作为特定存在物的名称而指称特定存在物的。然而,这里隐含着复杂的理论问题和实践问题。第一,所谓"存在物"是有讲究的。天地之间,只有那些以某种方式与民族人在某个历史时期的生存方式和思维方式相关联的存在物,才能在诸多的感觉表象中被注意到,才能受到语言的特别关注,从而获得一个语词作为名称。第二,所谓"指称"是有讲究的。词汇从未简单地指称存在物本身,而总是表达民族人关于特定存在物的心灵概念,而心灵概念是反映存在物多种显著的区别性特征的思维形态,因而对于存在物具有一定的解释功能。第三,语词作为语音符号如何与存在物结成指称关系也是有讲究的。对于汉语的多数词汇来说,语词符号如何与存在物结成指称关系,是可论证的,具有理据的,而其造词理据大都就是人们感知到的存在物某种显著的区别性特征。因此,"造词理据对于存在物具有一定的解释性,它能引导人们把语词'当做表明对象的特征的代表,以便从对象的整体性来设想对象',进而获取可供参考的认识成果和认知模式的潜在作用,同时也从特定角度彰显出民族人在特定历史时期的思维方式、生存方式和主体特征"[①]。而一当我们追溯到语词的起源,往往就会引出民族人对其指称的存在物何以特别关注、如何作出解释以及这种解释对其指称对象对其命名主体彰显出什么、意味着什么等等深刻的问题。这正是我们研究的起点。

譬如名词"伦",指称人际关系,与"仑、沦、论"等词同源,都以"有次序"这一显著特征为造词理据。原来,中国古代文明是一种"连续性文明","在文明和国家起源转变的阶段,血缘关系不但未被地缘关系所取代,反而是加强了,即亲缘与政治的关系更加紧密地结合起来",形成了宗族性制度和宗法性社会的连续性。[②] 到了西周初年,建立起较为完整、较为成熟的宗法制度和宗法社会,协调好人际关系、安排好人间秩序更是受到了空前关注,成为上层人士的"公共话语主题",加之思维能力的提高,使周代先民能够将人际关系单独划分出来视为一种存在物,予以观察体验,并且概括出它的"有次序"亦即"长幼有序,尊卑有别"的显著特征。以此为造词理据,他们参照名词"仑"(次序,条理)而有选择地将人际关系命名为"伦",将自己对它的认识、解释凝聚于名词"伦"的内部形式之中,从而突现出它的存在,揭示出它的意义,表现出它的特征,规定好它在文化世界中的位置。由此可见,名词"伦"的形成,从根本上说就是周代先民处在上升时期的宗法社会里反思生存空间、把握生存方式、总结历史经验、追求生命价值的综合成果。在创造名词"伦"的过程中,周代先民既由此而突出和解释了它所指称的存在物,也因此而反思和彰显了自己的生存方式。以这一切为依据,后来的造字者为它造出了"伦"字,从人从仑,仑亦声。所从之"人",揭示出它的意义类别是属于"人事";所从之"仑",突现出它的显著特征是"有次序"。可见造字者既是接受了造词者对于人际关系的解释,并以此作为自己的"观察形式";同时又前进一步,作出对于人际关系的又一次解释,并在自己的解释中表现出自己对于生存方式的把握和对于生存空间的反思。

民族语言的词汇,在漫长的历史进程中,总在随着民族文化、民族语言的不断演进而不断发展。词义发展主要表现为特定语词的词义引申以形成语词的词义系统,语词的发展主要表现为语词的派生而丰富语言的词汇系统。而词义引申,是词从原有的意义出发,沿着其特点所决定的方向,遵循民族文化演进的启示,不断地派生出相关的新义位、兼指相关的现实事物的运动。词所兼指的现实事物之间的相互关联,这种关联所激发的人们的相应联想,是词义引申的外部根据和心理基础。而事物的相互关联,既是由事物本身的显著特性和存在方式所决定的,也是由民族文化的基本特性和发展需要所引导的。人们用什么眼光去观察事物,对什么样的关联会"视而不见",对什么样的关联会"浮想联翩",最终是要受到人们对于生存方式的把握与筹划以及由此而来的对于事物的解释所引导的,因此也能委婉地反映出这种把握、筹划以及解释。

例如"秀",本义是《说文》指出的"禾吐华",由此引申出优异的意义("秀民")和俊美的意义("秀丽")。与"秀"相近的"穆",从甲骨文形体看,本义是指谷物成熟后的风采,由此引申出美好的意义("穆如清风")和喜悦的意义("穆君之色")。与"秀"相对的"莠",本义为田间的狗尾草,由此引申出丑恶的意义("莠言自口")和丑类的意义("莠民")。通观"秀、穆、莠"等词的词义引申,它们都出自中华先民对于"优异""俊美""美好""喜悦""丑恶"等可以意会却难以言传的存在物及其心灵概念的生动而有力的解释:何谓"优异"? 就如禾苗开花那样;何谓"俊美"? 就如禾苗之花那样;何谓"美好"? 就似谷物成熟的风采;何谓"喜悦"? 就似看到谷物成熟的感觉;何谓"丑恶"? 如同杂草侵害禾苗一般;何谓"丑类"? 如同侵害禾苗的杂草一般。反过来,"优异""俊美""美好"等也对"秀"与"穆"构成了解释。这样的相互解释以及由此形成的词义引申直接表现出创造了辉煌农耕文化的中华先民的价值观念和审美情趣,间接昭显出他们的生存方式和生存空间。这就是词义引申常常隐含的哲学意义。

民族语言中的词汇,既是特定存在物的名称,也是关于特定存在物的心灵概念的表达形式。而特定存在物,又总是民族人在自己的历史进程中,基于自己生存方式的需要与可能,逐步关注、逐步创造、逐步引入民族文化世界中的存在物;特定的心灵概念,又总是民族人在自己的历史进程中,基于自己的文化传统和思维方式,认识、解释和把握特定存在物的精神成果。因此,民族语言中的词汇,尤其是那些处于同一词汇场中的语词系统,那些由同一语词逐步派生出来的语词系统,是民族思想观念的符号,是民族人以语言符号的方式揭示事物的存在、彰显自己的存在的忠实反映者,是民族人生存方式及其历史发展的忠实记录者。所以,深入考察特定词汇场中新产生的语词系统,深入分析特定语词派生出来的语词系列,考察这些语词的词源结构和语义结构,分析这些语词的系统联系和派生方式,就不仅可以在一定范围内发掘出词汇发生发展的基本动力和深层规律,而且可以从一个独特而可靠的角度探寻到民族人是如何以语言的方式揭示事物的存在、解释事物的特性、彰显自己的生存方式的,探查到民族人生存方式历史发展的某些侧影。

譬如形容词"清",本指水的纯洁透明而无混杂的状态,这种状态常常是使人愉悦的。在历史进程中,它派生出为数众多、颇具特色的复合词,如"清高、清真、清和、清明、清修、清正、清平、清劲、清雅、清玩、清丽、清秀"等等。这些派生词内部语素义的逻辑关系,通常不仅说明了造词者为特定存在物命名造词何以选取这些词作为语素以及这些语素的组合表现了特称对象的何种显著特征,表达了造词者所建构的关于特定存在物的心灵概念;往往表露了造词者如何以"母词"(如"清")的指称对象为参照观察这些特定的存在物,对于它们产生的原因、存在的条件、具有的价值形成了怎样的认识、解释和评价,进而也就彰显了造词者的存在。譬如,在现实的社会里,就人的品性而言,纯洁则多为高尚,二者相互映发,正好以"清高"一词表述;纯洁则最为天真,二者相互阐释,正好以"清真"一词表述;纯洁则常能和平,"清"乃"和"的原因,正好以"清和"一词表述;纯洁则常能明察,"清"为"明"的条件,正好以"清明"一词表述;纯洁则操行美好,"清"是"修"的前提,正好以"清修"一词表述;纯洁则行事公正,"清"是"正"的基础,正好以"清正"一词表述。就社会的际遇而言,政府如能透明廉洁则往往可致太平,"清"是"平"的保证,二者又合为完璧,"清平"一词对此作出了有力的概括;为人品行纯洁则自能刚直有力,"清"是"劲"的原因,二者常相伴随,"清劲"一词对此作出了深刻的说明。就文艺作品的艺术风格而言,清纯者自能表达高雅的审美情趣,二者交相辉映,"清雅"一词可以形容;清雅者自可供雅士赏玩,二者契合浑然,"清玩"一词可以形容;清纯者天生丽质,二者不可分割,"清丽"一词可以形容;清纯者自能脱俗,二者相辅相成,"清秀"一词可以形容。"清"的这些派生词的内部语义逻辑关系已经明确显示:"清"既分别是"高、真、和、明、修、正、平、劲、雅、玩、丽、秀"形成的原因,存在的条件,又是它们可以相得益彰、相互映发的现象,影响着也突现了它们的存在状态。循此以进,又不难看到,中华先民对于这些词所指称的存在物是基于何种生存方式与价值观念进行观察和评价的;更不难看到,中华先民是如何以选取语素组合成词的方式高度概括地表现出自己对特定存在物的观察、解释和评价的。

下篇:词汇的运用接受对存在的解释

运用亦即言说,是语词的具有生命力的形式和存在论的形式,活的语词并不能在贮存状态中独立存在和被感知,而只能在使用状态中真实地存在,在使用状态中被直接感知。所以语言哲学大师维特根斯坦在《哲学研究》中强调:"就我们使用'意义'这个词的大多数情况——虽然不是全部情况——来说,可以给词下多样的定义:一个词的意义就是它在语言中的使用"。③ 而对语词的使用就是对话。运用语言哲学的眼光来看,人"总是在与他的先辈的对话中,也许更多地并且更隐蔽地还在与他的后人的对话中"。[④]对话是人们特有的创造活动和存在方式;人在对话中使用语词并通过语词以解释存在、交流思想、彰显自己、创造意义,而其意义则在本质上体现了人与人、人与世界的复杂关系,构成了人与人、人与世界的交往方式,是人存在的不可或缺的前提。人在对话中使用语词又有两种具体方式:一是言说者运用语词以表达意义而形成文本,二是接受者解读文本并通过语词以理解意义。而言语者和接受者对于语词的运用,都是通过语词以引渡它所指称的存在物并在意念中直接面对它所指称的存在物,进而从自己的角度、以自己的方式有所借鉴地体验存在、解释存在、创造意义、彰显自己。

就言说者而言,他们并非完全按照语词在贮存状态既定的意义与规则来运用语词,而往往是激活语词,通过语词将其指称的特定存在物引渡到当下的对话语境之中,在想象中予以重新观察体验,形成自己的独特的个性化的解释,形成自己对于词义"召唤结构"的独特的个性化的填充,[⑤]然后再将"个性化"了的语词放进语词组合链中,使其表达的独特的心灵概念与其他语词表达的同样独特的心灵概念组合融通,形成独特的意群或意境。在这一非常复杂却又能迅速完成的语词使用过程中,言说者常常在实际上对于存在物作出了自己的独特的解释,并在解释中创造出独特意义,体现出自己与他人、自己与世界的微妙关系,从而彰显了自己的独特存在。请看名词"春"的八个古代用例:

①《庄子·德充符》:使日夜无郤,而与物为春,是接而生时於心者也。

②《汉书·律历志》:春,蠢也,万物蠢生,乃动运。

③《淮南子·缪称训》:春女思,秋士悲,而知物化矣。
④陆凯《赠范晔》:江南无所有,聊寄一枝春。
⑤张若虚《春江花月夜》:江水流春去欲尽,江潭落月复西斜。
⑥刘禹锡《酬乐天扬州初逢席上见赠》:沉舟侧畔千帆过,病树前头万木春。
⑦牛希济《临江仙》:弄珠,游女,微笑自含春。
⑧南宋无名氏《采桑子》:花已成尘。寄语花神,何似当初莫做春。

名词"春"的造词理据是春季促使"万物蠢然而生"这一最大特征,它是中华先民基于农耕文化的经验与追求对于春季的特性作出的解释,同时也是名词"春"设定的"观察形式"。然而,上述用例的言说者却是在参照先民留下的这一"观察形式"的同时却又突破了它,对于"春"所引渡的春季予以重新的观察和体验,形成了自己的解释,创造出独特的意义。哲人庄子由"春"促使万物萌生的伟大功能联想到"至人"永远随物所在保持春天般生机与和悦的精神境界,以"春"隐喻,在理想人格的建构中赋予"春"以独特的富于哲理的新义。学者班固认同先民对于"春"的观察形式和初步解释,将其引入宇宙运行与天文历法的论说中加以证发,赋予"春"以颇具科学色彩的新义。《淮南子》由"春"促使万物萌生的特性联想到作为生命之原的情爱和作为生命象征的青春,进而联想到对于情爱最为敏感的青春女性及其特有的所思所苦所盼,使名词"春"的意义悄然扩展,悄然演变,融进了天人物化的深刻哲理。诗人陆凯所体验的"春",是幸福的标志,是生命的象征,既是梅花所报送的,也是挚友所祝愿的,其词义异常深厚而又独特。诗人张若虚心目中的"春"，既是促使万物欣欣向荣的自然春天，也是游子的青春、幸福和温馨憧憬，还是天地的荒老、人世的沧桑和生命的流逝，交织着浓烈的诗情与哲理，实现了词义的再度创造。在志士刘禹锡的笔下，"春"能为冻土萌发万物、为病树增生新枝，具有奋起的精神和不屈的意志，表现出了顽强的生命活力，能使困境中的勇士看到冲破桎梏的希望。在词人牛希济的笔下，"弄珠游女"徐徐绽放的"微笑"，有如令人神往的"春"，同样明媚动人，同样风情万种，同样表现出青春的美好，同样跃动着对未来的企盼，二者可以相互解释、相互隐喻、相互融注其意义。无名氏《采桑子》中的"春"，有学者解释为"花的开放"。但是应该指出，其中积淀着山河破碎、境遇凄凉中的诗人对于青春、对于生命、对于情感的反思与呼喊。由此可以知道，他们既是对语词予以独特的运用，也是对词义予以再度的创造；他们既是运用语词以表达自己的生命体验，也是在语词运用中彰显自己的存在方式。这是语词运用的本质特征和深层规律，语词词义就在这样的运用中演变发展，并显露出本体论的意义。

就接受者而言，当他进入对话语境以面对特定文本及语词的时候：首先，他已有自己在历史传统中形成的认识图式，总能在接受过程中发挥设定对象的选择动能、整理信息的规范功能和形成认识的解释功能，影响最后的解释。其次，他已有自己在社会文化环境中形成的出发点，总会生发对于文本及语词的期待视域，总要在接受过程中发挥对于解释的预期作用和引导作用。再次，他同样会激活文本中的语词，通过语词将其指称的存在物引渡到对话语境中来，参照造词者和言说者先后设定的"观察形式"而又突破这两种"观察形式"，并在与言说者的"视域融合"中形成自己对于存在物的个性化解释,而他的解释往往是对语词意义的三度创造,并且彰显了自己的存在。正因为如此,所以在文化经典解释领域,对于许多文化经典的许多文句语词,不同时代不同层级的接受者总能作出自己别出心裁的独特解释,或能拓展前人的解释并相互发明,或能超越前人的解释而开辟新径,终于使文化经典的生命之树常青,使文化经典的解释之枝常新,使词语意义不断演变发展。请看一个较有普遍意义的释例:

《论语·为政》:君子周而不比,小人比而不周。

何晏《论语集解》引孔安国曰:忠信为周,阿党为比。

朱熹《论语集注》:周,普遍也;比,偏党也。皆与人亲厚之意,但周公而比私耳。又《朱子语类》:君子小人即是公私之间,皆是与人亲厚。君子意思自然广大,小人便生计较。

戚学标《论语偶谈》:比与党有别。《周礼》五家为比,五族为党。比人少而党多。比为两相依附,如邻之亲密。党则有党首,有党羽,援引固结,蔓延远而气势盛。此比字对周说,正於其狭小处见不能普遍,犹未至於党之盛也。

何晏的解释,着眼于行为的动机,隐示出行为的方式:"忠信为周,阿党为比"。朱熹的考释则致力于四点:一是发掘行为的动机,"周公而比私";二是描写行为的方式,"皆是与人亲厚";三是揭示行为的效果,"周"则"普遍"而"比"则"阿党";四是将行为的动机、方式、效果统一起来,显现其中的内在逻辑,为公亲厚则能"广大",而为私亲厚则流于"偏党"。以此为基础,他又将其解释延伸到自身与社会,进而引出了区分君子小人的普遍而简明的法则,"君子小人即是公私之间",很有鉴戒意义。由此可见,朱熹是在考释"周、比"二词词义的同时,结合民族的历史经验和自己的人生体验筹划存在的方式——为建构君子的理想人格而努力。戚学标的考证是从辨析同义词"比"与"党"入手的,显然是针对何晏朱熹解释的疏忽而发的。为此,他深入考察了二词的词义引申轨迹,将二者严格地区分开来,使其词义特征在对比中呈现出来;并且使人领悟到,"比为两相依附","正於其狭小处见不能普遍"。可见他在词义考释中仍能昭示出"周、比"行为的动机、方式与效果的统一,也能给人以启迪。综合三位学者的考释应该可以看到:第一,他们都在怀着自己的认识图式,从自己的期待视域出发,透过语词符号在意念中直接面对它所指称的存在物("周、比")重新进行自己的观察和体验,力求在形成自己对于词义的独特解释的过程中形成自己对于存在物的独特解释。第二,他们在不同时代对于同一词义的逐步考释,使词义总在逐步扩大、加深和丰富,一次又一次地越出了词在贮存状态和言说活动中既有的意义与规则;他们对于存在物的重新观察体验,使言说者(孔子)也使汉民族对于该存在物("周、比")的认识在逐步扩大、加深和丰富,从而不断地扩充该存在物的存在模式。第三,他们在不断地考释词义的同时,也在不断地理解言说者孔子所表达的意义,也在不断地解释词所指称的存在物,同时也在不断地创造关于存在物的新意义,建构关于存在物的新模式,反映新的时代气息,彰显自己的存在。

附 注

① 参见拙文《汉语命名造词的哲学意蕴》,《语言文字应用》2004 年第 1 期。

② 张光直《中国青铜时代》第 471 页,三联书店 1999 年版。

③ 转引自涂纪亮《英美语言哲学概论》第 154 页,人民出版社 1988 年版。

④ 海德格尔《在通向语言的途中》第101页,商务印书馆1997年版。
⑤ 关于词义"召唤结构"的论述,参见拙文《词义的召唤性与训诂的创造性》,《华中师范大学学报》2003年第4期。

主要参考文献

卡西尔　1985　《人论》,上海译文出版社。
卡西尔　1988　《语言与神话》,三联书店。
伽达默尔　1999　《真理与方法》,上海译文出版社。
周光庆　2002　《中国古典解释学导论》,中华书局。

词汇系统在竞争中发展*

厦门大学　李如龙

词汇是语言中最活跃的部分,它总是处在不断变动之中。词汇是多元、复杂的系统,它的变动都会牵动系统的变化。那么,推动词汇及其系统的发展的动力是什么？是竞争。"物竞天择,适者生存",这是自然界和人类社会运动发展的自然法则,也是词汇发展的动力。

词汇是如何在竞争中发展变化的？受到了哪些因素的制约？存在着怎样的规律？这都很值得研究。本文就汉语的情形讨论词汇在五个方面所存在的竞争及其所造成的演变。

1. 基本词汇与一般词汇的竞争

词汇的系统总是包含着基本词汇和一般词汇。基本词汇是词汇的核心。它标记着日常生活中最必需的事物和概念,在交际过程中使用频繁,意义和用法也比较稳定,并且为创造新词提供了最重要的凭借。正是这些词汇保证了语言的连续性。一般词汇是基本词汇之外的词的总汇。它们随着社会生活的脉动而不断扩充和发展,时而也有一部分会补充到基本词汇里去或者取代原有的基

---

* 本文写作过程中,博士生白云曾协助搜集和整理部分材料,特此致谢。

本词汇。二者在使用中相互依存,在发展中相互转化。

基本词汇虽然相对稳定,却不是一成不变的。基本词汇的变化积累多了,就会发生系统的重大变化,语言便要发生质变。基本词汇的系统是语言的重要的本质特征。考察不同时代的通语和不同地域的方言,都应该从基本词汇入手。

我们从斯瓦迪士的二百个核心词表中就 18 个常用动词考察了古今汉语的用法,发现其中大部分从上古到现代都有明显的差异,可以作为区分不同时期汉语的根据。见下表。

	"看"	"找"	"睡"	"吃"	"喝"	"知"
上古	视	求\索	寝\寐	食	饮	知
中古	看	寻\觅	卧\眠\睡	食	饮\呷	知
近代	看\瞧\瞅	寻\觅\找	睡	吃(噢)	喝	知道
现代	看\瞧\瞅	找	睡\睡觉	吃	喝	知道\懂得
	"死"	"杀"	"游"	"飞"	"走"	"躺"
上古	卒\死	杀\戮\诛	游\泳	飞\翔	行	卧
中古	死	杀\戮	游\泳	飞	行\走	卧
近代	死	杀	游泳	飞	走	卧\躺
现代	死	杀	游泳	飞	走	躺
	"站"	"打"	"住"	"唱"	"去"	"玩"
上古	立\倚	击\叩\敲\拍	居\止	歌	之\如	戏(嬉)
中古	立	打	住	唱	往\去	玩
近代	立\站	打	住	唱	去	玩\耍
现代	站	打	住	唱\歌唱	去	玩\耍

从这个抽样调查可以看到,18 条基本动词中,上古和中古全同的 3 条,全异的 7 条,有同有异(新旧并用)的 8 条;中古和现代全同的 4 条,全异的 6 条,有同有异的 8 条。由此可见,上古和中古、中古和现代之间,全同的不及五分之一,相异的则大于三分之一,这三个时期的汉语是发生了质变的,而并用的都接近一半,这

是保持语言连续性的需要。

从现代方言的表现看,除了以上各种不同说法之外,"看"还说睇(粤)、觑(闽东)、映、眝(客家)、瞜(官话);"找"还说揾(粤)、讨(闽东)、挕(闽南);"睡"还说睏(闽)、睏觉(吴)、目睭(闽北)、睡目(客家);"知"还说晓得(客家、赣、湘)、八(闽);"游"还说洇(闽);"杀"还说刣(闽);"玩"还说嫽(客家)、白相(吴)、彳陀(闽);"躺"还说倒(闽)。可见从基本词汇的差异也可以看到不同方言之间的重要特征。

那么,基本词与一般词是如何在竞争中互相转化的呢?汪维辉对"视/看"、"求、索/寻、觅"、"寝、寐/卧、眠(瞑)、睡"、"击/打"、"居、止/住"[①]等几组词从上古到中古的演变轨迹作了详细的考察,发现上古的常用词"视、求、索、寝、寐、击、居、止"等发展到中古,逐渐边缘化,它们或以文言词的身份或作为词素保留在词汇系统中;而一般词"看、寻、觅、卧(表睡觉)、眠、睡、打、住"则从词汇的边缘向核心位置转移,成为常用词。二者经历了长期共存、互相竞争,其结果或新旧交替,或二者并存。

上表的例词中,寻—找、游—泳、行—走、站—立、玩—耍都是在某一时期的新旧两种说法的"并存",并存久了就双音"合成":寻找、游泳、行走、站立、玩耍,类似这种双音合成词还有很多。例如打击、欢乐、叫喊、听闻、全都、存在、话说、说话、解放、喜欢、结束、隐藏等。有的合成词用久了之后,也进入了基本词汇。

基本词汇和一般词汇的竞争更为常见的方式还是扩展和延伸。

所谓扩展是运用单音的基本词汇语素合成双音词。正是基本词汇的扩展使一般词汇经常地、大量地增加,使词汇库不断地丰富起来。大量的合成词定型之后又会反过来使一些本来的非基本词汇提升为基本词汇。例如"电"虽然出现很早,早期只用于雷电、闪电、电掣等场合,并不属于基本词汇。现代社会里有了电力、电灯、电话、电机、电筒、电流、电子、电动、电解、电影、电视、电脑、电扇、电炉、电极、电梯、电器、电台、电源、电线、电网、电压等之后,"电"已经进入基本词汇了。同样的道理,电脑进入千家万户后,"电脑"一词的构词能力非常强,其后可带"化、卡、狂、店、房、板、版、盲、城、室、屋、界、科、员、展、库、桌、班、站、纸、迷、商、通、部、单、报、椅、街、费、业、网、厂、热、课、战、馆、营、虫、体"等许多语素。"电脑"也会很快充入基本词汇的。

所谓延伸是运用已有的"词"组成"语"——仂语、成语、惯用语或成句的谚语、俗语。这类延伸了的语和句从结构说已经不是词了,但是从意义来说还是一个语义单位,一般也认为是词汇中的大成员。单音词合成复音词又组成词组或句子形式,有时意义凝固,使用频繁之后又会紧缩为双音词。不论是延伸或紧缩,都是扩大词汇库的方式。例如,"劳动"原是"劳烦"和"动用"合成的表示"烦劳"的敬辞,后来经日语用来翻译 laber,又借回汉语,构成了～力、～节、～布、～日、～者、～生产率、～改造、～模范、～保护、～保险等词语,"劳动"进入了基本词汇,再后来有些四音节词组又紧缩成双音词(如劳改、劳保、劳模)。

由此可见,基本词汇和一般词汇竞争的基本方式是由基本词(或语素)合成、派生出大量的一般词,再由词合成为语或句,使词汇不断丰富起来。只有少部分基本词在不同时代和不同地域会发生更新或替换。这些词汇虽然数量不太大,却是很体现时代特征和地域特征的,尤其值得我们关注。

2. 传承词与变异词的竞争

词汇系统既是历时传承的连续体,又是不断变异的开放系统。传承是为了维持语言的世代延续、保持语言的稳定性;变异是为了适应社会生活的变化和交际使用的需求。这决定了语言的词汇系统中必定存在着传承词与变异词的差异,并且形成了另一种竞争。传承词是历代相承、当代仍在使用的词语。前代未有、后来新创或前代虽有、后来有了较大变化的词则是变异词。传承词与变异词在社会的变迁和时代的更革中反复较量。这种竞争从未止息,成为语言发展变化的另一个重要的动力。

传承和变异在不同时期往往有不同的表现。殷商时期的词汇是最早见于文字的成系统的汉语词汇,它直接承继于史前汉语,反映社会生活的常用词大体上都已具备,奠定了汉语基本词汇的基础。如关于天象、地理的词有:日、月、星、云、风、雨、火、石、土、木、山、水等;关于方位、时间的词有:东、南、西、北、上、下、中、年、岁、春、秋等。早期的词汇传承的多,变异的少。到了春秋战国时期,社会的变革和发展使词汇的变异加剧,产生了大批与生产、技术、社会制度及意识形态有关的新词。如历法方面,表示季节的名称原来只有"春"和"秋",到西周末期,一年分为"冬、春、夏、秋"四季。战国中期以后,又出现了"孟春、仲春、季春;孟夏、仲夏、季夏;孟秋、仲秋、季秋;孟冬、仲冬、季冬"以及十二个月的系列名称。有关哲学、政治、伦理道德方面的词也大量增加。如《孟子》中就有了"仁、义、礼、智","孝、悌、忠、信"等成系统的新词。本时期同时形成了汉语文学语言词汇的基础。秦汉是中国封建制度确立时期,农耕文化成为主流,反映到词汇系统中也有很多变异。例如关于牲畜的名称大量增加了,徐朝华统计了《急就篇》和《说文》中关于牛的名称有18种之多[2];与封建帝国政治制度相关的一系列词语也在这时出现,并在后代继续使用。总体上看,秦汉时期,传承词远比新创词少。如法律方面的词前代传承的有"刑、法、律、法令、囹圄、桎、梏、狱讼"等,新造的则有"枭首、腰斩、弃市、腐刑、斩左止(趾)、斩右止、城旦、白粲、鬼薪、隶臣妾、徙边、谪戍、诏狱、槛车、爰书"等等。

中国的封建社会长期停滞不前,许多与人们生活、生产关系密切的基本词及有关封建政治制度、思想道德的词语世代相承、十分稳定。然而,汉语历来通行地域广,使用的人口多,社会生活曲折复杂,社会变革频繁多样,从历史上看,语言的变异又是绝对的。虽然,词汇的变异总是局部的、零散的、不断发生的,但是经过量变的积累,这种变异也可能形成巨大的规模冲击,造成质变。老一辈的人总在抱怨语言的变异太快太大是很正常的。宋代"打"字扩大化,逐渐上升为"万能动词"。对此,欧阳修就曾经有过严厉的批评:"今世俗言语之讹,而举世君子小人皆同其谬者,惟打字尔。其义本谓考击,故人相殴、以物相击,皆谓之打,而工造金银器亦谓之打。可矣,盖有捶挞作击之义也。至于造舟车者曰打船、打车,网鱼曰打鱼,汲水曰打水,役夫饷饭曰打饭,兵士给衣粮曰打衣粮,从者执伞曰打伞,以糊粘纸曰打黏,以丈尺量地曰打量,举手拭眼之昏明曰打拭。至于名儒硕学,语皆如此,触事皆谓之打。"[3]近百年来,中国社会、经济、文化、科学等方面发生着前所未有的巨大变化。尤其是近20多年来,冲动、变异、更新成了时代的主旋律。新造词语"洪波涌起",成为汉语词汇流变的主要态势和基本特色。据于根元、刘一玲主编的《汉语新词语》编年本(1991年起)的记录,新词语以每年数百条乃至上千条的速度递增,不仅口语在变,书面语也在变;不仅一般词汇大量产生,有些还充入了基本词汇。

　　传承和变异竞争的基本方式有三种。第一种是创新——约定俗成——定型。创新是从无到有,有的是一次完成的(如离休、下岗、纳米技术、经济特区),有的是经过多种选择而定型的(如镭射—激光、手提电话—大哥大—手机、分期付款—按揭、最高级会议—高峰会议—峰会)。各个时期产生的新词就是经过这个过程在词汇系统中立足的。第二种是利用旧有的语素另造表达新义的复合词,经过广泛运用而定型。例如:从"深"的基本义出发,先后造出了深海、深水、深层、深度、深山、深闺、深夜、深秋、深意、深情;深入、深化、深交、深思、深谈、深望、深信、深省、深造、深知;深邃、深奥、深厚、深切、深重、深刻、深湛等等。这是汉语词汇变异的常见方式,它运用汉字为表义的语素的优势随时根据需要造词,是词汇不断丰富、语义不断精细、语用不断灵活的有效方式。第三种是增加固有词的义项。这种变异有的并未分化为两个词,但使固有词里增加了大量的多义词,大大地拓展了语用空间。如,包袱(～皮ɪ/思想～)、解放(～生产力/～那年)、解剖(～学/～自我)、解冻(冰河～/资金～)。有的经过多义并用之后分化为两个词。这样分化出来的词,有的是同音词,如,雨水(由降雨而来的水/二十四节气之一)、生地(一种中药/荒地)、生油(生的油/花生油)、听信(等候消息/听到而相信);有的是不同音的同形词,如,抄道ɪ(名词/动词)、出处(出仕和退隐/引文或典故的来源)、大人(父亲～/～说话,小孩ɪ别插嘴)、生意(～盎然/做～)、生息(长～/休养～)。不论是创新、另造或增义,都使词汇系统得到良性发展。当然,在这个主流的背后,也有一些变异是未被社会认可的,在言语实践中陆续被淘汰了,或者退隐不用了。这就是传承和变异竞争中的优胜劣汰。

3. 书面语词与口语词的竞争

有了文字并形成书写体系之后,语言出现了两种并行的表达形式:书面语系统和口语系统。口语词通常只在日常谈话中使用,是生动、活泼、新鲜的,但也有粗糙芜杂的一面;书面语词是口语词的加工形式,是比较严整、稳定、规范的,有时也会走向呆板停滞。它们相互依赖,也在竞争中相互渗透、相互转化。

口语交际是言语活动中最广泛、最积极的因素。为了适应表达和交际的需要,词义在语用中不断地变动和扩展,或者一分为二地裂变,或者合二而一地合成。古时候掌握书面语的只是少数士大夫贵族,而口头语则是亿万平民百姓都参与的。口语历来是语词演变的最重要的推动力。

口语词对书面语词的冲击是经常存在的。开始时口语词在高雅语体中显得格格不入,多数文人总是抵制那些口语中的"俗词",但随着时间的推移,当它们在人们口中生了根,一些态度宽容的文人们也渐渐接受,给它们一席之地。一个词一旦在有影响的作家的笔下用开了之后,便会在高雅文体中扩展开来,进入书面语系统。汉语常用词的新旧更替生动地表现了口语词与书面语词之间的竞争。如,表示"用嘴咀嚼食物并咽下去"这一意义的词从上古到中古都是"食"。我们抽取了各个时期的几部代表性的典籍,考察"食"在其中的出现次数。结果如下:

	左传	孟子	论语	韩非子	史记	论衡
食	122	91	30	90	403	702

	搜神记	世说新语	颜氏家训	齐民要术	杜甫诗集
食	95	51	26	382	48

"吃"表示"用嘴咀嚼食物并咽下去"义最早的例子见于东汉贾谊《新书·耳痹》"越王之穷,至乎*吃*山草,饮腑水,易乎而食"。汉译佛经中也有所记录。如,后汉支娄迦谶译《佛说无量清净平等觉经》"串数唐得。自用赈给。不畏防禁。饮食无极。*吃*酒嗜美"。在中古的口语,"吃"逐渐用开了,但直到唐代还被认为是不入流的俗词,杜甫用它入诗曾被诟病。《碧溪诗话·卷七》:"数物以个,谓食为吃,甚近鄙俗,独杜屡用。……《送李校书》云'临歧意颇切,对酒不能吃','楼头吃酒楼下卧','但使残年饱吃饭','梅熟许同朱老吃'。盖篇中大概奇特可以映带者也。东坡云:'笔工效诸葛散卓,反不如常笔。正如人学作老杜诗,但见其粗俗耳。'"到了五代时期,"吃"与"食"的位置发生了变化。从下列唐、五代至明、清的几部典籍的用例出现次数就可以看出这个演变过程:

	杜甫诗集	祖堂集	朱子语类	全元散曲	初刻拍案惊奇（前十回）	红楼梦（前十回）
食	48	34	392	44	5	6
吃	6	128	246	85	92	117

经过五代、宋几百年的竞争,元代之后"吃"就占了上风了,而"食"则多作为词素保留在合成词或成语之中,用于书面语。

然而口语总是受到时间和空间的局限,书面语则可以流播四海,传承万代。口语通常比较芜杂,书面语有更多精粹。口语随着社会生活脉动,词汇创新快,但由于汉字是灵便的造词语素,书面语也用它来造词。两种造词方法有时是各行其道的,例如叠音、双声叠韵、切脚词一般是口头创造的,合成词(故旧、深奥、彻底、惜时、厚道)、紧缩词(杞忧、关爱、反腐、彩电、评估)等一般是书面创造的。由于以往的汉字书写繁难,书面语崇好简古,文学传统长期的厚古薄今,言文之别愈演愈烈。直到数十年前的"五四"新文化运动,主张"言文一致",向来被讥为"引车卖浆者流"说的白话,才登上大雅之堂,并逐渐占据了书面语的统治地位。

口语总是"短兵相接",一发即逝,难以慢条斯理地推敲;书面语则可以精雕细刻,进行科学和艺术的加工。因而书面语出现之后逐渐就凌驾在口语之上,在书面语中形成的规范形式往往借助行政、文学和传媒的力量影响着口头语。到了现代社会,人们交往频繁,信息爆炸,出版物泛滥,书面语的普及以及向口语传输比以往任何时代都迅速。就在这广泛而剧烈的交流之中,书面语和口语之间也呈现了逐渐靠拢的趋势。

可见,书面语和口头语互相竞争,也互相转化,它们之间是对立的,也是统一的。

4. 通语词与方言词的竞争

通语是在全民族各地区普遍通行的共同语,方言则只通行于某一地域。汉语的方言分化很早,品种很多,分布又很广,直到现在绝大多数方言在日常口语中还是最通行的,因而通语与方言的竞争贯穿了汉语词汇发展演变的整个过程,至今还在进行。

现代汉民族的共同语是以北方方言为基础形成的。它的词汇以北方话的一般词汇为基础,始终处在与各地方言竞争的旋涡中。

汉语常用词在历史上的新旧更替,展现了通语词与方言词相互竞争的语言事实。汪维辉说:"从某种意义上说,汉语常用词在历史上的新旧更替,就是方言词跟方言词或方言词跟通语词之间此消彼长的结果。"[①]

上古时期,表示"用视线接触人或事物"概念的词是"视",其义域最宽,构词和组合能力最强。我们考察了"视"在六种上古典籍中出现的次数,结果如下:《左传》67次;《孟子》26次;《论语》8次;《韩非子》46次;《史记》187次。《方言》所列"视"的同义词有睇、瞯、睎、眙等,尚无"看","看"可能是另一个少见的方言词。最早见于《韩非子·外储说左上》"梁车为邺令,其姊往看之",义为"探望、探视"。口语使用情况少有记录。到中古时期,情况则发生了很大变化。"看"的用例大量出现,意义也多样了。"看"在这一时期经历了开始出现 → 与"视"共存 → 二者相互竞争 → 逐渐占据上风 → 口语中取代"视"这样一个由弱变强的过程。下表的数字就是很好的证明:

	论衡	搜神记	颜氏家训	世说新语	齐民要术
视	95	103	8	40	12
看	0	10	4	53	49

根据汪维辉(2000)对汉魏时期佛经以及中土文献的考察,"看"的语法功能已经相当完备,词义不断引申发展,从口语进入了书面文学语言,并侵入了"观、省、察、望、窥、读、照、见"等词的义域。由此我们可以推定这一时期"看"首先在口语中已经取代了"视",进入了基本词的行列。"视"则多出现在比较典雅的诗文、赋颂、奏疏、诏书等文体中,但仍具有很强的构词能力。二者在语体上有分工。宋元以后,"视"逐渐降格为词素,多是和别的字组合成词表示各种具体的"观看"义。"看"在《世说新语》和《齐民要术》中剧增,《世说》是中原通语,贾思勰是山东人,说明"看"可能是先流行于中原、山东一带的方言。

"看"由方言词升格为通语词之后,很快在各地方言使用开来,竞争的结果是"看"占了绝对优势。现代汉语十大方言区中除吴语多用"望"和粤语用"睇"以外,其余地区多用"看",就是有力的明证。

　　方言词汇是汉语词汇系统中一股鲜活的源泉。从历史上看,汉语的通语接纳的方言词多半来自人口多的大方言区,来自经济、文化发达,政治影响力大的地区。换言之,方言词进入通语词汇系统往往借助于方言区的经济、政治、文化的地位及其影响。北方方言是普通话的基础方言,早期形成的分布在北方的官话方言词,一直是普通话词汇最重要来源。除此之外,由于六朝以来江南的崛起以及明清南方官话的影响,吴方言对通语词汇的渗透力也相当强。[5]汪维辉考察了41组常用词之后,认为一批新出现的常用词,最初是在吴语区先通行的,或者是由吴方言词变成南方通语词再影响到北方话进而成为汉语全民通用词。据苏新春对《现代汉语词典》(1983年版)1437个方言词的计量分析,结果是"南方方言中进入普通话词汇系统最多的是吴方言"[6]。可见,除了官话方言,吴方言对通语的影响是最深的。

　　改革开放以来,普通话吸收了大量的粤港澳地区的方言词语,"十年来,大陆大约有六七百个新词新语直接来源于香港社区词;小部分源自台湾社区词……"[7],如"勤政、资深、架构、转口贸易、转型、瓶颈、劳动密集型、展销、精品、连锁店、发屋、快餐店、食品街、写字楼、充电、传媒、物业、发烧(友)、业主、搞定、煲"[8]等等。可见,50年前吴方言的优势已经让位给粤方言,这显然是因为粤港处于改革开放的前沿,变化最大。

　　有时,在不同地区产生的新词会有不同的说法,也会形成互相竞争。手提移动电话刚出现时,有过多种名称:大哥大、随身机、移动电话、手提电话、行动电话、无绳电话、无线电话等,96年以后又有"手机"的说法。据邹嘉彦、游汝杰根据京、沪、港、澳、台等语料库的比较统计,"手机"在最近6年的使用频率和使用范围直线上升,远高于其他同义词。2001年,"手机"在台湾地区、新加坡、上海、北京四地已经成为最常用词。这一类的竞争究竟谁胜谁负,则更多地取决于新词的语素组合和音节构成何者更符合汉语的特点。

5. 本族词与外来词的竞争

爱德华·萨皮尔在《语言论》中曾有过精辟的论述:"语言,像文化一样,很少是自给自足的。交际的需要使说一种语言的人在说邻近语言的或文化上占优势的语言的人发生直接或间接的接触。交际可以是友好的或敌对的,可以在平凡的事务和交际关系的平面上进行,也可以是精神价值——艺术、科学、宗教——的借贷或交换。"语言的借贷和交换的外来词和本族语词是词汇系统中的另一种竞争。

汉族人民在同许多民族长期文化交流的过程中语言上也有接触,词汇上也有借贷和交换。据统计,古今汉语中约有一万余条外来词[⑥]。在汉语词汇史上,汉语较大规模地吸收外语来源的词有三次:一是汉唐时期,主要是来自梵语的佛教词语;二是晚清到"五四"前后约一百年间,转借日语翻译欧美文化的词语;三是"五四"以来,陆续借用的英语的词汇。纵观汉语外来词与本族词相互竞争的漫长历程,我们不难发现,汉语在借用外族语词上是保守的,到了不得已借用之后则表现了强大的整合力,从意义和形式上加以"汉化",并从而逐步融入原有的词汇系统。

佛教词语为"汉晋迄唐八百年间诸师所造","加入吾国系统中而变为新成分者"。[10]经过两千年的整合,其中的大多数都已经融入汉语的词汇系统,成为地地道道的本族词。如,魔、塔、僧、禅、佛、刹、法、善、空、觉、真理、实际、悲观、自觉、世界、因果、烦恼、平等、吉祥、解脱、方便、忍辱、庄严、甘露、根本、神通、秘密、坚固、智慧、变化、欢喜、思维、自然等。19世纪末期转借的日译词,由于原本就是用汉字语素构成的,更是"一见如故"地纳入词汇系统,活跃于书面和口头。如社会、封建、经济、文化、政治、政府、自由、艺术、思想、意识、具体、悲观、劳动、机关、资本、现象、讲义、服从、交涉、流行、哲学、科学、概念、解放、抽象、批评、历史等,大多已经成了现代汉语的基本词汇了。这两类老借词,人们已经很难知道它们的外来身份了。

20世纪的英语借词中,先出现的音译词后来往往被意译词所代替,脱下洋装穿上汉装,这就是外来词的"汉化"。也是本族词和外来词竞争的一种结果。如 telephone 一词,早期是译音的"德律风、德利风、爹厘风、独律风",后来吸收了日译词"电话",更加符合汉语的习惯,便约定俗成了。又如:士敏土→水泥、烟士皮里纯→灵感、德谟克拉西→民主、赛因思→科学、来复枪→步枪、盘尼西林→青霉素等,也都是音节简短的意译词取得了最终胜利。

改革开放以来,外来词语大量"进口",与本族词之间的竞争更加剧烈。二者谁能从竞争中胜出,还是未知数。如表示"供人临时雇用的汽车,多按时间或里程收费"[11]概念的词语,常见的有"的士"是来自英语的借词;"出租车""出租汽车"是普通话按照汉语的习惯新造的,两者竞争至今胜负难分。多年来在不同的华人地区

各有不同的使用频度：[12]

序号	词语	香港	澳门	台湾	新加坡	上海	北京	频率	总%
1	的士	57.48[①]	38.63	0	0.13	2.86	0.90	100	40.24[②]
2	出租车	1.76	2.40	0.24	0.80	85.35	9.45	100	22.50
3	出租汽车	1.03	1.29	0	3.09	80.93	13.66	100	6.99

说明：①指每一个词在每一地出现的频率占总频率的百分比。
②指每一词在六地出现的次数占本组全部词出现频率的百分比。

数据说明："出租车"、"出租汽车"在吴方言区、官话区最常用，"的士"在粤方言区常用。从总的百分比来看，"的士"的使用频率最高，在台湾还有"计程车"的说法。

值得注意的是当代外来词有些在"本土化"的过程中还成了常用语素而获得较强的构词能力。如"的士"简称为"的"，又造出了"打的、面的、卧的、货的、摩的、的价、的哥、的姐"等。同样，"酒吧（bar）"的出现则引出了"吧台""书吧""网吧""茶吧""氧吧""泡吧"等词语相继问世。

此外，随着英语借词的增加，汉语使用拉丁字母拼音的引进和学习，掌握英语的人数的增加，也由于科技事业的发展推动了科技词汇的迅速膨胀，数十年来逐渐产生了夹用在汉字当中的"字母词"（卡拉OK、VCD、T恤、WTO等），这种现象尤以近20年来为甚。它已经触及了汉语文字体系的变化，引起了社会上的关注。前景如何还有待进一步观察。

语言是个结构系统，词汇是由根词、核心词、基本词与一般词相生相关构成的系统。语言在广袤的地域分布中不可能没有方言的变异，也不可能没有各地共有的通语，词汇里便有通语词系统和各种方言词系统。语言是在复杂多面的社会生活中运用的，并且随着社会生活的变迁而变迁。于是,词汇里就有书面语系统和口头语系统、有传承词系统和变异词系统的不同。语言之间不可能没有接触,因而各种语言的词汇也必定会有本族词汇和外来语词汇的不同系统。可见,词汇系统是一个多面的复杂的系统。这几对不同系统之间经常处在竞争之中,正是这些系统的竞争保持了语言的生命力,也推动了词汇的发展。

随着人类生存空间的扩展,生活质量的提高和思维能力的发展,语言总是在向上发展,词汇系统也在向上发展。从总体上看,数千年来汉语词汇系统的发展趋势是:

1. 词汇量越来越大、表现力也越来越强。词汇的生命力既存在于词汇史的长河中,也存在于创造它、使用它的时代的历史之中。只要还存在着文明的信使,词汇就有存在的空间,至少在叙述历史的时候,许多旧词语也不会被抛弃。可见词汇是增的多减的少。汉字在甲骨文中的数量约为3500个,到清代《康熙字典》收字47035个。《汉语大词典》这部目前最大型的语文工具书,共收词37万余条。这些数字从一个侧面表明汉语的词汇量不断地丰富的事实。

2. 义类的划分有的越来越精细,有的越来越概括。人类思维的发展过程是从具体到概括,从含糊到精细,词汇的发展可以说是最直接、最迅速地表现了这一规律。如,"水"的本义指"众水并流",即河流,其所指比较含糊,后来逐渐分出"江、河、海、洋、湖"等词语,这是从粗疏到精细的例子。"好"本指女子美丽,后来抽象化了,成为一切使人满意的、友好、容易、健康、完成、赞同、利便等含义的总称。这是从具体到概括的例子。

3. 表义功能越来越强。在各种领域各种方式的交际过程中,词义的延伸和应用不断地完善,口头交际和书面语都各自得到发展,即不断地走向精密化、科学化,也不断地走向多样化、艺术化。

4. 词形越来越多样化。从单音节为主发展到双音节为主,三音以上的多音节词大量出现,后又出现了回归为双音节词的趋势。外来词的形式也趋向于多样化,从音译词到意译词,再到今天的混合词、字母词,甚至直接移植英文原形词。丰富多样的词形也是词汇系统适应社会发展的必然结果。

附 注

① 汪维辉认为:"上述第二种来源的新词在替换旧词时大体有这样一个过程:侵入旧词的义域——义域扩大并逐步与旧词的义域重合——新词与旧词在某一个或几个义位上完全同义,竞争达到高潮——旧词被新词挤出词汇系统或以文言文的身份保留在词汇系统中(也有的是作为语素保留在合成词或成语中),更替过程完成。"参看《东汉—隋常用词演变研究》,第 401 页。

② 徐朝华《上古汉语词汇史》第 142 页,商务印书馆 2003 年版。

③ 见欧阳修《归田录》。

④ 参见汪维辉《东汉—隋常用词演变研究》第 400—401 页,南京大学出版社 2000 年版。

⑤⑥ 苏新春《汉语词汇计量研究》第 140—141 页、147 页,厦门大学出版社 2001 年版。

⑦⑧ 引自陈建民《改革开放以来中国大陆的词汇变异》,《语言文字应用》1996 年第 1 期。

⑨ 参见高名凯、刘正琰等《汉语外来词词典》第 7 页,上海辞书出版社 1984 年版。

⑩ 见梁启超《佛典与翻译文学》,转引自梁晓虹《论佛教词语对汉语词汇宝库的扩充》,《杭州大学学报》1994 年第 4 期。

⑪ 参看《现代汉语词典》(2002 年增补本)第 185 页。

⑫ 引自邹嘉彦、游汝杰《当代汉语新词的多元化趋向和地区竞争》,《语言教学与研究》2003 年第 2 期。

主要参考文献

陈光磊　1997　《改革开放中汉语词汇的变动》,《语言教学与研究》第 2 期。
陈建民　1996　《改革开放以来中国大陆的词汇变异》,《语言文字应用》第 1 期。
葛本仪　2001　《现代汉语词汇学》,山东人民出版社。
郭伏良　1999　《当代汉语词汇发展变化原因探析》,《河北大学学报》第 3 期。
李如龙　2001　《汉语方言学》,高等教育出版社。
李如龙　2002　《汉语词汇衍生的方式及其流变》,《河北师范大学学报》第 5 期。
梁晓虹　1994　《论佛教词语对汉语词汇宝库的扩充》,《杭州大学学报》第 4 期。
苏新春　2001　《汉语词汇计量研究》,厦门大学出版社。
汪维辉　2000　《东汉—隋常用词演变研究》,南京大学出版社。
徐朝华　2003　《上古汉语词汇史》,商务印书馆。
徐时仪　2000　《古白话词汇研究论稿》,上海教育出版社。
徐通锵　2001　《历史语言学》,商务印书馆。
张能甫　1999　《汉语基本词汇研究的回顾与展望》,《四川师范大学学报》第 2 期。
张志毅、张庆云　1997　《新时期新词语的趋势与选择》,《语文建设》第 3 期。
邹嘉彦、游汝杰　2003　《当代汉语新词的多元化趋向和地区竞争》,《语言教学与研究》第 2 期。

关于汉语词汇系统宏观问题的
初步思考

武汉大学 赵世举

一 对词汇系统问题既有研究的简单回顾

关于词语的研究应该说是语言诸要素研究的先驱。在古印度,早在公元前 1000 多年前,人们出于阅读和整理古代经典的需要,就开始了针对具体典籍的词语疏解和研究;在古希腊古罗马,自公元前 3 世纪以来,一大批语文学家和哲学家就对词语问题进行了具体研究和哲学思考;在古阿拉伯帝国,也有不少学者对伊斯兰教经典《古兰经》的词语进行注解和研究;在我国,早在先秦时期兴起的以"释古今之异言,通方俗之殊语"为己任的训诂学,其主要的工作就是训释和研究具体典籍的词语。这些研究,从一定意义上说都属于词汇学范畴。

然而,关于词汇系统的研究则起步较晚。在外国,大约 19 世纪人们才对词汇系统问题有所注意,在某些论著中涉及词汇构成和词的意义联系方面的个别问题。1828 年,美国学者韦伯斯特(Noah Webster)提出了英语 lexicology(词汇学)。但由于自索绪尔以来的现代语言学的影响,词汇学备受冷落,对词汇系统问题缺乏认识。真正意义上的关于词汇系统的研究,应该说是从 20 世纪 50 年代开始的,当时的热点地区是前苏联,尤其是斯大林《马克思主义和语言学问题》发表以后,词汇问题成为学者们关注的重点问题之一。据张志毅先生介绍,自20世纪50年代以来,苏俄出版词汇学和语义学著作110多本,论文1600多篇。其中不少内容涉及词汇的系统问题。而在欧美,直到20世纪70年代词汇学才开始得到人们有限的重视。在我国,以《尔雅》为代表的雅学著作的编纂,表明了古人朦胧的词汇系统意识。20世纪三四十年代开始的"基本字汇""基本语词"的统计和研究,可以看作现代意义上的词汇系统研究的滥觞,但在人们的心目中对词与词之间的内在联系还缺乏明确的认识。20世纪50年代以前,在人们的观念中,词汇仿佛就是一盘散沙。

自50年代以来,尤其是随着斯大林《马克思主义和语言学问题》被译介到我国,词汇问题得到了学者们的普遍关注,词汇的整体观念逐步得以确立。但对于词汇是否具有系统性则有不同的看法。最初一些学者认为,词汇只是一种语言的词语的"总汇""总和""词库",其内部不具有系统性。较早具体论及词汇系统性问题的是周祖谟,他在《词汇和词汇学》(人民教育出版社1959)中指出:"语言中的词尽管多,在构词、词义各方面仍然有一定的联系,并且构成一个统一的词汇系统。"1961年黄景欣发表《试论词汇学中的几个问题》一文(《中国语文》1961年第3期),较深入论述了词汇系统性问题,认为词汇"是一个由许许多多互相对立、互相制约的要素构成的完整体系,在这个完整体系之间,每个要素的关系绝不是'和'(加)的关系,而是'积'的关系。也就是说,在这个体系中,每一个要素严格地说并不是一个孤立的、游离的单位,它只有依赖于其他同类要素,同其他同类要素构成互相对立、互相制约的关系,才能存在"。1964年刘叔新发表《论词汇体系问题——与黄景新同志商榷》(《中国语文》1964年第3期)一文,批驳了黄景新关于词汇体系性的论证,认为黄氏及其他一些学者的论证,都不足以证明词汇是一个体系,说"词汇是一个整体,是一个含有种种小组织的整体,只不过不足于成为体系"。不过,他也提到:"词汇如果存在着体系,也只能建立在词汇本身的组织特点上"。邢公畹也支持刘叔新的观点。一个时期内学界对这一问题颇有争论,后来又有不少学者都对这个问题有所探讨。随着讨论的深入,词汇具有系统性逐步成为共识。

虽然词汇具有系统性的观念已为大多数学者所认同,但词汇系统究竟形态如何?国内外学者们又见仁见智,很多学者从不同的角度进行了不懈的探索。综合起来看,涉及或研究者自己认为属于词汇系统研究的主要有如下几个层面。

1. 意义层面

即着眼于词的意义关系来研究词汇系统。如同义词、近义词、反义词,多义词、单义词的划分;语义场研究;表示相关事物的词语的类聚;依据概念逻辑所作的属义关系的整理;联想场研究等。

2. 结构层面

即着眼于词的结构组织来研究词汇系统。如单纯词、合成词的划分。西方形态学(Morphology)——包括曲折变化形态学和词汇/派生形态学所作的一些研究。

3. 语音层面

即着眼于词的语音形式来研究词汇系统。如单音词、复音词,同音词的区分。

4. 语法层面

即着眼于词的语法特征来研究词汇系统。如词类的划分。吉伯斯坦(Kiparsky)创立的词汇音系学对词汇的研究大体上也可归入此类。

5. 来源层面

即着眼于词的来源来研究词汇系统。如基本词、新造词、古语词、方言词、外来词的区分；同源词的系联等。

6. 运用层面

即着眼于词在使用上的差异来研究词汇系统。其中,有的根据词在使用场合、地域上的不同划分出通用词汇(或全民词汇)、地域方言词汇、社会方言词汇；核心词汇、专门词汇；书面语词、口语词。有的则根据使用频度区别出常用词和非常用词。

7. 综合属性

即根据词的多项特性来研究词汇系统。如基本词汇和一般词汇的划分。

应该承认,以上各类研究,对于我们深刻认识和全面把握词汇系统,具有一定的理论意义和实践价值。

但是,我们不能不看到,上述一些研究存在着一定的片面性。有的只触及到词汇系统的局部情况,未免以偏概全,未能揭示词汇系统的整体面貌。有的实际上只是从某个角度对词语进行的分类,并不是对词汇内在系统的揭示。词语类别并不等于词汇系统本身。正如许威汉先生所指出的:"词的各种类集,有可能是成体系的,但不能说各种类集一定都是词汇自身的体系性联系。判定是否体系性体现的标准,是类集有无内发性联系,外限的分类组合谈不上体系。"(《二十世纪的汉语词汇学》第534页)刘叔新先生也认为:"划分出这样的类集,或者说,每一个类集的建立,是以某些词语具有在使用上、历史长短上或来源上的共同性质为依据的;依据的不同角度相应得出不同类型的类集。换句话说,是由于这种作为依据的共同性质,而使某些词语集合为一个类集的,并非这些词语在语言建筑材料性质上相互间存在对立、制约、对比或因应的关系而集结成类。因此就如同一个班级的学生分成男生和女生、勤奋的学生和不用功的学生、南方籍贯的学生和北方籍贯的学生,汉语词汇划分出的每个类集,其词语单位之间的关联是微弱的,不是内在的、互相作用的关系。"(《汉语描写词汇学》第231页)因而,对词汇进行分类,并不等于对词汇内在系统的揭示。再则,有些研究,是把词汇当做静态的机械体在对待,而没有把它当做生生不息的有机体来看待。即使是一些具有历时动态观的论述,也是把历时态和共时态看做是机械的条块对立,而没有能够把词汇系统的历时动态和共时动态看做有机的统一体。因而很多研究是平面的单视角的而非多维的立体的,是局部系联而非整体描述,是静态的切分而非动态的揭示,有的甚至是非本体的,或只为分类而不管联系。因此,就既有的研究成果来看,我们对词汇系统的宏观模式、内在体系和生存机制还缺乏充分的认识,在某些方面甚至还缺乏起码的认识和把握。

二 词汇系统性的表现

所谓系统,就是指"由若干相互联系和相互作用的要素组成的具有一定结构和功能的有机整体"(《辞海》)。据一般系统论的提出者奥地利生物学家贝塔朗菲以及后来的众多学者研究,系统一般都具有整体性、层次性、稳定性、适应性和历时性这些重要特征。应该说,词汇是具备这些系统特征的。尽管目前我们对于词汇系统的认识还很有限,但其系统性还是有很多明显表现的。

从总体上看,词汇是语言系统的子系统,其内部是一个具有层次性和有序性的有机整体,同时它又与语音系统、语义系统、语法系统具有规则的对应性和有机关联性。这正是词汇系统性的表现。即使从我们日常能感知的一些"表象",也可以看出它的系统性。举例来说:

1. 某一个词汇成分的变化,必然带来相关成分的重新分析。例如,在古汉语中,"走""跑""刨""行"本来各有其义。但当"走"产生了行走意义之后,就逐渐排挤了"行","行"在行走意义上只能为语素;"走"原来的意义让位于"跑",而"跑"的意义又让位于"刨"。这种"牵一发而动全身"的现象正说明,任何一个词语在词汇系统网络中都占据一个"词位",而各词位之间又相互依存、相互制约,一词有变,必及其他。这正是词汇系统的整体性、有机性、有序性的重要表现。

2. 词汇缺位的存在与补充是有序的,而不是随心所欲的。例如:遇到不熟悉的青年女性怎么叫?一个中年男性遇到不熟悉的中年女性(甚至包括同事的夫人)怎么叫?老师的夫人称师母,那么老师的丈夫呢?这就是词汇缺位现象。这类现象很多:

◎少妇—×少夫

主妇—×主夫

小两口—?—老两口

胖—?—瘦

美—?—丑

软—?—硬

对于缺位,最初可以采用模仿或以词组替代的方式来解决使用问题。随之,其中一些模仿和替代形式经过词汇系统的选择逐渐固定,便正式入位而成为词汇系统的成员,使缺位得以补充。举例来说,"一个国家的社会性质、政治、经济、文化等方面的基本情况和特点"或"一个国家某一时期的基本情况和特点"叫"国情"(《现代汉语词典》)。那么,一个省,一个县,一个乡,或一个具体单位"某一个时期的基本情况和特点"怎么称法?过去存在词汇缺位。后来人们便仿"国情"一词,有了"省情""市情""县情""乡情""村情""校情""院情""厂情"等一系列说法,其中有些说法渐趋成词。可见,词汇缺位的补充是有序进行的。这也是词汇系统性的表现。

3. 外语词总是被汉语"同化"。观察大量的外来词可以发现,外语词进入汉语词汇系统,一般不是原汁原味,而是必须按汉语的构词规则变脸,才能融入汉语词汇系统。汉语吸收其他语言词语,大多采用意译就是一个明证。不仅如此,即使有的起初采用的是音译,后来渐渐地还是用一个意译词来取代,使之彻底汉化。这方面的例子很多,例如,"盘尼西林(penicillin)—青霉素","莱塞(laser)—激光","赛恩思(science)—科学","德谟克拉西(democracy)—民主","士坦(stamp)—邮票","开司(kiss)—接吻",等等。还有的尽管采用的是音译,但在用字选择上,不仅考虑其语音的近似,而且也极力选用能同时标示其意义的字,给它染上汉字的表音兼表意的色彩。例如"Coca-Cola"译作"可口可乐",不仅语音切近,而且具有很好的示意作用———一看便知它是可口佳饮。又如,"黑客"是英语 hacker 一词的音译,"黑"有"不公开、违法"的含义,是"黑帮""黑钱""黑道"等贬义词的构词语素;

"客"则作"从事某种活动的人"解,用于"不速之客""说客""刺客"等,两个字结合作为英语 hacker 的音译,既模拟了 hacker 的语音,意义上又与 hacker 神合,也符合汉语的构词规律。还有的尽管是地地道道的音译词,但在音节数量上也尽量向汉语词的通常模式——双音节——靠拢。有些本不是双音节的,也把它改造为双音节的。例如 sarira(梵),初译"舍利罗"或"设利罗",而后定型为"舍利";Arhat(梵),初译"阿罗汉",后省作"罗汉"。更有甚者,为了把一些音译词改造成汉语词模样,便仿拟汉字形声字半表音半表意模式,给一些本是译音的字加上表意的符号。比如"狮子",本来音译为"师子",后来给"师"字加上"犬"旁,以表明它是一种动物。又如"目宿—苜蓿"、"蒲陶—葡萄"、"宾郎—槟榔"等。有的外来词实际上只能以语素的身份参与构词,并不能作为独立的词进入汉语词汇系统(尤其是单音节的)。例如:吧——酒吧、网吧、陶吧、水吧、氧吧、吧台、吧女、吧仔等,近来又出现"睡吧""哭吧"等。有些外来词即使可以独立成词,但更多的也是作为语素在使用:的士—的—的哥、的姐、的嫂、面的、摩的、板的……外语词总是被同化说明,一种语言的词汇确实是个严密的系统,当异质成分侵入时(哪怕是有意引入),也必须按照"我"的模式进行改造,方可进入。

4. 同源词(同族词)的大量存在,更说明词汇系统的有机性。

5. 汉语词汇从古到今虽然历经几千年的发展变化,但其主干稳定,整个系统呈规则地发展演变,这也无疑表现出其高度的系统性。

总而言之,词汇当是一个多维向的系统,其系统性表现在各个层面上:

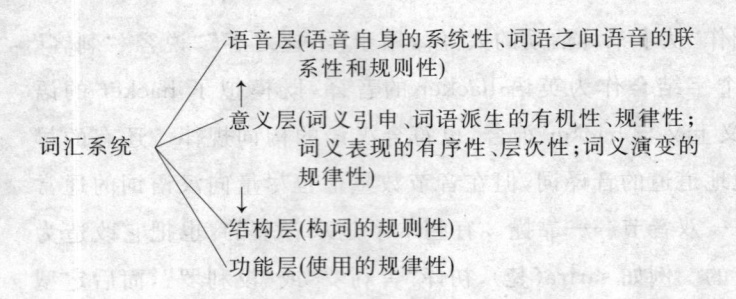

```
              ┌─ 语音层(语音自身的系统性、词语之间语音的联
              │     系性和规则性)
              │    ↑
              ├─ 意义层(词义引申、词语派生的有机性、规律性；
词汇系统 ─┤     词义表现的有序性、层次性；词义演变的
              │     规律性)
              │    ↓
              ├─ 结构层(构词的规则性)
              └─ 功能层(使用的规律性)
```

三　关于汉语词汇系统的宏观模式与内部机制的猜想

词汇是个生生不息的系统，这是我们论述词汇问题的最根本的看法。基于此，词汇是个整体，应有其形态样式；词汇是个有机系统，应有其运行机制。这都是很值得探讨的重要问题。

于根元先生近些年曾发表文章和讲演提出"语言内核外层互补说"，认为"语言是由比较稳定的内核和比较活跃的外层以及中介物构成的，共同为交际服务。……比较活跃的外层和比较稳定的内核，总的来说是互补的关系，而不是对立的关系"。（于根元 2002）根据我们的研究，词汇系统的状况可以印证这种基本看法。

我们认为，从宏观上看，词汇系统整体应是一个开放的倒梯形结构。其大体模式可简单图示如下：

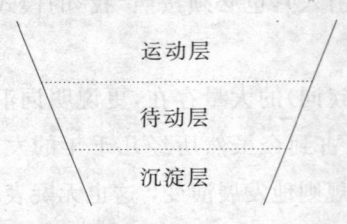

```
    ╲   运动层   ╱
     ╲─────────╱
      ╲ 待动层 ╱
       ╲─────╱
        ╲沉淀层╱
```

通过这个图形我们可以推知关于词汇系统的如下信息：

(1) 词汇系统呈开放状态。其最上层不断地有新成分产生，包括自我滋生和吸纳外族语言成分。其下层，不断地有彻底死去的

沉淀物被汰出。

（2）词汇系统在不断地发展壮大。这是因为人类思维的发展、人类对世界认识的深化、社会的进步、语言的精密化、语言运用的需求，都不断推动词汇的丰富和发展。

（3）词汇系统内部可根据其生态状况解剖为三个层次。最上层为运动层。该层的词汇成分处于最具活力状态，高频度地活跃于人们的口头和书面中。从其构成看，既有生命悠久的旧质成分，又有不断增添的新质成分。中间为待动层。该层处于待命状态，时有成员进入运动层。其构成是语言历时积累下来的非常用成分。待动层与运动层之间并无绝对的界线，两层之间不断地有成分交换。最下为沉淀层，是历时代谢下来的已死成分。各层次内部又是多维立体的结构系统（子系统），还可作进一步解析。

由上述可知，词汇是个生生不息的系统，任何时候都处于运动之中。它既有历时的发展，又有共时的运行；既有内部的运动，又有与外部的交流。词汇系统是历时动态和共时动态的有机统一体，其运动方式主要有如下表现：

（1）系统内部层次之间的运动。具体说就是，运动层不断有成分落入待动层，待动层一方面不断有成分跃入运动层，另一方面也时有成分沉入沉淀层。而沉淀层有时也会有成分被激活而重返运动层。

（2）新质成分不断产生。包括系统内部的滋生和吸纳外族语言的词汇成分。

（3）一些沉淀成分被汰出。

（4）系统自身的调适。所谓调适，就是词汇系统出于自身优化和完善的需要而进行的各项调整，例如词汇成员关系的调整、词语意义的再分析等等。

　　以上只是我们对词汇系统宏观模式和内部机制的粗略思考，尚待进一步探讨。

主要参考文献

符淮青　1996　《汉语词汇学史》，安徽教育出版社。
康德拉绍夫　1979/1985　《语言学说史》，杨余森译，武汉大学出版社。
刘叔新　1995　《汉语描写词汇学》，商务印书馆。
徐国庆　1999　《现代汉语词汇系统论》，北京大学出版社。
许威汉　2000　《二十世纪的汉语词汇学》，书海出版社。
于根元　2002　《应用语言学的基本理论》，《语言文字应用》第 2 期。
张志毅、张庆云　2004　《词汇学的创新问题》，载《词汇学理论与应用》（二），商务印书馆。
周荐　1995　《汉语词汇研究史纲》，语文出版社。

词语兼类的功能显示与深层语义分析

河北师范大学 苏宝荣

　　虽然词的语义——句法功能的转化是语言发展和变化的普遍规律，但词语的"兼类"却是汉语词汇与语法研究中面临的一个特殊的问题。就具有词汇形态变化的印欧系语言来说，词语的本体与变体之间一般有其特定的形态差别，词类与句法成分有着相当严格的对应关系，无我们所谓"兼类"之说。即使对于那些少数同形异类的词，就整个形态语言的语法体系来说，它们是以"零"形式进入该语言的构词体系的，语言学者以"零形转指式"构词法予以解释。而由于汉语没有印欧系语言那种形态变化，"词类跟句法成分（就是通常说的句子成分）之间不存在简单的一一对应关系"[①]，同一词语在不同句法结构中，功能具有多样性。为了科学地分析汉语的词汇、语法现象，必须采取符合汉语规律与使用习惯的名词术语和研究方法，"兼类"之说就应运而生了，并且得到多数语言学者的认可。陈承泽在《国文法草创》中就指出："西方以有形式上之变化，故一义有数用，而其数用之形式往往不同，因从而纳之于数类。国文虽无此形式上之变化，然义之相近者，其活动范围及次序，亦概相近。"[②]汉语中的每一个词语都具有双重性质，一是语词的词汇意义，即语义属性，一是语词的功能，即语法属性，二者如纸之两面、身之胸背，共存共亡。正因为如此，语言中某一个词语,随着其义位的不断孳生与演变,其语法属性也就可能增加与转化。

一 词语兼类的功能显示

应当说,追求语言功能与形式的统一,提高语言的认知效率,是所有语言的共同特征,古汉语单音节为主的独特的语音形式与方块汉字独特的书写方式,虽然使汉语没有形成印欧系语言那样完整的形态变化,但汉语在自身发展的过程中,不断以语音、字形、构词等方式显示其语词的功能变化。汉语词语兼类的功能显示主要通过以下几种方式:

(一)异读——语音的分化

一字多音是汉语的普遍现象,其中大量是"以音别义",其中一部分兼有"以音别用"的功能。具体方式有四:

一是改变声调:

好(形):hǎo 上声,好人。　　好(动):hào 去声,好逸恶劳。

难(形):nán 阳平,很难。　　难(名):nàn 去声,逃难。

称(动):chēng 阴平,称一下重量。　　称(名):chèng 去声,这个称准不准?

处(名):chù 去声,向何处去?　　处(动):chǔ 上声,处在农村。

二是轻声:

摆设(动):bǎishè 把物品按照审美观点安放。　　摆设(名):bǎishe 摆放的东西。

买卖(动)：mǎimài 购买与出售。　　买卖(名)：mǎimai 生意；交易。

练习(名)：liànxí 为巩固学习效果而安排的作业等。　　练习(动)：liànxi 反复学习,以求熟练。

三是儿化：

盖(动)——盖儿(名)

滚(动)——滚儿(名)

亮(形)——亮儿(名)

短(形)——短儿(名)

四是改变语音结构(其中有的是改变声母,有的是改变韵母,有的是声、韵同时发生变化)：

传(动)：chuán 世代相传。　　传(名)：zhuàn 树碑立传。

长(形)：cháng 长桌子。　　长(动)：zhǎng 长庄稼。

弹(动)：tán 弹棉花。　　弹(名)：dàn 真枪实弹。

行(动)：xíng 步行。　　行(名)：háng 行列。

乐(动)：lè 快乐。　　乐(名)：yuè 奏乐。

宿(动)：sù 宿营；住宿。　　宿(量)：xiǔ 住了一宿。

这种"以音别用"的词语,一些语文辞书往往笼统地作为"同形词"处理。其实,从语源上来认识,除少数意义完全没有联系或在演变中失去联系的应视为"同形词"以外[如：对头(duìtóu,形容词,"正确"义)——对头(duìtou,名词,"冤家"义);利害(lìhài,名词,"利和弊"义)——利害(lìhai,副词或形容词,"程度深"或"可怕"义)],大多属于"兼类"词语。

(二)后起字——字形的分化

$$昏\begin{cases}昏（名——黄昏）\\婚（动——结婚）\end{cases}$$

"昏"本义为黄昏,因古代有"娶妇以昏时"的礼俗,又引申出结婚义。后为以形别义、以形别用,以"昏"表"黄昏"义,另造"婚"字表"结婚"义。

$$竟\begin{cases}竟（动——完毕）\\境（名——边境）\end{cases}$$

"竟",《说文解字》(以下简称《说文》):"乐曲尽为竟。"本为完毕、终了义。段玉裁《说文解字注》:"曲之所止也,引申之凡事之所止,土地之所止皆曰竟。毛传曰:疆,竟也。俗别制境字。"由此引申为边境之义。后为以形别义、以形别用,"完毕"之义仍作"竟",又造"境"字表"边境"之义。

(三)构词——词形的分化

其一,分化为多音词(主要是双音词):

王：帝王(名)——《荀子·王霸》:"故百王之法不同。"
　　称王(动)——《商君书·更法》:"三代不同礼而王。"
军：军队(名)——《三国志·蜀书·诸葛亮传》:"亮身率诸军攻祁山。"
　　驻军(动)——《左传·僖公三十年》:"晋军函陵。"
重：重要(形)——《论语·泰伯》:"任重而道远。"
　　重视(动)——贾谊《过秦论》:"尊贤而重士。"

其二,附加词缀:

学(动)——学者(名)　　读(动)——读者(名)
作(动)——作家(名)　　画(动)——画家(名)
教(动)——教员(名)　　议(动)——议员(名)

高（形）——高度（名）　　强（形）——强度（名）
寡（形）——寡头（名）　　滑（形）——滑头（名）

二　词语兼类的深层语义分析

词语产生的初期,其语义与功能应当是相对单一的,词语的"兼类"是在语言的发展中词语语义——句法功能转化的结果。口语的遣词造句相对灵活,这种语义——功能转化所形成的"兼类"往往是首先出现在口语之中,以后逐渐进入书面语言的。

词义与词性有着紧密的关系,词义是词类区别的基础。这种"兼类"的形成具有语义与语法的双重动因:一是"兼类"的两个义位语义上有相通之处;二是这种"兼类"的形成与词所处的句法结构有关。

"兼类"词语词性的变化,不单单是造成功能的变化,同时也带来意义的变化,形成新的义位。因此,这种变化不仅有其语法学原因,也有其词汇学原因——义位的形成,有其内在的语义上的原因,即原有义位中有其隐含的义素,而且这种义素上升为义位。

正如马庆株先生所指出的:"语义对语法有决定作用","语义是形成语法聚合的基础,语义成类地制约词语和词语之间的搭配,制约语法单位的组合行为和表达功能"。[③] 词语的"兼类",从表层上看,是词性与功能的转化;从深层上分析,义位在语言中的运转,是词语所含义素地位的变化。因此,从原始义位潜隐的深层义素带有的属性基因来分析观察功能转化后所形成的新的义位的语法属性,是探求"兼类"词语的语法功能的一种行之有效的方法。如"衣"在古代汉语中是个兼类词。主要义项有三个。①上衣。《诗经·邶风·绿衣》:"绿～黄裳。"②（泛指）衣服。《诗经·豳风·七月》:"无～无食。"③穿(衣服)。《庄子·盗跖》:"不耕而食,不织而～。"而"衣"的本义(或最早的意义)是"上衣"。"上衣"指"穿在/身体上部的/衣服",包含"穿""身体上部""衣服"三个主要义素。其中"衣服"与"穿"两个义素的地位上升,就分别形成②③两个"义位"(或"义项")。而义项①②为名词用法,义项③为动词用法,成为兼类词,而动词义项"穿"的形成是与其本义"上衣"所包含的具有动词属性的义素相关的。

汉语词语的"兼类"情况相当复杂,特别是鉴于"名物化"(即处于主语、宾语位置上的动词、形容词的语法性质)问题是一个争议相当大的问题,我们这里以大家认识比较一致的"名—动""名—形"兼类的问题,进行深层的语义分析。

目前对于词义的分类有多种分析方法[①],但就实词中名词、动词、形容词三大主要词类来说,其词义的核心是概念义(或"理性义")。名词的概念义,可以首先分为两个部分:一部分表示人或事物的类属,即类属义;一部分表示人或事物的特征,即特征义。名词所含的特征义又可以从不同角度进行分类:可以有表示形貌、性状的静态特征,也可以有表示行为动作的动态特征;可以是对名词内涵进行说明、限制的限定性语义特征,也可以是对名词内涵进行描写、修饰的描述性语义特征。而名词所含语义特征的不同,对该名词的功能转化,以及形成"兼类"的发展趋向,具有很大的制约作用。

(一)一般说来,名词词义中含有动态特征义,即具有与之直接、固定搭配关系的动作,这个名词才可能成为"名—动"兼类词。

首先看古代汉语中的例证:一些常见的兼类词,其名词词义中都包含着动态特征义。如:

王:《说文》:"天下所归往也。"
　　　《古汉语常用字字典》:①帝王。⑤wàng。称王,统治
　　　　天下。
名词"王"是天下人所"归往"的、"统治天下"的人,故能兼有"称王,统治天下"的动词意义。

　　　臣:《说文》:"事君也。象屈服之形。"
　　　《古汉语常用字字典》:①男性奴隶。④用作动词。役
　　　　使;称臣,做臣子。
名词"臣"是"侍奉"君主的臣子或"侍奉"他人的奴隶,故能兼有"役使""称臣,做臣子"的动词意义。

　　　鼓:《古汉语常用字字典》:①一种乐器。②击鼓;弹奏、敲
　　　　击乐器。
名词"鼓"是一种"敲击"的乐器,包含着动态的特征义,故能兼有动词"击鼓;弹奏、敲击乐器"的动词义。

　　再看现代汉语的例证:
　　　"把三个钉₁钉₂在墙上。"
　　　"用保险锁₁把门锁₂上。"
　　　"人大代表₁要真正代表₂广大人民的利益。"
这里,"钉₁""锁₁""代表₁"是名词,"钉₂""锁₂""代表₂"是动词,均是典型的兼类词。其名词意义中明显包含着动态的特征义。而且,究其本源,到底是名词意义在先还是动词意义在先,也是可以讨论的。

　　总之,特征义来自动态特征的名词才可能经常用作动词。而特征义来自静态特征的名词,如"柿"(《说文》:"赤实果")、"鸿"(《说文》:"鸿鹄也")、稗(《说文》:"禾别也"),一般不能用作动词,

如果在特定语境中用作动词,应属于临时的活用。特征义是名词词义中最重要的部分,是词义引申的基础。通过判断名词的特征义来自静态特征还是动态特征,可以帮助我们判断该名词有没有兼作动词的可能。

(二)一般说来,名词词义中含有描述性语义特征,即隐含形容词的某种性质或状态义,这个名词才可能成为"名—形"兼类词。

"名—形"兼类或称"名转形"有其内在的语义基础。如前所述,名词所含的特征义又可以从不同角度进行分类:可以有表示形貌、性状的静态特征,也可以有表示行为动作的动态特征;可以是对名词内涵进行说明、限制的限定性语义特征,也可以是对名词内涵进行描写、修饰的描述性语义特征。而名词所含的对名词内涵进行描写、修饰的描述性语义特征,是"名—形"兼类的语义基础。如:

英雄:《应用汉语词典》:①[名]旧指勇武过人的人。②[名]指不畏艰险,奋不顾身,为人民利益而英勇斗争,令人钦敬的人。③[形]具有英雄品质的。

"英雄"的义项①和②是名词用法,均具有描述性语义特征,故其可以兼有形容词用法(义项③),如"~本色""~气概""他果真~"。

科学:《现代汉语词典》:①反映自然、社会、思维等的客观规律的分科的知识体系。②合乎科学的。

"科学"的义项①是名词用法,具有描述性语义特征,故其可以兼有形容词的用法(义项②),如"~种田""这个提法不~"。

"名—形"兼类或"名转形"实质是用具有某种性质的事物来表

示那种性质。谭景春将名词转变成的形容词的释义方法归纳为四种[⑤]：1.内在性质义提取法。如：【土气】(名词释义)"不时髦的风格、式样"——(形容词释义)"不时髦"。 2.附加性质义提取法。如：【猴】(名词释义)"哺乳动物……"——(形容词释义)"乖巧；机灵"。 3.动词添补法。作者认为有的形容词是通过省略或隐含动词而由名词转变来的，譬如"很威风"来自"很有威风"。如：【规范】(名词释义)"约定俗成或明文规定的标准"——(形容词释义)"合乎规范"。 4.概括法。作者认为由名词转成的形容词的词义基本上都可以概括地解释为：具有名词的那种性质（或"特点、特色、色彩、特征、品质"等）。如：【封建】(名词释义)"指封建主义社会形态"——(形容词释义)"带有封建社会的色彩"。

谭先生的分析相当细密。但四种类型的划分并不在一个层面上，其中第四种"概括法"实际涵盖其他三种类型。但文中强调对"名转形"的形容词用法的释义，关键是揭示和描绘该名词所具有的性质义(即"描述性语义特征")，是很具有启发意义的。如：

  肉 ①人或动物体内接近皮的柔韧的物质。②指食物不脆，不酥：这西瓜有点儿～。

  沙 ①细小的石粒：风～｜飞～走石。②指食物质地松散而呈细粒状：～瓤儿西瓜。

  基 ①基础：房～｜路～。②起头的；根本的：～层｜～数。

  鼻 ①～子：～梁｜～音。②开创：～祖。

  面 ①粮食磨成的粉：麦子～｜小米～。②指食物口感上水分少而柔软：这红薯很～｜～倭瓜。

  机械 ①利用力学原理组成的各种装置：～专业｜～工厂。②比喻方式拘泥死板，没有变化：工作方法太～。

上面诸例,义项①为对名词用法的释义,义项②为对形容词用法的释义,都是揭示和描绘该名词所具有的性质义。不过,这种性质义(即"描述性语义特征")表现为两种情形:一种是原名词意义中直接显现的,如"肉""沙""基";一种是原名词意义中隐含的,如"鼻""面""机械"。当然,两种情形在词义的发展中可以发生转化。

总之,词的兼类是汉语词汇和语法研究的重要特征之一。虽然汉语词汇自身缺乏表现其词性与功能的系统的形态标志,但语言追求功能与形式的统一、提高认知效率的共同特征,促使其不断以语音、字形、构词等方式显示其语词的功能变化。而且,从语义与语法(功能)的内在联系来认识,汉语中词的兼类有其深层的语义基础。分析汉语词的兼类现象及其成因,有利于启发人们从语义与语法结合、功能与形式统一的视角认识和研究汉语词汇。

附 注

① 见朱德熙《语法答问》,商务印书馆 1985 年版。
② 见陈承泽《国文法草创》,商务印书馆 1982 年版。
③ 见马庆株《结构、语义、表达研究琐议》,《中国语文》1998 年 3 期。
④ 见束定芳《现代语义学》(上海外语教育出版社,2000 年 12 月出版)与王寅《语义理论与语言教学》(上海外语教育出版社,2001 年 10 月出版)。现代语义学者对"语义的分类"有"四分""二分""七分"之说。〔英〕利奇(G. Leech)《语义学》中将语义分为七种类型:概念义、联想义、社会义、感情义、反映义、搭配义和主题义。
⑤ 见谭景春《名形词类转变的语义基础及相关问题》,《中国语文》1998 年 5 期。

主要参考文献

冯凌宇　2003　《核心义素在兼类词判别中的意义》,《语言研究》第 1 期。

《古汉语常用字字典》编写组　1993　《古汉语常用字字典》(修订版),商务印书馆。
商务印书馆辞书研究中心　2000　《应用汉语词典》,商务印书馆。
施春宏　2001　《名词的描述性语义特征与副名结合的可能性》,《中国语文》第3期。
徐翁宇　1995　《词的语义—句法功能的转化》,《外语教学》(西安外国语学院学报)第3期。
张文国　2000　《词类活用与辞书编纂》,《辞书研究》第3期。
中国社科院语言所词典编辑室　2002　《现代汉语词典》(2002年增补本),商务印书馆。
钟如雄　1996　《词的意义层级及其词性》,《西南民族学院学报》第5期。

语源义认定中的认知因素[①]

北京大学 张联荣

一

同源词语源义的认定是一个很复杂的问题,词的读音和词的意义两个方面都需要关照,这两个方面都有不少的问题需要研究:比如音读的确定和音读距离远近的问题、字源同语源的关系、语源义同词的本义和引申义的关系、语源义的语义成分分析等。语源义确认中的认知因素也是需要深入探讨的问题之一。对汉语中一个词语源义常常有不同的看法。比如严学宭认为"城"这个词具有边陲和屏藩的意义,因此城、陲、屏三个词同族,它们有一个共同的中心要素元音-e。[②] 岑麒祥则认为:"在汉语里,城这个词总跟'城垣、城墙、城池'等联系一起的,现在许多地方的城墙虽已拆除,但是提起城来总使人想起从前曾有过一堵高大的围墙围住。"[③] 对岑麒祥的看法,张世禄评论说:"就汉语的事实来说,城这个词固然跟'城垣、城墙、城池'等联系一起,但是也跟'城市、城镇、城邑、京城、都城'等联系一起,并不一定源出于'防御敌人'的意义。《说文》:'城,所以盛民也。'《释名·释宫室》:'城,盛也。盛受国都也。'《白虎通》:'城之为言盛也。'按城、盛、戌等字,都是从成得声的,……成又是从丁得声的。《广雅·释诂》:'丁,强也。'丁有盛壮义,与成的成就、茂盛义相通。……总之,从成、城等字的音义关系上来观察,它们的语源应该是出于'成长、生聚、聚集'等的意义。由成长引申为茂盛义;由生聚引申为'安定、盛受'等义。"①所谓"提起城来总使人想起""它们的语源应该是出于……""丁有盛壮义,与成的成就、茂盛义相通""由成长引申为茂盛义;由生聚引申为'安定、盛受'等义"云云,其分析都带有主观认知的因素在内。由于主观认知的不同,对城的语源义也产生了不同的看法。对语源义的认定,无论是字源同语源的关系、语源义同词的本义和引申义的关系,还是语源义的语义成分分析等等,都与主观认知有着牵连不断的关系。

二

讨论语源义自然要说到词的理据。关于词的理据,如有的学者论述的那样:"它指的是被用作命名依据的事物的特征在词里的表现形式,也就是以某种语音表现某种意义的理由或根据。"⑤这种命名时所依据的对象的特征体现在词义中,就构成了语义单位关系中的语源义,所以语源义是"被用作命名依据的事物的特征"在词义中的一种体现,它是一种特征义。如"梳"的特征是疏、"铨"的特征是"全"等等。由此可知,确认语源义需要在语言和事物间建立起一种认知上的联系。沈兼士在《声训论》中说:"余谓凡义之寓于音,其始也约定俗成,率由自然,继而声义相依,展转孳乳,先天后天,交错参互,殊未可一概而论。"既然是"展转孳乳,先天后天,交错参互",同分析词义的引申变化一样,分析者的认知因素对词的语源义的认定就具有不可忽视的作用,寻求语源义的时候就需要作多方面的考虑,否则得出的判断就会失之主观。

语源义既是"被用作命名依据的事物的特征"在词义中的体现,就应当看做是词义的一部分。比如:

  1)释水:水小波曰沦。沦,伦也。水文相次有伦理也。

  2)释水:水直波曰泾。泾,俓也。(毕沅曰当作"径",是。)俓,径也。言如道径也。

在"沦"的语义结构中,"小"和"有伦理"都是语义的构成的成分;同样,"直"也是"泾"的语义成分。如果我们把一个意义区分为指称义素和区别性义素两个部分,语源义就体现为区别性义素。[6]

语源义既是"被用作命名依据的事物的特征",那么在认定词的语源义时对事物的特征首先要有一个恰当的认识。认识的前提是这个特征是某一事物客观所具有的。如:

  3)释水:山夹水曰涧。涧,间也。言在两山之间也。

  4)释首饰:帽,冒也。

"涧"有"间"的形态,"帽"有"冒"的功用,这就为事物的命名提供了事物特征的依据。事物具备的特征为我们提供了一个最初的认知依据,事物的特征非止一个,表现在不同的方面。比如有功用方面的:

  5)释水:水,准也。准平物也。

  6)释长幼:男,任也,典任事也。

有形态方面的:

  7)释水:水草交曰湄。湄,眉也。临水如眉临目也。

  8)释形体:肢,枝也。似木之枝格也。

  9)释形体:颊,夹也。面旁称也。

有材质方面的:

  10)释采帛:缣,兼也。

11)释采帛：素，朴素也。已织则供用，不复加功饰也。

12)释采帛：纶，伦也。作之有伦理也。

面对这些不同的特征，人们在命名时需要通过认知加以筛选，有所取舍。比如：

13)释山：山锐而高，乔，形似桥也。

14)释形体：胫，茎也。直而长似物茎也。

"乔(峤)"的特征是"锐而高"，命名时取其高不取其锐。"胫"的特征是"直而长"，命名时取其直不取其长。

对特征取舍的一个基本原则是只能取其一，体现在词义中，语源义只能有一个，不可能有两个。这也是我们对语源义的基本认识之一。

三

基于我们对语源义的基本认识，可从认知的角度进一步分析在确定语源义上的一些偏误。第一，从语言和对象的关系看，语源义既来自事物的某一特征，如前所说，这一特征就具有一定的客观性。失去了这种客观性，就会陷于主观的臆断。如：

15)释天：景，竟也。所照处有竟限也。

16)释天：雨，羽也。如鸟羽动则散也。

17)释天：电，跑也。其所中物皆摧折如人所蹴跑也。

18)释天：疫，役也。言讲有鬼行役也。

19)释山：山有草木曰岵。岵，怙也。人所怙取以为事用也。

20)释形体：发，拔也。拔擢而出也。

21)释形体：目，默也。默而内识也。

22)释言语:贵,归也。物所归仰也。

在同一条目的训释中,或有据或无据:

23)释言语:贱,践也。卑下见践履也。

"贱"有卑小义,这是客观的依据;"践履"的说法则是主观的附会。

第二,事物的特征本身就是认知的结果,单就某一事物看,其特征可就此言,亦可就彼言,彼此之间难以划界,所以这种特征还必须有认知上的依据。失去了这种依据,同样会陷入主观的臆测。如:

24)释天:木,冒也,叶叶自冒覆也。

25)释天:露,虑也。覆虑物也。

26)释采帛:皂,早也。日未出时早起视物皆黑,此色如之也。

27)释姿容:跳,条也,如草木枝条务上行也。

认知有两个不同的层面:独立于文化的认知和受制于文化的认知。相对于外部事物来说,人类有共同的认知机制,由此而产生对事物的共同认识,这是独立于文化的认知。人类语言的共性就是这种独立于文化的认知的反映。另一方面,社会的差异和时代的差异又造成了文化背景和文化观念的差异,这种差异必然会对认知产生影响,这是受制于文化的认知。由于认知的不同,就会产生对语源义不同理解:

28)释宫室:宫,穹也。屋见于垣上穹隆然也。(《疏证补》引王启原:"按〈尔雅〉:'大山宫小山,霍。'宫固环绕之谓然。")

29)释水:水中可居曰洲。洲,聚也。人及鸟兽所聚息之处也。(《疏证补》引毕沅:"当云:洲,周也,水周绕其外也。")

30)释宫室:楣,眉也。近前各两,若面之有眉也。

28)例王启原所说的"环绕"虽然不是对语源的解释,但他对《释名》中"宫"的语源义表示了一种怀疑。29)例"洲"的语源义,或解释为"聚",或解释为"周"。这两例是对同一个词的语源义有不同的解释。30)例对"楣"的解释可以和《释水》中对"湄"的解释相对照。《释水》说:"水草交曰湄。湄,眉也。临水如眉临目也。""楣"和"湄"是同源关系,由于认知的不同,对两种事物特征的选取不同,这是对一组同源词语源义的解释的不同。从认知背景来说,上面几例反映出的是独立于文化的认知。

《释言语》:"悌,弟也。"对"悌"的解释充分显示社会观念对认知的影响。这是受制于文化的认知。这种受制于文化的认知有时也会造成对语源义的曲解。比如下面两种情况:

(一)由于文化观念形成的偏见而造成一种曲解。如:

31)释天:疫,役也。言讲有鬼行役也。

32)释地:地,亦言谛也。五土所生无不审谛也。

33)释言语:俗,欲也。俗人所欲也。

34)释言语:御,语也。尊者将有所欲,先语之也。

35)释言语:健,建也。能有所建为也。(《疏证补》:"古人强而仕,谓年力有为也。")

(二)一个词产生在前,如果以后来的某种文化观念解释这个词的语源义,也会造成一种误解。如:

36)释天:广平曰原。原,元也,如元气广大也。

37)释形体:人,仁也。(比较《释言语》:"仁,忍也。好生恶杀,善含忍也。")

38)释言语:静,整也。(《疏证补》引王先慎:"《庄子·人间世》:'正则静。'《史记·老子列传》:'清静自正。'故静训为整。")

"元气、仁、整"这样一些观念产生于"原、人、静"这三个词之后,可确知并非初始的语源义。

第三,语言中的词虽然以认知为背景,但认知并不等于语言,所以在重视认知的同时还需要区分语言因素和非语言因素。对于语源义的分析是一种语言的分析,不能离开语言随意牵合。35)例把"健"解释为"有所建为",但身体的强健有力并不一定就会有所建为。

以语源义同词的本义关系而言,这是两个既有联系又有区别的概念。本义是一个词生成时具有的意义,语源义既然是命名的依据,那么它往往就蕴含于本义之中;不过它并不是本义的全部。一般地说,在本义的语义结构中,语源义体现为某一区别性义素。所以在确认语源义的时候,考察本义是一个前提,如果对本义认识不同或有所忽略,就会导致对语源义的不同理解或认识偏差。如王念孙《释大·第一》:

监,领也。

公,大也。故无私谓之公。

告,牛角着横木也。

"监"的自注说:"《礼记·王制》:'天子使其大夫为三监,监于方伯之国,国三人。'郑注:'使佐方伯领诸侯。'"《说文》:"监,临视也。"监的本义,一般认为是照视。就"临视"这个本义看,很难说有大的意思。《释大》说的"领"当是监的引申义。"公"的自注说:"《尔雅·释诂》疏引《尸子·广泽篇》:'天、帝、后、皇、辟、公、弘、廓、闳、溥、介、纯、夏、幠、冢、昄皆大也。'十有余名,而实一也。"把"天、帝、后、皇、辟、公"称为公,是取尊长的意思,与"介、纯"等的大恐怕不是一个意思。第三例说"告"的本义是"牛角着横木",如果作义素分析,也难说其中含有大的意思。《释名》中的例子如：

39)释言语：信,申也。言以相申束,使不相违也。

40)释言语：功,攻也。攻治之乃成也。

41)释言语：闲,简也。事功简省也。

42)释言语：取,趋也。(《疏证补》引苏舆："事之有可取者人争趋之。")

43)释言语：迹,积也。积累而前也。(比较《说文》："迹,步处也。")

44)释言语：御,语也。尊者将有所欲,先语之也。(比较《说文》："使马也。")

从本义的语义构成看,"信"的构成成分不包含"相申束";"攻"构成成分不包含"攻治之乃成";"闲"的构成成分不包含"事功简省";"取"的构成成分不包含"趋";"迹"的构成成分不包含"积累而前";"御"的构成成分不包含"尊者……先语"。

确定语源义需要音义互求。探求语源义常见的失误往往是在语音条件得到满足时随意附会,疏于对意义联系的深入分析：

45)释言语：急,及也。操切之始相逮也。

46)释言语：躁,燥也。物燥乃动而飞扬也。

就读音看,"急"和"及"、"躁"和"燥"没有问题,但意义的联系难以证明。

第四,认知又有时代性,不同的时代有不同的认知背景,古人的一些看法不同于今人的认知。时代不同,在认识上也会有隔膜。《法言·修身》："罢宾犒师。"汪荣宝《义疏》：[7]

犒者槁之俗。《说文》："槁,枯木也。"引申为因槁而润之之称。……《左传·僖公篇》:"公使展禽犒师。"孔疏引服虔云:"以师枯槁,故馈之饮食。"《淮南子·氾训》:"犒以牛十二。"高注云:"牛、羊曰犒,共其枯槁也。"

这是古人的认识,放在今天,就难说了。

四

一组同源词的语源义有几个,也是需要考虑的问题。如前所说,我们认为语源义只能有一个,由于在认知上的一系列失误,往往会造成对语源义的歧解。比如由于读音的差异而造成对语源义的不同解释:

47)释天:天,豫司兖冀以舌腹言之:天,显也。在上高显也。……青徐以舌头言之:天,坦也。坦然高而远也。

48)释天:风,兖豫司冀横口合唇言之:风,氾也。其气博氾而动物也。……青徐言风,踧口开唇言之:风,放也。气放散也。

在《释名》中,常常有"亦言""又言"的字眼出现。"亦言"例:

49)释天:光,晃也。晃晃然也。亦言广也。所照广远也。

50)释天:火,化也。消化物也。亦言毁也。物入中皆毁坏也。

51)释地:地,底也。其地底下载万物也。亦言谛也,五土所生无不审谛也。

52)释言语:御,语也。尊者将有所欲,先语之也。亦言其职卑下,尊者所勒御如御牛马然也。

53)释首饰:刷,帅也。帅发长短皆令上从也。亦言瑟也。刷发令上瑟然也。

54)释衣服:领,颈也。以壅颈也。亦言总领衣服为端首也。

"又言"例:

55)释天:雲犹云云,众盛意也。又言运也。运,行也。

56)释言语:弱,衄也。又言委也。

其他的表述:

57)释形体:毛,貌也;冒也。在表所以别形貌,且以自覆冒也。

释读中出现的两种解释(如"晃"和"广"、"化"和"毁")互不相涉,自然不能令人信服。如果承认只有一个语源义,那么这个意义应当是一以贯之。但有一些释义并非如此:

58)释水:水直波曰泾。泾,俓也。(毕沅曰当作"径",是。)俓,径也。言如道径也。

59)释道:俓,经也。人所经由也。

60)释形体:颈,俓也。俓挺而长也。

61)释言语:发,拨也。拨使开也。

62)释言语:拨,播也。拨使散移也。

63)释言语:道,导也。所以通导万物也。

64)释言语:导,陶也。陶演己意也。

65)释言语:甘,含也。人所含也。

66)释饮食:含,合也。合口亭之也。

前三例中都有"俓",但一言"经由",一言"挺而长";61)、62)例的"拨",一言"拨使开",一言"拨使散移";63)、64)例的"导",一言"通导",一言"陶演";65)、66)例中的"含",一言"人所含",一言"合口亭之"等等。本文开头提到的"'城'这个词具有边陲和屏藩的意义""它们的语源应该是出于'成长、生聚、聚集'等的意义"也有这方面问题。

五

语源义既与事物的特征有关,这种事物的特征又需要通过主观的认知加以选取进入词的语义构成中,这就给语源义的认定带来了验证的困难;而缺乏验证的语源义就难以认定,所以我们对此必须有所研究。这种验证可以区分为三个层面:外部事物的、认知的和语言的。从外部事物这个层面看,如前所说,需要寻求事物特征方面的依据。"山夹水""在两山之间"是"涧"的特征;"水草交"是"湄"的特征;"冒"是"帽"的特征;"齿疏"是"梳"的特征。这些特征具有一定的可验证性。一些解释所以是纯属臆测,就是因为缺乏这方面的依据。

从认知层面看,隐喻的规律是我们需要考虑的基本因素。在古代文献中我们可以发现如下的表述:

67)释水:湄,眉也。临水如眉临目也。

68)释形体:胫,茎也。直而长似物茎也。

69)释采帛:缣,兼也。

70)素,朴素也。已织则供用,不复加功饰也。

71)释采帛:纶,伦也。作之有伦理也。

"临水如眉临目""直而长似物茎"都是关于隐喻的表述。在后三例中,虽然没有"似、如"这样明确的字眼,但"缣"和"兼"的关系、"素"和"朴素"的关系、"纶"和"伦"的关系也都有清楚的显示。

对认知层面的研究有一定的不确定性,需要寻求其中的规律。哪些是符合认知规律的,哪些是不符合的,目前即使是初步的研究也还谈不上。规律的研究是类的研究,"类"的研究要考虑到验证的非单一性。一种认知能够成为规律,往往有若干个单例可以证明,从而构成一种类型。"乔"的高的特性,不但映射于"峤",而且映射于"桥""骄"。"兼"的特性,不但映射于"缣",而且映射于"鹣",都是非单一性的反映。从这一方面讲,25)例"露"和"覆虑"、26)例"皂"和"早"、27)例"早"和"条"都难以构成一种规律。隐喻的基础是事物的相似性,"皂"有"黑"的特性,但"早"是时段,不具有这种特性;"跳"的特点是离地,同"条"的特点相去甚远。这样一些解释都是不能成立的。

认知是语言的基础,但认知并不就是语言。认知的正确与否还需要从语言层面得到验证。比如要确定我们的认知是否正确,要确定事物的哪些特征构成了词的语源义,最重要的是要有比较充分的语言上的证据。比如以"此"得声的词很多都有小的意思(如"柴、髭、疵、雌"),那么"泚"是不是和这些词也能构成同源关系呢?《孟子·滕文公上》:

"其颡有泚,睨而不视。"注:"泚,汗出泚泚然。"
因为"泚"是粒粒汗珠冒出的样子,有学者据此认为"泚"有小义,与"柴、髭、疵、雌"等构成同源关系,它们都有小的意思。"小的颗粒""粒粒冒出"这些都是汗珠的特征,但我们要证明小是它的语源义,只靠一条古注对事物的说明还是不够的。

由于验证语源义面对的是文献语言,标示语言的文字就可以考虑作为"有形的"证据之一(只是"之一",不是绝对)。如:

72)释天:冬,终也,物终成也。

73)释山:山锐而高乔,形似桥也。(《疏证补》引毕沅曰:"今本作'土锐而高曰峤。'《尔雅》:'锐而高,乔。'据改。'乔'

字在《说文》新附字中其下下注云'古通用乔',然则不当复加山旁。……《史记·五帝纪》:'葬桥山。'正义引《尔雅》云:'锐而高曰桥。'则《尔雅》亦有作'桥'者。")

74)释形体:膈,塞也。隔塞上下,使气与谷不相乱也。

有研究表明,"冬"的本义就是"终";后"冬"借用表示季节。73)例中"乔"和"桥"的混用正说明了两个词的同源关系。74)例的"膈",《说文》作"鬲",同样可以证明两个词的同源关系。[8]

如前所言,对认知规律目前即使是初步的研究也还谈不上,但探讨语源义认定中的认知因素又很有必要,希望本文的一些粗浅想法能引起同仁对这一问题的兴趣。

附 注

① 本文的分析主要依据《释名》对语源义的解释,文字据王先谦《释名疏正补》,上海古籍出版社 1984 年版。其他研究亦有所参酌。

② 严学宭《论汉语同族词内部曲折的变换形式》,《中国语文》1979 年第 2 期。

③ 岑麒祥《词源研究的意义和基本原则》,《新建设》1962 年第 8 期。

④ 张世禄《汉语词源学的评介及其他》,载《张世禄语言学论文集》,学林出版社 1984 年版。

⑤ 张永言《语文学论集》第 136 页,语文出版社 1992 年版。

⑥ 指称义素和区别性义素可参见张联荣《古汉语词义论》,北京大学出版社 2000 年版。

⑦ 汪荣宝《法言义疏》第 101 页,中华书局 1987 年版。

⑧ 《说文》:"肓,心上鬲下也。"

汉语四字格词语词汇化问题管见

——一种不定数四字格词语的历时考察

武汉大学　张延成

一　概说

1.1　四字格词语的词汇化问题是汉语词汇史研究的一个薄弱环节,即使是在电子语料很丰富的今天,对这个问题的全面深入研究也是很困难的,因为对海量历史语料中四字格的标注、检索和整理需要付出大量精力。现有大型工具书(如《汉语大词典》等)在研究这个问题上的参考价值也很有限,因为它们所收的四字格多是各时段定型形式而很少包括对认识历时词汇化现象来说非常重要的竞争性四字格材料。本人在做博士论文《中古汉语称数法研究》时翻检了大量一手资料,有机会在前人的基础上留心四字格词语的一个小类——不定数四字格,并对它们作了一些历时考察,本文就是在此基础上整理而成。

1.2　首先要说明,这类格式不是特意制造出的研究对象,它是历史断代语法描写研究中归纳出的一个自然类。周法高(1959/1990)《中国古代语法(称代编)》"称数"一章对上古和中古的称数法(numeration)有一个初步全面的探讨,其中分出"不定数"一类,而"不定数"又有两类:一是数字活用,二是表约数的词。"数字活用"可分"数字单用""成套的数字""二数连称",我们此处谈的不定数四字格式就属于"二数连称"中较有固定性质的一类,周法高称之为"二组数字连为四字成语①",如"三令五申"等。我们在本文中把"三三两两"这样的重叠式也算入。这类四字格中的数词没有确定的数值意义,一般表示多量或少量,因此叫"不定数"。本文讨论的这种形式没有扩大到对"三言二拍"这样的嵌入实指性数词的四字格词汇化的考察,也不涉及"横七竖八"这样通过数词表示其他意义而非不定数量意义的成语。

1.3 这种词汇形式发展到现代汉语中可归为朱德熙先生(1982:36)所称的"并立式复合词",朱先生说这类结构与联合结构性质不同,主要表现在:一、并立式复合词限于两项,不能扩展;二、并立式复合词的语法功能跟它的组成部分的语法功能不一定一致;三、并立式复合词的每一项的意义不是实指的,而是比况性的,整个结构的意义不是各组成成分意义的机械的总和。当然,这是现代汉语共时层面的严格总结,如果历时地看,情况就不完全相同,因为这种格式本身有个发展凝固的过程。

二 历时考察

下面分五期考察这种四字格词语的历时演变。

2.1 在西汉之前的上古汉语中类似的结构已出现,但例子不多。周法高《中国古代语法(称代编)》中仅举出《战国策》中的"五合六聚"一例。我们进一步调查结果也不多。如:

(1)公即召而问以国事,千转万变而不穷。(《庄子·田子方》)②

(2)千言万说,卒赏谓何?(《鹖冠子·世兵》)

（3）禹之时，十年九潦，而水弗为加益；汤之时，八年七旱，而崖不为加损。(《庄子·秋水》)

以上(1)(2)中的"千""万"组合是战国时代产生的，周法高的最早用例是较晚的东汉《汉书》中的"千变万化"。"十年九潦""八年七旱"中的数词非实指，这类连用两个一大一小相差一位数字的组合表经常性"量"的词语形式后世有所继承和发展，尤其是"十×九×"式。

2.2 汉代开始，用例渐增。如周法高举的五例：《史记·孙子传》中的"三令五申"和《张仪传》中的"四分五裂"，《汉书·贾谊传》中的"千变万化"和《东方朔传》中的"千门万户"，《后汉书·方术传》中的"三男两女"。其实《史记》的《孝武本纪》和《封禅书》中已有"千门万户"。"千×万×"式在汉代应该是比较通行的了，如《史记·梁孝王世家》有"千乘万骑""千秋万岁""千秋万世"，《淮南子·诠言训》有"千变万轸"(轸，转也)。再看东汉佛经中的两例：

（4）千岁万年，皆归磨灭。(康孟详、竺昙果译《中本起经》)

（5）太子导从，千乘万骑。(康孟详、竺昙果译《修行本起经》)

从汉代"千×万×"式通行的情况看，成书较晚或年代可疑的一些可能反映此期语言特色的典籍中的用例还是值得参考的，如《后汉书·吴汉传》中的"千条万端"，野史《赵飞燕外传》中的"千变万状"，《汉武帝内传》中的"千端万绪"等。

汉代"千""万"组合是对前代用法的继承和发展。《战国策》中"五合六聚"这样的"五""六"组合在汉代也有继承，如"五心六意，歧道多怪"(焦赣《易林·睽之随》)。《史记》中的"三""五"和"四"

"五"组合较前代而言也应该是一种新的发展。

东汉时还出现一些崭新的重叠形式：

(6)天地安得万万千千手,并为万万千千物乎!(《论衡·自然篇》)

(7)佛言其人从持是三昧者,所去两两三三相与语言。(支娄迦谶译《般舟三昧经》)

(8)尔乃三三四四,相随跟踦而历僻。(汉王延寿《梦赋》)

例(6)的形式很新,也很超前,在六朝时期仍属罕见,这可能是《论衡》语言口语化程度高的一种表现。比较《后汉书》中"三男两女"的用例[①],知例(7)中"两""三"组合的不定数四字格在东汉产生是完全有可能的。例(8)更是新鲜样式。以上数字重叠式都是东汉时兴起的。

2.3 中古(魏晋南北朝和隋)时期,总体上看,这种结构的凝固性质还不是十分明显,但四字格化的趋势却是显见的,可组合的数字也更多样化。如：

(9)若服半两,则长生不死,万害百毒,不能伤之。(《抱朴子内篇·金丹》)

(10)强名为"道"已失其真,况复乃千割百判,亿分万析。(《抱朴子内篇·道意》)

(11)倏忽之间,十变五化。(《颜氏家训·归心》)

(12)献帝命南移,山谷高深,九难八阻,于是欲止。(《魏书·序纪第一》)

(13)于是隐居教授,三征七辟皆不就。(《晋书·王裒传》)

以上的各种数字的组合在前代是很难见到的。"十""五"组合是中古常见的搭配形式,再如《三国志·蜀志·庞统传》用"拔十失五"形容选拔人才失其半数,另外"十""五"还可以重叠使用。

中古数词重叠式有明显发展,除继承前代"三""两"组合外还发展出一些新形式。例如:

(14)行不独自去,三三两两俱。(《晋诗·清商曲辞·娇女诗》)

任昉《述异记》卷上:"其两两三三头戴牛而相抵。"东汉只发现"两两三三",没有"三三两两"。

(15)飞来双白鹄,乃从西北来;十十五五,罗列成行。(《乐府诗集·艳歌何尝行》)

《全梁文》卷三三《学梁王兔园赋》有"水鸟驾鹅……十十五五,忽合而复散。"北朝民歌也有,如"长白山头百战场,十十五五把长枪。"(《乐府诗集·杂歌谣辞·长白山头歌》)

中古时期的"千""万"组合继续增长。如:

(16)千乘万骑导从前后,行大御道,往诣城门。(《贤愚经·大施抒海品》)

(17)浮屠涌现,千态万状。(梁武帝《龙教寺碑》)

《南史·陈庆之传》有"千兵万马",吴均《行路难》诗有"千门万户"等。

2.4 不定数的四字格词语到唐宋时期有不同的面貌。举例说明如下:

"百""千"组合的四字格前代并不多见,此期才渐增。如:

(18)千娇百媚,造次无可比方。(张鷟《游仙窟》)

再如"满筵大众,合会天人,围世尊而百匝千番。"(《维摩诘经讲经文》)再看宋代的例子:

(19)"今有人虽胸中知得分明,说出来亦见得千了百当,及应物之时,颠倒错谬,全是私意,亦不知。"(《朱子语类·训门人》)

比较同期"千了万当",知"百""万"在表示不定多量的语义功能上是等同的。《朱子语类》中还有"千方百计"。辛弃疾词、赵长卿词有"百计千方"。

"七×八×"是个能产的形式,唐代萌芽,宋代以后渐增。如:

(20)世尊到来,不用者七珍八宝,则要莲花。(《不知名变文》)

此例十分难得。

(21)费尽巴豆砒霜,转见七零八落。(释怀深《偈》)

(22)今人被引得七上八下,殊可笑。(《朱子语类·总训门人》)

宋代的"七×八×"式还有"七纵八横""七穿八穴""七支八离""七颠八倒""七花八裂""七手八脚"等。《中华成语大词典》中的"七×八×"式收有9例,宋代只收两例,其他8例都是明清时期的,可见这种形式在唐代产生后一直在持续发展。

"十""九"组合除继承前代的形式和格式意义,如《隋书》"十羊九牧"(谓民少官多),唐韩愈文有"十生九死",《伍子胥变文》"十战九胜",还出现了"九"在前的新形式,如张君房《云笈七签》的"九变十化"(形容变化无穷)。

"三""两"组合在前代一直是零星出现,此期继承使用,用例不少,如李商隐《杂纂》"三头两面"(喻奉承拍马),《碧岩录》"两头三面",《刘知远诸宫调》"两回三度",朱熹《答张敬夫书》"三头两绪"等。值得注意的是在宋代还出现不少前代少见的"三""二"的组合：

(23) 三婆二妇号逃（啕）哭。(《刘知远诸宫调》)

(24) 百年雨打风吹却，万事三平二满休。(辛弃疾《鹧鸪天·登一丘一壑偶成》)。

"三平二满"指平平常常、平平淡淡。

"三""五"组合的四字格前代少有，其重叠形式更是罕见。用"五三"表不定数是六朝时的习惯用法(吴金华，1994:32)，如"经五三日乃引见之"(《北史·裴叔业传》)，但六朝时未发现有"五""三"组合的四字格，因此这种四字格可视为此期的新发展。例如：

(25) 马肥快行走，妓长能歌舞。三年五岁间，已闻换一主。(白居易《有感》)

(26) 五回三次问他，供说得一同。(《简贴和尚》)

"千""万"组合在此期形成极盛态势，我们仅举敦煌变文集中的例子(后附《敦煌变文校注》页码)即可略见一斑，如"千头万序"(1176)"千军万众"(1028)"千秋万岁"(1081)"千方万计"(555)"千方万便"(590)"千生万死"(998)"千忧万虑"(972)"千辛万苦"(977)"千张万匹"(553)"千祈万求"(377);"万苦千辛"(971)"万劫千生"(971)"万众千群"(1027)"万树千花"(513)"万古千秋"(98)等。再请看《汉语大词典》中唐代的例子："千变万状""千山万水""千村万落""千言万语""千思万想""千秋万古""千龄万代""万门千户"。宋代仍有发展，如"千圣万圣""千生万劫""千头万绪""千山万水""千了万当""千回万遍""千差万别""千红万紫""千丝万缕""千愁万恨""千愁万绪""千汇万状""千状万态""万水千山""万紫千红""万缕千丝"等等。

数词重叠方面，"千""万"的重叠使用除在东汉发现一例外，六朝几乎不见,到此期才算是特征鲜明的现象。"亿""垓"这样的大数的重叠前代没有,此时出现,这显然与佛经演说教义的需求有关。"三""五"组合是一种新的发展。"十十五五"是继承性用法。例如:

(27)虔恭者亿亿垓垓,赞叹者千千万万。(《维摩诘经讲经文》)

(28)万万千千皆偶偬,势似沧溟排巨浪。(同上)

(29)五五三三,抱头啼哭。(《大目乾连冥间救母变文》)

再如"三三五五等闲去,影响经旬舍不归"(《父母恩重经讲经文》)。苏东坡词也有"三三五五"。

(30)十十五五依黄芦,得粒不啄鸣相呼。(黄庭坚《拟古杂言》)

五代到宋"十""五"的非重叠四字格也没有明显发展,只有个别例子,如"十雨五风"(谓风调雨顺)。

其他一些较新的数字组合:

(31)近来学者,有一种则舍去册子,却欲于一言半句上便要见道理。(《朱子语类·学五》)

这种表小量约数的"一×半×"组合主要是此期发展起来的。宋代诗词中还有"一言半语""一知半解""一官半职"(泛指普通官职)等。

(32)如七年十载积得柴了,如今方点火烧。(《朱子语类·训门人》)

(33)百味五辛,谈之不能尽。(《游仙窟》)

2.5 元明以后,汉语中不定数四字格在累积前代的多种形式的基础上取得新的发展,多姿多态,异彩纷呈。诸凡:相连的数词分用的,如"一""二(两)"、"二(两)""三"、"三""四"、"四""五"、"七""八"、"九""十"等;位数词分用的,如"千""万"、"百""千"等;有倍数关系的数词分用的,如"一""半"、"三""六"、"五""十"、"三""九"等;相隔一位或多位数的,如"三""五"、"八""三";数词重叠式等,都能组成四字格。分别举例说明如下:

2.5.1 相连的系数词或位数词分用

(34)我才离了三朝五日,儿也,这其间哭的你一丝两气。(《吕洞宾度铁拐李岳杂剧》第三折)

《红楼梦》八八回有"一去二来"形容经过一段时间逐步产生某种情况。清代还有"一长二短""一差二错"指意外的变故。"一"和"两""二"的组合表较少的经常性量的用法是前代罕见的,但产生后就显示较强的能产性,如现代汉语中的"一清二楚""一清二白"等即由此发展而来。

(35)半月前有媒婆来曾说亲,不拟三言两句便说成。(《小孙屠》第八出)

元明还有"两次三番"("三番两次")"两头三绪""两面三刀""三好两歉"(时好时病,形容体弱)"三长两短""三好两歹""三拳两脚""三街两市"(泛指各街市)"三汤两割"(泛指烹饪事)"三窝两块"(谓有多房妻妾)"三头两日"等。"两""三"组合是在唐宋以后明显发展起来的,是一个比较能产的形式。

(36)便道岳孔目有个好浑家,三门四户不出,无人能够得见。(《吕洞宾度铁拐李岳杂剧》第二折)

明清有"三亲四眷""三朋四友""三病四痛""三求四告""三妻四妾""三反四覆"(反复无常)等。现代的例子有"三老四少"(现代京戏唱词中指老少众人)"三长四短"等。

(37)其中那一伙儿强的,把别的打的四分五落里,东走西散。(《朴通事》)

"四""五"组合在现代除"四分五裂"等少数例子外,并不多见。

(38)断绝七情六欲,一意静修。(《镜花缘》第七回)

"七""六"组合的不定数意义可能是由佛教专门用语的意义发展出来的。

(39)你把这个饿鬼弄得七死八活,却要怎么?(《西厢记》第二折)

"七""八"是一个从宋代明显发展起来的能产形式,此期的例子再如"七上八落""七青八黄"(泛指钱财)"七大八小"(形容妻妾众多)"七了八当""七推八阻""七折八扣""七言八语""七拉八扯""七跌八撞"等。

(40)代儒本来上年纪的人……时常也八病九痛的。(《红楼梦》第八九回)

"八病九痛"形容体弱多病,其他的如"九江八河"指所有江河。"八""九"组合不是能产的形式。

(41)爹爹也全不怕九故十亲笑耻。(《鲁大夫秋胡戏妻杂剧》第二折)

"九故十亲",泛指亲戚朋友。"九×十×"和"十×九×"格式意义有所不同。前者,"九""十"在表不定数意义上量是等同的,后者通常是通过"九"占"十"的大比例关系表达不定的多量。当然也有少数与"九×十×"格式意义相同,如元杂剧中的"十拷九棒"泛指酷刑拷打,明"十亲九眷"谓众多亲戚。元明时期的"十×九×"不少,是先秦以来同类用法的自然发展,再如"十米九糠"(形容穷苦)"十拿九稳""十病九痛"(形容经常生病)"十眠九坐"(时躺时坐,形容病体难支)"十年九荒"等。《水浒传》第一九〇回:"其余都是十死九活,七死八伤",形容难以幸存,其中"十死九活"在数字格式语境保护下可以突破语义上的矛盾,使整体表义功能指死得多而不在"九活"。

至于"千""万"组合,自上古以来,持续发展,生命力极强,此期的例子如"千刀万剐""千回百转""千叮万嘱""千军万马""千补百衲""千思万想""千回百折""千刀万刮""千恩万谢""千难万难""千山万壑""千生万死""千形万状""千妥万当""万苦千辛"等。

2.5.2 具有倍数关系的词分用

(42)我觑这万水千山,都只在一时半霎。(《迷青锁倩女离魂杂剧》第二折)

元杂剧中还有"一时半刻""一时半晌"等,明清有"一肢半节"(事物的一小部分)"一差半错""一言半语""一知半见"等,这是宋代用法的进一步发展。

(43)太守何故三回五次,侮弄下官。(《风光好》第一折)

此期还有"三回五解""三番五次""三年五载""三朝五日""三牲五鼎""三智五猜"(用尽心思猜)"三环五扣"(形容绑得结实)等,这是唐宋以来"三""五"组合的进一步发展。

(44)怎守得三贞九烈,敢早着了钻懒帮闲。(《望江亭中秋切鲙杂剧》第一折)

也作"三贞五烈"形容妇女重视贞节。清代有"三回九转"。这种形式可能是由具有文化内涵的实指量三九组合式(如"三教九流""三公九卿")类推而产生。

(45)嫂嫂,我也不曾犯十恶五逆。(《杀狗劝夫》第二折)

清代有"十光五色"等,这是继承中古以来的用法。

(46)干着你六问三推,生将我千刀万剐。(《争报恩三虎

下山杂剧》第三折)
《看钱奴买冤家债主杂剧》第二折也作"六问三推",指反复审讯。元杂剧中还有"三媒六证"(泛指旧时婚姻中的介绍人)"三亲六眷""六街三陌"。明代形容茶饭周全用"三茶六饭"。在现代汉语中,"三""六"组合不是能产的形式。

2.5.3 隔数相连的组合

(47)治标者,寒热补泻,七方十齐,可以诊而知,知而言者。(钱谦益《范司马参机奏疏序》)

"七方十齐"泛指各种方剂。

(48)杀头固然是没有命吃饭,打屁股也是九宗七祖都不得超生的事。(《冷眼观》第二三回)

"九宗七祖"泛指祖宗。

(49)秦兵大败,杀的十郎八当,死尸遍野。(《秦并六国》卷中)

"十郎八当"指七零八落。

(50)又无那八棒十枷罪,止不过三交两句言。(《望江亭》第四折)

"八棒十枷"是酷刑的泛称。

(51)但有些八恶三灾,一心斋戒;把魂灵丢在九霄云外。(《小张屠焚儿救母》第三折)

明代有"三肴八馔",泛指精美肴馔。

以上组合前代少见,这类组合在现代汉语中也大都是不能产的。

2.5.4 重叠形式

(52)眼底事抛却了万万千千,杯中物直饮到七七八八。

(《全元散曲·归来乐》)

"七七八八"犹言差不多,这种形式是前代所无的。

此期的各种形式奠定了现代不定数四字格的基础,之后,新形式最多只能是零星地发展了,如因为现代北京话中"儿"化音促成了像"千儿八百""万儿八千""百儿八十"这样的四字格的产生。

三 总结

3.1 下面就这种四字格的历时词汇化过程中呈现的有关问题作一简单小结。

首先要说明本文不能回答汉语大量四字格词汇化的内在成因这个大问题,尽管对此我们有自己的思考,如我们认为其本质可追溯至上古汉语的节律结构,直接的证据是上古韵文的双字和四字格式等,但对这个问题的阐述无疑会过多游离本文的材料。所以我们只能就一个很小的类进行有限的讨论。

3.2 这种四字格小类是不定数称数法形式和意义结合的一个重要发展,它的词汇化必然涉及相关的词法和句法问题。现代汉语中数词一般不能直接修饰名词,但在四字格中及类似有节律特点的格式中数词直接修饰名词却是非常普遍的,那么,数词的这个特点就不必完全视为古代语法的残留,因为汉语自然选择了四字格并自我复制发展四字格,这个事实部分证明在这种四字格词法中的数词功能是对原有句法领域数词功能有条件的保留和适度的发展。这种四字格的词法特征不是一朝一夕形成的,是数词句法功能在历史演变过程中逐步累积和发展的结果。例如,中古《抱朴子·极言》中"千仓万箱"化自《诗经·小雅·甫田》"乃求千斯仓,乃求万斯箱",我们从中既要看到继承性、累积性,又要看到这不仅是一个简单的典故缩写,而且还反映出汉代以迄六朝汉语中富有活力地增长的"千×万×"式影响的因素。总之,应该从继承和发展并重的角度看待与四字格相关的词法和句法问题。

3.3　这种四字格具有独特的表不定数量性质的语义功能,是汉语词汇化的一个特殊的小语境。以《汉语数目词辞典》为例,此书"专收词目中含数目字且具有特定含义的'数目词'",但仅从形式上看书中词目很少有本文讨论的四字格,这是为什么呢?是因为四字格中重复使用数字就易带上不定数性质,而这就与该书着眼的"特定意义"相冲突。我们看到,甚至原来有实指意义的数字在这个格式中也会渐渐变成一个虚的不定数,如"五花八门"本指战术变化很多的五行阵和八门阵,后比喻事物花样繁多,变幻多端。如"三灾八难"来自梁宗士标《孝敬寺刹下铭》"长辞八难,永离三灾",原是有实指的,《红楼梦》第六一回例中只是当做多灾多难的意义来使用。当然,人们也可以刻意利用这种方便的形式赋予数字以特定的意义,但这显然是一种"有标记"的使用,如《史记》中"三令五申"为一再告诫之义,其中数字为不定数,而到宋朝却给"三""五"定出具体内容(详见《汉语数目词辞典》引曾公亮《五经总要前集·教法》中的内容)。

3.4　不定数四字格在各时代虽然有不同的特点,随着历史的发展也淘汰了一些形式,但总体上呈现逐代累积性特征,所以到元代以后才出现百花齐放的局面。以七八式为例,唐代只有个别用例,到宋元已有相当的发展,到现代汉语中发展势头不减,成为一种极为能产的成熟形式。仅以类似"七×八×"式的词语为例统计《汉语大词典》的词目,情况如下:"一×二(两)×"式 30 个,"二×三×"式 2 个,"三×四×"式 11 个,"四×五×"式 8 个,"五×六

×"式 11 个,"六×七×"式 1 个,"八×九×"式 1 个,"九×十×"式 3 个,而"七×八×"式高达 67 个。我们收集到的各类"七八式"词语的总数共有 95 个之多。这些词语大都是历代积累起来的,部分现代形式只是类推的结果,其能产的原因可以从语义、语音、字形、修辞等多方面得到解释(参见张延成,2000)。

3.5 数字重叠式四字格的产生与发展呈现离散的性质,它们作为词汇单位是在不同时代条件下分别产生的,各具独特的理据和个性,缺乏类推性。如汉代冒出"三三四四"而后代少见;中古的"十十五五"较普遍,而此前此后都罕见。其中数字排列顺序往往不可逆,可逆两个格式往往也各具特点,如时代有先后("万万千千"早于"千千万万")。至于某种形式能普遍使用,也只是对某代冒出的形式选择的结果,如汉代的"两两三三"和六朝的"三三两两"被一直沿用,我们不能想当然地以为该有"二二三三"或"三三二二"。以上事实,可以解释现代汉语中数词重叠的 AABB 式非能产性的历史根源。据卞觉非(1988)的研究,现代汉语数词性语素重叠似乎是 AA 和 BB 的连用,但在意义上却是表达习惯性的用法:"三三两两、三三五五"言其少,"七七八八、千千万万"谓其多。这种组合能产性极弱,除习惯性的组合外,很难类推。在现代汉语中没有"一一二二、四四五五、六六七七、八八九九"之类说法。本文从历史角度考察,认为数词重叠式是作为独立的词汇单位是在不同时代一点一点冒出来的,它们在现代汉语中的形式是历史选择和积累的结果,因而缺少类推性。

附 注

① 由于是历时地考察,这里的"成语"当然不可能是只限于凝固在现代

汉语中人们熟知的那个意义的成语,而是着眼于各时段具有相对稳定性的四字格,如后汉的"三男两女"(周法高已举)和六朝的"十十五五"等。

② 《中华成语大词典》(吉林大学出版社,2000)引为"千变万化",误。

③ 《后汉书·方术传》:"君三男两女,孙息盈前。"《通俗编》卷四:"按三两是约举之数,时语可验。"

主要参考文献

卞觉非　1988　《AABB 重叠式数题》,《语言研究集刊》(第二辑),江苏教育出版社。
董秀芳　2002　《论句法结构的词汇化》,《语文研究》第 3 期。
傅克诚　1988　《汉语成语与四字格》,《逻辑与语言学习》第 5 期。
胡竹安　1989　《水浒词典》,汉语大词典出版社。
江蓝生、曹广顺　1997　《唐五代语言词典》,上海教育出版社。
李崇兴等　1998　《元语言词典》,上海教育出版社。
帕卡德(英)　2001　《汉语形态学:语言认知研究法》,外语教学与研究出版社。
史　式　1979　《汉语成语研究》,四川人民出版社。
吴金华　1994　《世说新语考释》,安徽教育出版社。
许少峰　1997　《近代汉语词典》,团结出版社。
许威汉　2000　《二十世纪的汉语词汇学》,书海出版社。
尹小林　1993　《汉语数目词词典》,中华书局。
袁　宾等　1997　《宋语言词典》,上海教育出版社。
张延成　2000　《略论由数目字七、八构成的词语》,《南京师范大学文学院学报》第 3 期。
周法高　1959/1990　《中国古代语法(称代编)》,中华书局。
周法高　1961　《中国古代语法(造句编)》,影印资料。
周汝昌　1987　《红楼梦辞典》,广东人民出版社。
朱德熙　1982　《语法讲义》,商务印书馆。

主要引用书目

《庄子集释》《战国策》《史记》《汉书》《论衡》《后汉书》《三国志》《宋书》《大正

藏》《先秦汉魏晋南北朝诗》《乐府诗集》《抱朴子内篇校释》《齐民要术校释》《敦煌变文校注》《近代汉语语法资料汇编》(唐五代卷、宋代卷、元代明代卷)《朱子语类》《元曲选校注》《全元散曲》《汉语大词典》等。

当代汉语新词语对
同义词场的扩展与筛淘

暨南大学 刘晓梅

"若干个词语间,如在同一意义层面上有一个相同、相近的义位内容(对于单义词来说也可理解为词义核心),则诸词语具有同义关系"。[①]这里既包括同义关系,也包括近义关系。本文取狭义的定义,同义词只指具有相同的义位内容的诸词语。

汉语同义词的研究集中于同义词的界定与分类、内部成员之间的异同、同义词的语用价值,主要针对现代汉语词汇;研究不同时期产生的同义词之间的意义交叉关系及历时更替关系,主要针对古代汉语词汇。就当代汉语的同义词进行研究的还不多,只有两篇文章涉及当代汉语的同义词问题:《新时期新词语的趋势与选择》(张志毅、张庆云,1997)提纲挈领地指出从哪些角度去研究同义词语的竞争,《说"界"和"坛"》(施春宏,2000)个案式剖析两个同义类词缀的语义分布关系。

当代由新词语带来的大量新词语中的同义现象还是很值得注意的,新词语并不仅以新事物、新概念为依托,还有许多是伴随着旧事物旧概念而来的,它们或来源不同,或造词方法不同等等,形成了一组组底层同义词场。因语用情况的同异,新的同义词项与早出的词项间不只是一存一退这一种关系模式,而是更为复杂多样。典型义场理论着眼于类义词、近义词及其分工状态,但忽视了同义词。实际上,同义词更能体现词项之间的复杂而微妙的语义、语形的竞争与分布关系。本文以当代新词语带来的同义词场(既包括短语,也包括类词缀,统称为同义词)为考察对象,探讨在一定时期内同义词场形成的途径、同义词项之间的关系模式。

同义词场的提取来源于 8 本出版于当代的新词语词典,[②]检索出 656 条新词语与其他词语具有同义关系,可以组配成 480 组同义词场,有的只有两个词项,有的更多。自然语料主要源于光盘版《人民日报》及网络语言。

一 同义词场形成的途径

符淮青先生提到同义词形成的途径包括四种:"新旧词并存"、"标准语和非标准语吸收的方言词"、"外来语词和本民族语词"、"外来语言的意译词和音译词"。[③]当代处在一个语言运用非常灵活开放的时代,在这 20 年内,同义词场的形成要比上述四种情况更复杂。着眼于形成途径的单一性,归为如下 11 种:

1. 简缩形式与原形式的不同,或采用不同的简缩形式。这种形式的最多,共 213 组,如:

白领工人—白领、智力商数—智商、超级市场—超市、保税工业区—保税区、个人所得税—个税、个人收入调节税—个调税、博士研究生导师—博士生导师—博士导师—博导

2. 命名理据不同(不考虑外来词及方言、社区词),共 160 组,如:

双薪阶层—再就业阶层:前者着眼于收入双份,后者着眼于再次就业。

仿羊皮—仿洋皮：前者属变义造词，含部分谐音成分，"羊"谐"洋"，指含有外资的。后者则是谐音"仿羊皮"。

第三状态—亚健康状态—灰色状态：前者因继健康与疾病之后的第三种被人们重视的状态而得名，"亚健康状态"因其次于健康状态而得名，后者因其处于类似白黑之间的过渡状态而得名。

个体私营经济—老个：后者是简称之后加"老"成为谑称。
3. 同义成分选取的不同，共91组，如：

隐亏—潜亏、返关—复关、做秀—作秀、疯牛病—疯牛症、廉价房—廉价屋—廉价住宅
4. 音译、直引外来词或谐译、意译的差别，共35组，如：

call—寻呼、MODEM—调制解调器—猫、拷贝—复制
5. 音译的全部不同或部分不同，共18组，如：

威而钢—伟哥、克先生—康先生、爱滋病—艾滋病
6. 同是外来词，语源不同，只1组：

莎哟娜拉—拜拜
7. 不同的意译，共2组：

多媒体—超文本、做爱—造爱
8. 方言词、社区词的介入，共10组，如：

作秀—表演、动因—原因、飞碟—不明飞行物、架构—构架、艺员—演员、渣渣股—垃圾股

横线前面的是方言词或港台社区词。
9. 语素排序不同，共2组：

购并—并购、构建—建构
10. 旧有词语派生新义，与新词语形成同义词场，共2组：

出台—颁布—公布、盲点—盲区

11. 汉语拼音与汉字作不同的载体，只1组：
HSK－汉语水平考试

前四种是主要途径，其中第1、第2种形成的同义词场数量最多。同一个词场内部往往包括不只两个词项，形成途径也更复杂，但不出上述各类。

另外，有些同义词场内部成分很多，比如：

EM、E-mail、电子邮件、电邮、电子函件、伊妹儿

BB机、BP机、寻呼机、Call机、传呼机、呼机

钟点保姆、小时工、钟点工、点工

走俏、畅销、热卖、热销、俏销

国营企业、国有企业、国企、阿国、老国

英特网、因特网、英托耐特、互联网、互交网络、互联网络、国际互联网

帮忙公司、帮闲公司、跑腿公司、三Ｔ公司、三替公司（一种社会化劳动服务机构）

下挫、下浮、下降、下跌、走低、低走、走软

盘升、攀升、飙升、挺升、蹿升、抬升、跃升、劲升、扬升、弹升、反弹、回升、上扬、走高、上浮、跃增、走强

前面提到的480组同义词语是从7826条新词语中抽取出来的，这些同义词场存在一个趋势：越是成为社会的热点的事物，就越有更多的同义表达手段加入，其表达方式越是不受语言的经济原则制约。多成分的同义词场有150组，占1/3还多。

二 同义词场内部关系的抽样历时考察

简繁并存、以简为优：

1. 个人所得税、个税

"个人所得税"简称为"个税"是近几年出现的。《人民日报》较早出现的三例全部用在文章标题中,正文则采用全称,这是受新闻标题的简洁要求所致。比如:

《石家庄个税专项检查成果显著》:"石家庄市地税一分局在日前结束的个人所得税专项检查工作中,共查补入库税款七十三万多元。"1999/11/28

近三年来,"个税"运用于文章正文中的例子越来越多,但更多的情况是同时使用全称形式来呼应,以使表义更明确,同时也适应正式文体的需求。比如:

中国的个人所得税制度有"劫贫帮富"的嫌疑,影响了社会安定,减少了国家财政收入。国家税务总局的资料显示,2001年中国个税收入近996亿元。《南方周末》2002/08/01

就目前来说,"个税"已形成了与"个人所得税"相抗衡的形势。2004年8月3日网络Google搜索结果是,"个税"出现了约1770000次,"个人所得税"约136000次。

这一组表明,在词语竞争中,简化原则和表义明确原则同时起到重要的作用,使得并存仍将持续下去。

2. 空气调节设备、空气调节器、空调器、空调设备、空调装置、空调机、空调

这7个词语同指一种事物,具有空气调节作用的装置。出现时间先后顺序为空气调节设备(1975)、空气调节器(1978)、空调器(1978)、空调设备(1980)、空调装置(1980)、空调机(1980)、空调(1981)。"空调"是在后四个词大量使用的情况下,抽取其共有成分。这就是简缩的多源性的体现,所以它不是转类而成。较早可

查的用例如下:[①]

屋子里有"空调",不能经常开窗。1981/03/13

人外出时,不要关掉屋内的冰箱、收音机、空调等电器。1981/10/31

"空气调节设备、空气调节器"因为音节数太多,受节律的制约,早已先退出使用。其余5个使用情况如下:

年份	1983	1985	1989	1990	1993	1994	1997	2000
空调	5	21	71	61	289	406	245	352
空调器	1	8	31	15	34	47	79	55
空调机	4	10	11	12	23	13	10	21
空调设备	6	9	15	6	16	14	9	3
空调装置			2	1		1		

同样是受节律的制约,词长越长的使用频率越低。但还不足以完全占据"空调器、空调机"的位置,很多情况下可互换,如:

我购买的洗衣机、电冰柜、空调机,质量都比较好。2000/04/05

各类防暑降温用品,如凉席、防晒霜、游泳衣、电风扇、空调器以及啤酒、饮料的销售大幅度增长。2000/08/15

这组同义词长期共存,较短的词组表达方式战胜较长的词组表达方式,最终是最短的"空调"取得主导地位,词化表达法优于词组表达法,节律因素起到了重要的作用。这是以简为优的竞争法则的典型证明。同类型的还有"超市—超级市场""智商—智力商数"等等。

从分工到混用:
工业区、工业园、工业园区

三个词语都表示"规划出来的集中发展工业的区域"。"工业区"不是新词,解放前就在使用了,1946年的《人民日报》中已出现了11例,如:

> 安东是东北的主要工业区。据一册日文书籍上说:"工矿机之现状,堪居全满之首位"。1946/08/17

"工业园区、工业园"两个成员很有可能来自港台。1983年"工业园区"开始进入普通话词汇系统,过了两年"工业园"也开始使用了,使用频率逐年加大。下表是把次数限制在90次的结果:

年份	1983	1984	1985	1986	1987	1988	1989	1990	1991	1992	1993	1994	1995	1996	1997	1998	1999	2000
工业区		90	90	90	90	90	90	86	90	76	90	90	87	82	90	64	56	76	82
工业园区	1	9	0	17	0	15	2	3	6	9	26	80	64	90	71	90	90	84
工业园			9	18	2	41	10	12	29	38	90	44	49	33	88	40	43	71

再看2004年8月3日Google搜索网络结果,"工业区"出现了约286000次,"工业园区"约256000次,"工业园"约681000次,三个词语差不多并驾齐驱了,但在组合搭配上还有点差异。

先看"工业园区、工业园"与"工业区"的对比。前两个词起初只限于与"科技"组合,这种组合的意义渗透到"工业园区、工业园"当中,使得义域较窄,比如:

> 方毅同志为深圳科技工业园题词,谷牧同志发来了贺信。1985/08/02

"工业区"则没有固定的搭配范围,义域较宽。与"科技"搭配的还是极少数情况,1995年仅有两例:

> 雪象、岗头、水经、上下李朗等高科技工业区如雨后春笋,又似春之枝头。1995/02/27
>
> 3M中国有限公司在上海漕河泾高科技工业区租赁了5.4万平方米土地。1995/03/21

这主要是因为前两个词先入为主,已经占据了表达"科技工业区域"的位置,并将这种组合稳定下来了,"工业区"只能停留在与传统的工业生产领域相结合,与生活区、科技区等等相对立。进入九十年代,"工业园/区"也可以不与"科技"等搭配,可泛指各种工业区域。如:

> 如可能的话,两国可以合作在中国建立西班牙工业园。1993/02/14

> 一种以互相利用工业废物的工业园区近年来在欧美国家兴起,这种既有利于保护生态环境又节约资源的生态工业园区,正以崭新的生产方式受到瞩目。1998/03/05

这两例中指的是一种综合性的工业区域。"工业区"与另两个词表现出这样一种样态:初始分工明确,后逐渐交叉混用。

再看"工业园"与"工业园区",两者可以等同互换,不存在意义或语体色彩上的差别,形式的不同只在于词长,但自然语料表明并非简短的词一定据有优势,上面的数据证明,因语体不同,词语的选择也会稍有不同,规范性与书语性强的语体选择"工业园区"的几率更大一些。

这组同义词场表明,同义成分之间的分工有时只是部分成员间的分工。词长并非是竞争中相当可靠的优势。同义词间的竞争是一种必然,是否最终优胜劣汰或并存共用,则并非必然。

全同并存:
各个方面、方方面面

《新词新义词典》对"方方面面"的解释是:"各个方面"。其语法功能也相同,显然这是两个同义词组。"各个方面"是解放前就

已有的,最早可查的是1946年《人民日报》的五个用例,如:

　　这一反对浪潮,冲击着美帝国主义扩张政策的各个方面。
1946/10/25

"方方面面"是1982年才进入普通话词汇系统的,它的出现频率正逐步增大。

　　无独有偶,一套以漫画形式解说西方文化方方面面的《西方文化漫画集成》也在国外畅销多年。1999/01/17

　　我国是个发展中国家……教育、科技、文化、社会福利、环境保护等各项公共事业还不发达,方方面面都需要经济资源。
1999/01/26

两者真正形成对抗局面是在1990年前后,以后一直保持两分的状态。如下表:

年份	1982	1984	1987	1990	1992	1994	1996	1998	2000
各个方面	202	183	144	121	168	227	223	223	259
方方面面	1	3	21	35	59	95	148	140	190

再就2004年8月3日Google搜索网络的使用情况来看,近几年里,"各个方面"出现了约699000次,后者约183000次,处于相对的弱势,但后者一直处于上升状态,而且从绝对次数来看,它已属于常用的范畴,很有可能最终与"各个方面"平分秋色。两个词组之间既没有词长的差别,也没有意义与功能上的差别,可以无条件地互换而不致引起表达上的差异,选用哪一个,只是个人喜好的问题。

这是同义词项竞争中的另一种样态:完全同义的表达手段并行不悖。相同的还有"世界贸易组织—WTO—世贸组织"。

同义类词缀的竞争：

~阶层、~群体、~人、~族、~族群

    1. 工薪阶层、蓝领阶层、条领阶层、金领阶层、双薪阶层、草根阶层、有闲阶层、打工阶层、新富阶层、最富阶层……

    2. 白领群体、边缘群体、电影群体、徐虎群体、消费者群体、读者群体、选民群体、新秀群体、弱势群体、吸毒群体、致富群体、球迷群体、爱乐者群体……

    3. 广告人、电影人、企业人、红领人、文化衫人、大墙人、鸟人、高人（血压或血脂、血糖超常规的人）、点子人……

    4. 单身族、耳机族、BP族、发烧族、工薪族、上班族、打工族、哈日族、无孩族、无书族、砸迪族、失车族、炒族……

    5. 边缘族群、弱势族群、精英族群、单身族群、纪录片族群、中高龄族群、e世代族群、年轻族群、工作族群、消费族群……

这五个类词缀都表示"具有某种特征的一类人"。最早使用的是"阶层"，其次是"群体、人、族"（解放前已出现过"北大人"之类的说法，但专门表示此义还是近些年突出出来的），"族群"是最近几年从台湾话引进来的。以近几年为平面来考察，五个成分对比如下表：

	~阶层	~群体	~人	~族	~族群
搭配成分音节	双、多，以双音为主	双、多，以双音为主	单、双、多，以双音为主	单、双、多，以双音为主	双、多，以双音为主
搭配成分词性	名为主，形较多用，动少用	名为主，少有动、形	名为主，少有形	动为主，名也较多	名为主，极少有形
语体	书语性强	书语性强	书语性较强	口语性强	书语性强

	～阶层	～群体	～人	～族	～族群
义域特征	与经济地位相关,偶尔进入其他领域	社会生活的各个方面	以职业为主,也可表示社会生活的各个方面	社会潮流的各个方面	社会潮流的各个方面
义域大小	最小	最大	一般	一般	一般

五个成分在选择所搭配的对象时,单音节成为不与"阶层、群体、族群"组合的限制条件,这一点与口语、书语的差别有一定的关联,书语性强的,不太容许单音成分自足表义而与类词缀组合,口语性强的则较容易接受。但是从所有的例子当中我们可以看到,与单音成分组合的实际用例并不多,这就降低了单音成分作为限制条件的适用程度。五个成分在音节选择上的交叉大于分工,不像"～界"与"～坛"一样,在音节选择上有明确的界限(参见施春宏,2002)。从搭配成分的属性来看,"动词性为主"是"～族"与其他三者的重要区别。语体方面,"族"主要用于口语,其他四个较为一致。再从义域特征来看,也可相互渗透,典型性越来越不明显。义域的大小也由词语实际的搭配的能力与范围所决定的,不过这一点较难确定,因为彼此交叉的情况较多,只能凭借语感判断。最大的是"～群体",最小的是"～阶层",处于中间状态的是其他三个。

三 结 论

1. 大量同义词项的相继出现,至少说明,新的语言成分的出现不总是以词项空缺为前提。"～群体"出现之前,"～阶层"已经大面积使用;"～族群"出现之前,也有了前四者的广泛应用,既不存在语义上的空缺,也不存在符号上的空缺。当前语言生活中的同义手段多了,由于各种语言或方言间的相互接触和影响也大大增加,加之媒体的批量创造、广泛而迅速的传播方式,多种因素共同作用,使得同义词项大量产生。这是社会生活节奏加快的反映,也是人们的语言观逐步宽容、趋向多样化的结果。从规范的角度来说,面对着丰富的同义词,既有的词汇规范观势必要对"必要性原则"作宽容的解释,它不应排斥同义的表达手段的出现。

2. 共存、发展过程中,不是所有的同义词项之间都要形成明确的分工。有的虽有分工,但只是部分成员之间的分工,其间还是有着或大或小的交叉;或者有的根本没有分工,这样的往往是简缩与源形式构成的同义词场。目前还没有发现分工明确且没有丝毫交叉的同义词场。这表明,从一定时段的使用来看,语言仍具有羡余性和丰富性,它强调同一语义的表达手段的多样化。正如粤语音译词"曲奇"(cookie)与固有成分"饼干","劲升"与"飙升",所指相同但长期共存于当代汉语词汇当中,这样的同义词场的词项之间本来是没有规定性的;像"工业区-工业园区-工业园",这样的同义词场在发展中交叉部分越来越大了,逐步淡化了彼此间原有的规定性。

3. 典型义域范围决定了不同成分间的分工状态,非典型范围反映出彼此之间的交叉状态。交叉状态的极端反映就是某一范围的同一个词语可以与不同成分组合,比如:工薪阶层-工薪族,白领阶层-白领群体,E人-E族,工薪族-工薪阶层,弱势群体-弱势族群。这种叠合的存在就是不同成分相互渗透的结果,它也正表明,这个义场内的同义词项之间的关系是多维的、界限模糊的,而不是简单的明确分工、彼此互不干涉。分工的有与无、分工程度的不同,都会使得同义场成员间意义的时间与空间分布并没有呈现出越来越条块分割、彼此界限清晰的状态,而是有模糊化的趋势。这是语言的模糊性使然。

4. 语形简短并不一定是竞争取胜的重要因素。比如"工业园、工业区"与"工业园区"的并存,"个税"与"个人所得税"的并存都是如此。

5. 一个新成分能够与比它早出的成分形成对抗形式,一般至少要六七年或者更多的时间,比如"方方面面"与"各个方面"、"超市"与"超级市场"、"空调"与"空调器"等等。也有特殊的,新的形式一出现便被普遍使用,很快形成对抗形式,如:WTO、世界贸易组织、世贸组织,最先产生的是全称(1993),其次是汉译的简缩形式(1994),最后是英文简缩形式出现(1999)。下表是把最高次数限制在 90 次得出的结果:

年份	1993	1994	1995	1996	1997	1998	1999	2000
世界贸易组织	8	90	90	90	90	90	90	90
世贸组织		24	90	90	90	90	90	90
WTO							90	90

简缩形式出现之后很快就与原有的形式形成二分、三分的竞争格局,这种情况还很少出现,这样的词场所指称的应是与社会热点紧密相连的事物。再如,"非典"这个简缩形式仅仅在一个多月的时间内就与"非典型肺炎"两足分立了。越是公众关注的社会热点对象,用来指称它的同义词项就越是能够迅速地繁衍开来。

如果能够通过足够数量的同义词场内部语形、语义的竞争与分布关系作详细考察,就可以清楚地了解语义场内部的各种语义关系,从而探讨同义词是否必须有明确的分工、词语的分工是否是一种绝对的必然、词语的交叉是否是语言的赘疣、语义关系的多维性、词语取胜的决定性因素等等,这是下一步要做的工作,而本文仅仅是一个开始。

附 注

① 池昌海《对汉语同义词研究重要分歧的再认识》第77—84页,《浙江大学学报》1999年第1期。

② 8本词典分别是:《现代汉语新词词典》(于根元)、《现代汉语新词语词典》(林伦伦)、《现代汉语词典》(2002年增补本)、《1991年汉语新词语》(于根元)、《1992汉语新词语》(于根元)、《1993汉语新词语》(刘一玲)、《1994汉语新词语》(刘一玲)、《汉语新词新语年编》(1995—1996)(宋子然),共收词8802条,除去重复后为7826条。

③ 符淮青《现代汉语词汇》第118—119页,北京大学出版社1985年版。

④ 凡未注明来源的调查表及例句均源自对《人民日报》的调查。

主要参考文献

施春宏　2000　《说"界"和"坛"》,《汉语学习》第1期。
张志毅、张庆云　1997　《新时期新词语的趋势与选择》,《语文建设》第3期。

"Bad Language" in Contemporary Chinese Literature
当代中国文学中的脏字詈语研究

Lan Yang, Department of East Asian Studies,
Leeds University
英国利兹大学东亚系　杨岚

Modern literary criticism has increasingly laid stress on the language of literature and attracted linguists' attention. According to Roman Jakobson, "Since linguistics is the global science of verbal structure, poetics may be regarded as an integral part of linguistics".[①] With regard to ideology as represented in literature, Ronald Carter and Walter Nash state, the sense of ideology is "a socially and politically dominant set of values and beliefs which are constructed in all texts especially in and through language".[②] This article aims to throw light on one aspect of fictional language style in contemporary Chinese literature through investigating the use of a category of stylistic expressions labelled "bad language" by Lars-Gunnar Andersson and Peter Trudgill.[③]

Contemporary Chinese literature in this discussion refers to

Chinese literature since 1949. This is conventionally divided into three phases which use the Cultural Revolution ("CR" for short) as a reference point, i.e. pre-CR literature (1949—1965), CR literature (1966—1976)④, and post-CR literature (1977—). Since post-CR literature did not demonstrate fully its characteristics until 1985, the post-CR literature under discussion specifically refers to the literature since 1985.⑤

The basic method adopted in this research is quantitative and comparative analysis. We selected twenty-seven works (nine from each period) and subjected the three groups to comparison (see Table 1).⑥ All the samples used are acknowledged to be among the most representative or influential works of their respective periods.

The *bad* expressions under discussion roughly correspond to "swearing" plus a small part of "slang" described by Lars-Gunnar Andersson and Peter Trudgill in their *Bad Language*.⑦ The Chinese term for *bad* expressions is "zanghua" or "zangzi" [literally, this means "dirty words"].⑧ According to the specificity of Chinese vocabulary, the *bad* expressions in this discussion cover the following sorts of items:

a) Set swearing expressions, among which items in word level are labelled as "swearwords" in *A Modern Chinese Dictionary*.⑨

Examples: *zazhong*[son of a bitch—this expression literally means hybrid; for reference codes of the fiction, see

Table 1, the same below] (III. 4, p. 53) *hundan*[bastard] (I. 7, p. 520), *chou biaozi* [a damned whore] (III. 5, p. 29).

b) Taboo words relating to sex, bodily organs or functions.

Examples: *jiba*[penis] (I. 3, p. 320), *diao-mao*[pubes] (I. 1, p. 150), *fangpi*[to fart] (I. 7, p. 520).

c) Offensive metaphors used to call human beings things, animals or ghosts.

Examples: *jian huo* [a cheap thing] (III. 5, p. 26), *chusheng*[a beast] (I. 8, p. 581), *gou niang yang de*[son of a bitch] (III. 5, p. 17).

d) Slang self-referent words/phrases referring to oneself as belonging to an older generation.

Examples: *laozi*[father] (II. 5, p. 82), *laoniang*[old mother] (III. 5, p. 17).

e) Phrases or sentences used to lay a curse on somebody.

Examples: *gai qian dao wan gua de ren* [the person who will be cut by thousands of knives] (I. 7, p. 18).

According to the present statistics, among these three groups of fiction, the CR fiction has the lowest density of *bad* expressions, the pre-CR fiction the middle, and the post-CR fiction the highest (see Table 2−2). The contrast shows a roughly geometric progression in the three groups from the lowest to the highest, that is, the number of *bad* expressions per 100000 characters in the pre-CR group is over twice as many as that in the

CR group, but is about one half of that in the post-CR group. Individually, the rates in CR fiction II. 4, II. 7 and II. 8 respectively account for about one-tenth of the mean average of the pre-CR works and about one-twentieth of the mean average of the post-CR works; the rates in post-CR fiction III. 3 and III. 8 are about ten times as much as the mean average of the pre-CR fiction and about twenty times of that of the CR group. *The Mountains and Rivers Roar* (CR fiction) and *Xiangsishu Women Inn* (post-CR fiction) were both written by Gu Hua, but the rate in the latter is over ten times as much as that to be found in the former. Wang Meng's well-known post-CR novel *The Embarrassed Season* has a higher rate of *bad* expressions than the mean of the post-CR group, but his representative pre-CR fiction *The Young Newcomer in the Organisation Department* contains a zero count of *bad* expressions. *The Sun Shines Bright*, *The Golden Road* and *The Common People* respectively represent Hao Ran's writing in the three periods. The rate of *bad* expressions in his CR novel *The Golden Road* accounts for about one-fourth of his pre-CR novel *The Sun Shines Bright*, which provides good evidence of the tendency towards reduction of *bad* expressions from the pre-CR literature to CR literature. Then the rate in the post-CR novel *The Common People* rises again and it is about four times as much as that in *The Golden Road*.[⑩]

In their study on *bad* language, Lars-Gunnar Andersson and Peter Trudgill classified "swearing" into four functional varieties: Expletive, Abusive, Humorous, and Auxiliary.① Having revealed the above quantitative differences of *bad* expressions in the fiction of the three periods, I followed the two linguists' functional classification to analyse their qualitative distinction, with Others forming a separate category. Below is the definition as well as the classification.

a) Abusive

Directed towards others; includes name-calling and curses. For example,

(1)*Wo cao ni ma*! [I fuck your Mom! III. 6, p. 440)

(2)*Wenshou*! [You beast!] (II. 5, p. 553)

b) Expletive

Used to express emotions; not directed towards others; as an independent grammatical unit, with a pause. For example,

(3)*Pi*! *Laozi jiu shi bu pa*! [Shit! I am just fearless!] (II. 5, p. 182)

(4)*Ta ma de*, *wo suan renshi nimen le*! [Damn it, I have really seen through you at last! — "*ta ma de*" indicates the speaker's anger; it is the elliptic form of "*ta ma de bi*" (his mother's vagina)](I. 1, p. 254)

c) Auxiliary

Swearing, as a way of speaking; has no clear syntactic or semantic relationship with other elements in a sentence; usually unstressed; without pause. For example,

(5)*Nimen ta ma de kan dao nali qu le* ... [What a mistake you bloody made…] (I.1, p. 597)

(6) *Zhe jiao <u>ta niang de</u> shenme shir ya?* [What is this bloody thing called?] (II.3, p. 90)

d) Humorous

Directed towards others or self but not really derogatory; is playful rather than offensive. For example,

(7) *Feng pozi! Ni ba* … [Naughty girl! Your father …— "*feng pozi*" literally means "mad woman", but when the mother refers to her daughter with this abusive invective in a specific context, it humorously shows her love for her child.] (II.2, p. 185)

(8) *Ni zhe <u>lao dongxi</u>, yibeizi mei xin guo gui* … [You old codger, you've never believed in ghosts … — this sentence is uttered by Uncle En to himself, in which calling himself "old thing" is playful.] (II.2, p. 66)

e) Others

Apart from the above four categories, I find some other items which cannot be properly listed in any one of them. They are mostly taboo words and some are special slang referring to elder generations. They are not directly offensive; grammatically, unlike Auxiliary above, they are often main elements of sentences; in pragmatics, they are used to represent speakers' unsophisticated or rude manner rather than swearing. For example,

(9) *Pa ge <u>qiu</u>! Ni jie le gu, <u>laozi</u> kaiche paodanbang, yanghuo ni.* [Fear nothing! If you are fired, I'll travel

around trading on my own and feed you. —This quotation is from a young man's conversation with his lover, of which the *bad* expressions are beyond the above four categories. "*Qiu*" literally means ball but it is here used to replace its homophone "*qiu*" which means scrotum with testicles; when it is used as a swearword the latter often means nothing. There is no English equivalent to "*laozi*", which literally means father, but as a self-aggrandising slang self-referent, it means I or me] (III.1, p. 37)

(10) *Jibamao chao jiucai, fen ye fen bu kai*. [Stir-fried chives with pubes are difficult to separate from each other—metaphorically this expressions means two people or two things have too close relationship to be separated.] (III.6, p. 314)

The above definition and examples indicate that the five categories of *bad* expressions have different swearing degrees and stylistic characteristics. For instance, Abusive has the highest swearing degree since it is the most offensive, but Humorous has the lowest swearing degree due to its comical flavour. Auxiliary is not directly offensive to addressees but usually represents speakers' language habits and tendency to swearing; it is different from Abusive and Expletive which do not mainly represent speakers' habitual language behaviour but show their emotional feeling and attitude. Moreover, there exist two obvious inner distinctions with regard to swearing extent within the categories.

First, within any category, the expressions which relate to sexual organs are supposed to be endowed with a stronger taboo meaning, and are intuitively of a higher swearing degree. Second, within Abusive, those expressions targeting the elder generation are taken to be more offensive.

The present statistics show that among the five functional varieties Expletive is the smallest category, of which the distributional difference among the three groups of fiction may be ignored.

As regards Humorous, Group I has the highest rate. It would indicate that the use of *bad* expressions in pre-CR fiction has a more comical flavour.

Abusive accounts for an overwhelming majority in each group, and it accounts for the major type of *bad* expressions in use. In any comparison of these three groups of fiction, CR fiction has the lowest rate of Abusive. In view of both this lowest rate of Abusive, which is at the top swearing level, and the lowest density of all *bad* expressions as analysed above, it may be taken for granted that *bad* expressions in CR fiction are stylistically milder and more restrained than in pre-CR and post-CR fiction. This perception can also be confirmed by my extended examination into the internal swearing distinctions of the functional categories, i.e. taboo words relating to sexual organs and Abusive expressions concerning the elder generation are much less frequent in Group II than in Groups I and III. Thus, it is commonly seen in CR fiction that although characters' tendency to swear is indicated by the narrator, the swearing words are an ellipsis or the "swearing" words are not *bad* expressions. For example,

(11) "*Hai, jiao ni bie xiang bie xiang ...*" *ta henhen de ma ziji. Ma zhe ma zhe, fan' er geng shui bu zhao le.* [Hi, I request you not to think more..." he severely scolded himself. While swearing and swearing, he felt still more sleepless.] (II. 9, p. 120)

(12) *Zhou Changlin henhen de ma le ta yi sheng*: "*Pianzi*!" [Zhou Changlin scolded him severely: "Swindler!"] (II. 7, p. 185)

In (11) although the discourse reads as if the hero had used a series of swearwords the reader does not know what he said. The ellipsis dots have replaced his swearing words. "Pianzi" in (12) is indicated by the narrator an abusive word, but it is not a *bad* expression such as those under discussion.

Bad expressions in Pre-CR fiction have higher swearing degree than those in CR fiction. We thus cannot find in Group II such *bad* expressions as in the following examples appearing in Group I.

(13) *Cao ni ge baijun qin mama*! [Fuck your White army's mother! —"*qin*" or "*lao*" is sometimes put before "*mama*" or "*niang*" for stronger offensiveness.] (I. 3, p. 453)

(14) *Wo ri ta zuzong le*! [I'll fuck his ancestors.] (I.1, p. 617)

(15) *Jiba mao dang tou fa*! [(He's) got pubes for hair.] (I.3, p. 140)

In comparison with both Group II and Group I, *bad* expressions in Group III have the strongest swearing distinction. For instance, apart from more taboo words relating to sexual organs and more abusive words concerning the elder generations, they include compound items which combine different categories of *bad* expressions, and are intended to intensify the swearing distinction of the discourse. Such *bad* expressions as follows can never be found in pre-CR or CR fiction:

(16) *Kan laoniang lashi gei ni chi*! [Watch me shit for you to eat!] (III.3, p. 161)

(17) *Dadao gou ri de ri gou de Fei Keli*! [Down with the bastard Fei Keli — "*gou ri de*" literally means somebody who was from a dog's fucking, and "*ri gou de*" means somebody who fucks dogs.] (III.6, p. 214)

(18) *Fang ni niang de zhu-pi niu-pi ma-pi*! [Shit! (You are talking rubbish.) — It is expanded from "*fang-pi*"; the expanded elements mean your mother's pig fart, cow fart and horse fart.] (III.1, p. 49)

Moreover, in post-CR fiction language, bodily organs/functions are represented in not only specific taboo words but also paragraphs and groups of paragraphs. Below is a special paragraph depicting a character's urination.

(19) *Ta ying zhe feng zhitingting de zhanli zhe, pi kai liang tui, jie kai ku kou, tao chu jiahuo, sa le pao liao, liao de hen chang, liao de hen duo, liao de hen chong, liao de liangjingjing ru qiao ru lian. Qing feng chui qi le ta de re liao de saoqi.* [Facing wind, he stood there straight. With two legs moving apart, he unbuttoned his trousers, and then took out his penis to urinate. The urination was of long duration but swift, and the abundant urine was glistening, looking bridge-like and silk-like. A cool breeze blew the warm urine, which sent forth its foul smell.] (III.6, p. 440)

Furthermore, it can be seen in post-CR discourses that something which is irrelevant to taboos is associated with taboo words and expressions. For instance, literature is conventionally a highly regarded field in China, but in post-CR fiction, we can find narrations or conversations in which the activities of literary creation are compared to bodily and/or sexual functions. Below is an example:

(20) ...*Wenxue, jiu shi paixie, paixie tongku weiqu shenme de, tongguo ci deng fu xingjiao de xingshi xunqiu kuaigan* ...

Wenxue jiushi tongku—dei paixie, dada de kuaigan, xingjiao yiyang de ...*ganhuo!* ...

Guanjian zaiyu ...*dei ni cao le wenxue—buneng rang*

wenxue cao le ni!

[... Literature is just excretion, excreting something like agony and grievances. Writers obtain pleasant sensation by this sub-sexual intercourse...

Literature is just agony—it needs excretion; that is great pleasant sensation, being just like sexual intercourse!

...

What counts is that you have to fuck literature—don't let literature fuck you!] (III. 7, p. 109)

Another characteristic of *bad* expressions in post-CR fiction is their highest rate of Auxiliary. Since Auxiliary is often not directed to addressees and is not necessarily offensive, but mainly used to represent a character's rude habitual speaking style, the highest distribution indicates the change of characterisation of people in post-CR fiction. For instance, in Xu Xing's *All the Left Belongs to You* and Wang Shuo's *Nothing Decent*, the principal characters use so many *bad* expressions to their addressees including parents, friends and lovers that the *bad* expressions, especially Auxiliary swearing words, become an important part of their language.

As indicated above, post-CR fiction has the highest density of *bad* expressions among the three groups of fiction; it may thus be concluded that *bad* expressions in post-CR fiction has increased in both quantity and semantic extent.

My next investigation into the style in using *bad* expressions is to analyse the distributions according to characters using such expressions. This analysis is concerned with gender, age, education and ideological status ("ideological status" generally includes ideological stand and class status). The first aspect in discussion is about the distribution of the expressions in the monologues and dialogues by different genders. Here I categorise the *bad* expressions under three types of speakers: Male, Female, and Non-specific. "Non-specific" refers to those characters whose gender is not specified in the text. They may be a crowd or an unknown individual from the crowd who shouts curses. Some expressions which are not taken from characters' speech but from the narrators' comments are also classified in this category.

According to the present statistics, the three groups of fiction have the same pattern, i. e. the rate under Male is much higher than that under Female. In other words, in their characterisation with relation to language, all the three groups of fiction follow a convention by which *bad* expressions are mostly spoken by males. Furthermore, the percentages under each gender in the three groups are very close, which means that no substantial change may be detected as regards the distribution of *bad* expressions among the proportions of Male to Female in the three groups of fiction.

Following the above analysis, I investigated some further distribution within the category of Female. Firstly, I examined

Female distribution according to age: young, middle, and old. The result shows that the basic pattern of the three groups is the same, that is, the rate for the middle is the highest, the old the second, and the young the last. The slight difference of actual rates among the three groups can be reasonably ignored because no regular pattern can be generalised from individual works. I also examined the distribution by ideological status within the Female category, but there is no statistically regular change found by comparison of the three groups. Nevertheless, when I combine these two aspects with the distribution of functional varieties within Female, I have found the following points:

First, in accordance with the above-analysed characteristic that post-CR fiction has in general the most prominent swearing distinction among the three groups of fiction, a trend in post-CR fiction towards a higher swearing degree in females' *bad* expressions than that in pre-CR and CR fiction is perceivable. The readers of pre-CR and CR fiction thus could not possibly encounter such highly vulgar swearing expressions spoken by females as in post-CR fiction:

(21) *Ni tiansheng shi ge zhao ren ri de huo li*. [You're a born whore—literally it means "you are a thing born to be fucked by others".] (Ⅲ.3, p. 165)

(22) *Wo tuigenzi jia zhe ni de diao li*! [My thighs are sandwiching your penis—it indicates "your penis is in my vagina".] (Ⅲ.3, p. 164)

Secondly, very few old poor females such as poor peasants (the poor are in general ideologically positive characters in pre-CR and CR literature) in Group II use *bad* expressions except for Humorous. In Group I and Group III, however, almost all old female speakers of *bad* expressions are the poor. So we cannot find a single old poor female in the CR fiction who like Aunt Tian [Tian Dama] in *The Common People* swears at others frequently, or who like Chen Dachun's mother in *Great Changes in a Mountain Village* abuses her children constantly.

Finally, although in general CR fiction is obviously the lowest among the three groups in the degree of swearing or vulgarity of *bad* expressions, the swearing level of *bad* expressions by young girls in CR works seems to come first on the list. Therefore, no equivalents by young girls to the following example have been found in either pre-CR or post-CR fiction:

(23) *Zhe liang ge gou dongxi lai suanji wo le. Hao ba! Ni gunainai bu gao ni ge bi-ta-zui-wai, jiu bu pei zuo Qingshibao de xin dang-jia* ... [The two bastards have schemed against me. Well! If I can't have your faces bashed in, I shall not be qualified to be a new leader in Qingshi Fort... — the two items, the former used to call others animals, and the latter used to call speaker herself others' grand-aunt, are so offensive and vulgar that according to general literary conventions, they would be more suitable if spoken by a negative shrew rather than by a young educated

heroine.] (II. 9, p. 332)

Another feature concerning the young girls' *bad* expressions is the manner of speaking. Most *bad* expressions used by young girls in pre-CR fiction are spoken in monologue or behind people's backs, but those in CR and post-CR fiction are often spoken in public or to people's faces. We may compare the following examples:

(24) "*Mei lian*!" *Gaixia zai xin li ma*, "*Ni jian tian dao Huangbao wenhua zhan qu tigao, zhao bu xia dui xiang, gan zhaoji*!" *Dan ta zui li yi-sheng-bu-keng*... ["What a nerve! (or Shameless!) You go to the culture station of Huangbao for improvement every day, but you still can't find a girlfriend, and you have to be anxious to no avail." Gaixia was abusing him in her mind, but outwardly she did not utter a sound.] (I. 3, p. 220)

(25) *Chunhong da he yi sheng*: "*Zhu kou*! *Ni zhe tiao laipigou*!" [Chunhong shouted loudly, "Stop! You loathsome creature!"— "*laipigou*" literally means "mangy dog".] (II. 9, p. 336)

As regards the above differences, a plausible explanation for the fact that old poor females do not use abusive expressions in CR fiction is that CR fiction heightens ideological identity in characterisation; the authors deliberately try to present the sensible and rational side of the positive characters' disposition. On the other hand, to let young women use more swearing expressions in a more open and bolder manner is one aspect of the measures taken by the authors to represent the characters' anti-traditional and rebellious temperament. On the contrary, the state that the *bad* expressions by young girls in pre-CR and post-CR fiction show a milder style indicates that the authors consciously present the young girls' more restrained character.

Another aspect of the present investigation is on the distribution of *bad* expressions by speakers of different educational levels. The characters are here classified into Educated, Uneducated and Non-Specific. The classification takes into consideration of not only literate level but also the characters' occupation and status. For the Educated, they are called *zhishifenzi* [intellectuals] in China, such as teachers, writers, lawyers, doctors, engineers, college and university students (having graduated or not graduated), and cadres who received education. For the Uneducated, they are workers, peasants and soldiers in occupation, although some of them may not be illiterate. However, the occupational cadres, officials and high-ranking officers who work in factories, the countryside, and the army are classified into the Educated.

The statistics show that the three groups of fiction follow a general pattern, i.e. the *bad* expressions spoken by the Uneducated constitute the overwhelming majority. For instance, in Group I the number of *bad* expressions under the Uneducated is over six times as much as that under the Educated; the number under the Uneducated in Group III is about three times as much as that under the Educated. In Group II there are only four *bad* expressions under the Educated, but there are 323 under the Uneducated.

Ya [being gentle and refined] and *su* [being uncouth and vulgar] are the conventional dual opposites in Chinese culture regarding personal manner and cultivation. Confucius instructed his students "fei li wu yan" [no speaking except things according with etiquette/courtesy].[12] Education is thought to be a condition to demark the variant styles of *ya* and *su*. The above general pattern by which most *bad* expressions are under the Uneducated indicates that the authors of the three groups of fiction consciously followed the conventional demarcation.

In spite of the same general pattern, nevertheless, the three groups have big discrepancies in the same category of Educated or Uneducated. For example, under the Educated, Group I has 86 items, which account for 13.7% of the whole number of *bad* expressions of the group, but in Group II, there are only four items, accounting for 1.1% of this group's whole quantity. However, Group III has 161 items, of which the percentage rises to 25.7%. According to these differences, it may be concluded that among the three groups of fiction, CR fiction to the greatest extent represents the above conventional demarcation. For instance, although CR fiction displays a trend towards increase of negative characters' *bad* expressions, it shows a careful consideration in the distribution of *bad* expressions according to the characters' educational levels. Normally, the capitalist-roaders in CR fiction are main negative characters, but they have generally received good education. That they seldom speak *bad* expressions is more in keeping with their educational background, language habits and official status.

However, according to the rate, post-CR fiction diminishes the demarcation between the languages of the Educated and the Uneducated. For this reason, we can find examples such as Wang Meng, Wang Shuo and Xu Xing. In their works, *bad* expressions spoken by intellectuals constitute the majority. The characters include cadres, writers, actors, university teachers and students, etc. This phenomenon represents from one angle the trend of post-CR literature towards the obliteration of the conventional demarcation between *ya* and *su*.

The final analysis on the distribution of *bad* expressions according to speakers is based on another critical demarcation: positive characters versus negative characters. Apart from these two opposite categories, Non-Specific and Narrator form another two categories in the present investigation. Non-Specific refers to the characters who may be called middle characters, i. e. their stand is between the Positive and the Negative or is hard to be determined.

Nevertheless, this classification is not so straightforward as the other categorisation above for it is problematic to set criteria.

As is known to all, the literary critical demarcation between a hero and a villain cannot take a unique criterion during different historical periods. It is known that in contemporary Chinese literature between 1949 and the late 1970s, ideological evaluation played a decisive role in the literary characterisation of people. In other words, for the characters of pre-CR and CR literature, ideological stand can be used as the primary criterion of the demarcation between Positive and Negative. Practically, since the mainstream ideology during the pre-CR and CR periods were basically consistent, we have no difficulty in classifying the characters of pre-CR and CR fiction into positive and negative categories according to the then current ideology.

However, the post-CR period is known to be inconsistent with the preceding ideology, and the ideological evaluation which is appropriate to the preceding fiction may not be applicable to the classification in post-CR fiction. For instance, in the two preceding periods, only people's thought and behaviour in accord with the collective rather than individual interest were ideologically positive, but in post-CR period, people's thought and behaviour for their own interest may also be ideologically positive. Thus, the evaluation on the types of characters of post-CR fiction cannot simply be limited in the outdated mainstream ideological and economic values, but some other evaluation criteria need be brought in. For example, they may take social, cultural, and ethic values into consideration. Furthermore, people's character in post-CR fiction displays great complexity, which may be not clear-cut, inconsistent or double-sided. This complexity indicates the change and development of characterisation. It thus needs to be noted that the present classification is a tentative one, in which for the sake of possible consistency, I have classified much more items from post-CR fiction than from pre-CR and CR fiction into the Non-Specific, and it results in an evident imbalance. In brief, therefore, the inconsistent criteria, the complexity of characterisation, and the imbalance in my tentative classification all indicate the practical difficulty in comparing the use of *bad* expressions according to types of speakers between post-CR fiction and the other two groups of fiction. Nevertheless, this difficulty itself reveals from one angle their respective characteristics on this specific analysis.

The statistics indicate that in comparison of Group I and Group II, the latter's rate of *bad* expressions spoken by positive characters is lower, but the rate by negative characters higher. As indicated by Andersson and Trudgill, as a way of characterisation, *bad* expressions may represent speakers' irrationality or crudeness.[13] It stands to reason that the distribution of *bad* expressions is related to people's ideological identities in the literature with ideological inclination, i. e. positive characters' language includes a lower proportion of *bad* expressions than negative characters' language. Thus, the above distributional difference between Group I and Group II indicates that as a measure of characterisation, the use of *bad* expressions in CR fiction is more closely related to characters' ideological identities. In particular, the stylistic function of *bad* expressions is at odds with the heroic characters' politeness, cool-headedness and rationality. In CR fiction almost no *bad* expressions are spoken by the main heroes.

In Group III, the overwhelming majority of *bad* expressions are categorised under Non-Specific. As noted above, this fact indicates the change and development of characterisation in post-CR fiction. On the one hand, it shows the variety and complexity of types of characters and the diminishment of the conventional positive and negative demarcation. On the other hand, it implies that the use of *bad* expressions in post-CR fiction is more loosely related to characters' ideological identities than the other two groups of fiction. Thus, from pre-CR and CR works, we can never find such examples as those that follow, in which the Party cadres use swearwords casually.

(26) …*Laozi jiji*! *Laozi sheng shi Gongchandang de ren, si shi Gongchandang de gui. Huo yi tian jiu gan yi tian, jiji yi tian.* [I am active! Being alive I am a person of the Communist Party; after dying I am a ghost of the Party. As long as I am alive, I want to be active.] (III.1, p. 53)

(27) *Zhishu hechi tamen*: "*Ri ni niang de*! …" [The Party secretary shouted at them (a group of dogs): "I fuck your mother! …"] (III.8, p. 187)

(28) *Zhe ge duizhang wo xianzai jiu liao le, shui ta*

niang de yuanyi gan shui jiu gan, wo yao zai gan wo jiu shi zazhong cao chulai de! [I now declare to give up this headship of the brigade. Whoever is willing to take the position may do. If I am carrying on the duty, I am a bastard (fucked out by a hybrid).] (III. 6, p. 335)

Then, for the category of Narrator, the first step in the statistical analysis is to define the Narrator, for some works are in the third person but the others in the first person. The first person narrator "I" in the fiction is not an outsider but is the protagonist or an active character. For the sake of consistency, it is ruled that such a first person narrator is regarded as a character in the statistics. Therefore, the narrator in this investigation is related to the authors behind the scenes.

Functionally, *bad* expressions by narrators generally belong to Abusive, of which most are offensive metaphors used to call human beings animals or other things, and the others are taboo words relating to bodily organs or functions. For example,

(29) *Zhe ge gua zhe Gongchandangyuan zhaopai de chailang, ren mian shou xin de chusheng* …[He, a wolf under the signboard of a member of the Communist Party, and a beast in human shape…] (II. 9, p. 209)

(30) *Yi ge shuo qu fangpi de meipo ye lai quan ta* … [A woman matchmaker, who always talked a pile of maggoty shit, also came to persuade her…] (II. 9, p. 209)

From these examples, we can see that the *bad* expressions all indicate the narrators' indignation against characters. This indignation is highly partial since the *bad* expressions are exclusively used to denigrate negative characters, under most conditions main villains.

According to the present statistics, the distributions of *bad* expressions by the narrators in the three groups are distinctly contrastive. The sequence from the highest to the lowest is Group II, Group I and Group III. The situation could from one angle show the intensification of partiality of narration and description from pre-CR fiction to CR fiction but the reduction of the partiality from CR fiction to post-CR fiction.

The above analysis is focused on the distribution of *bad* expressions according to speakers; the following discussion deals with the distribution according to targets of abusive expressions. It will concern the types of characters and family members as targets of abuse. For the types of characters as targets of abuse, similar to the above classification of types of speakers, three categories are established, i.e. Positive, Negative and Non-Specific. The categorisation follows the same principles as those in the classification of types of speakers.

According to the statistics, the first two Groups show the same pattern: the majority of abusive expressions are targeted at negative characters. In spite of the same pattern, however, the gap of rates between Positive and Negative is bigger in Group II

(17.9% v. 50.2%) than in Group I (27% v. 42.5%). Group III shows an opposite pattern: the rate under Positive is higher than that under Negative. We may reasonably assume that the positive-negative evaluation is not adopted or emphasised in pre-CR or post-CR fiction when the target of abuse is taken into consideration. The CR fiction authors intentionally follow a principle: causing abusive expressions to be mainly directed towards negative and middle characters. The practice of the principle can be evidenced further by the distribution of the individual works, of which the rates are rather regular in accordance with the whole mode.

The changes in the offensive extent according to types of characters also prove the different weight of positive-negative opposition among the three groups of fiction. In Group I and Group III, we have not perceived obvious differences between the offensive extents relating to positive and negative characters as targets of abuse. We can thus find highly offensive expressions of abuse directed towards heroes and primary positive characters. For example,

> (31) *Liang-laosan de xiao duzi* ... [Liang-laosan's bastardy son... — "*xiao duzi*" literally means small son of ox.] (I.3, p. 275)

> (32) *Guanyin Jie na sao huo* ... [Sister Guanyin, the sensual bastard] (III.1, p. 27)

However, in Group II, similarly offensive expressions of abuse can only be found being directed towards middle and negative characters, being spoken by both opposite-side and same-side characters, but can hardly be found used towards positive characters, and are never found towards primary positive characters or heroes.

The subtle feature in which even negative characters or villains do not abuse positive characters severely is worthy of notice. It indicates that, with the two opposite sides taken into consideration, in pre-CR and post-CR fiction, the highly offensive expressions of abuse are mutual between positive and negative characters, but in CR fiction, they are only directed from positive characters towards negative characters.

In brief, for CR fiction, the characterisation in language use has shown ideological evaluation not only in the identities of the addresser but also of the addressee. In comparison of the three groups of fiction, the present analysis indicates from another angle that the language use in CR fiction laid the most stress on the oppositional demarcation between positive and negative characters. Moreover, as regards post-CR fiction, the analysis confirms from one angle the tendency of post-CR literature towards the obliteration of the conventional dual positive-negative division.

Another investigation is regarding family members as targets of abuse. From the statistics, we have found that in all the three groups, over seventy percent of targets of abuse are non-family members. That would reveal that the confrontation which is reflected by using abusive expressions dominantly exists among non-family members.

The members of a family are classified into four categories: Husbands, Wives, Children and Others. The Others mainly refers to the family members who are beyond the relationship between husband and wife or between parents and children, such as sisters, brothers, or wives (some stories are about traditional China, which had polygamy).

According to the present statistics, in Group II, husbands as targets of abuse rank first among the three types of family members, but in Group I, husbands rank last. With wives taken into account, the number of these in Group I is over three times more than that of husbands, but in Group II, it is only one ninth of the number of husbands. The rate under Wives in fact ranks last in Group II. Group III is very different from both Group I and Group II, in which the number under Husbands is the same as that under Wives. Although the same number may be a coincidence, the close proportion under Husbands and Wives is certain.

The Group II phenomenon of husbands as predominant targets of abuse, with wives rarely targeted, is a significant stylistic characteristic in the use of *bad* expressions. It is characteristic that in the dialogues between husbands and wives in Group II, while the wives frequently abuse their husbands face to face, the husbands seldom make counterattacks with abusive expressions. This situation is consistent no matter what the ideological identities of the abusing wives or the abused husbands are. For instance, in *Qingshi Fort*, the middle character Geng Jiaquan and the main villain Shi Jigen habitually use abusive expressions towards non-family members in both dialogue and monologue. However, Shi, being frequently abused by his wife Qingyun, a positive character, rarely abuses her; Geng never abuses his wife Agui, a negative character, who abuses her husband severely and constantly. In *Mountains Green after Rain*, the positive character Li Yinlan uses a lot of abusive and vulgar expressions towards her husband Wei Chaoben, a middle character, usually in public, but the latter also does nothing but swallow them, refraining from using abusive expressions in retort.

On the level of ideological identities, as targets of abuse by a spouse, both husbands and wives in Group I and Group II belong to middle or negative characters, but in Group III, the husbands and wives may be positive characters as well. For instance, from Group I and Group II, we cannot find an example such as Zhao Xing in *Xiangsishu Women Inn*, the commune Party secretary, who is constantly abused by his wife.

As regards Group I, the rate under Children ranks first. It seems plausible to suppose that pre-CR fiction is more tinged with patriarchal tradition in arrangement of targets of abuse. In the light of the tradition, wives are subordinate to husbands, and children are subordinate to parents. Among family members, children are naturally the most common targets of abuse because they may be sworn at by both father and mother. For this reason, although Chen Xianjin's wife in *Great Changes in a Mountain Village* abuses her son and daughter constantly, she never makes a single abusive expression towards her husband.

The above features concerning husbands and wives as abusers or targets of abuse can be summarised as follows: By comparison of the three groups, husbands in Group II are the most passive in being abused by wives, but wives in Group II are the most active in abusing husbands. In Group III, ideological evaluation plays the least important role in the distribution of husbands and wives as targets of abuse. In Group I, patriarchal custom might be taken into account in the distribution.

One of tentative explanations for the above distributional characteristics is the heightened rhetorical support for the equality of the sexes during the Cultural Revolution. *Nan zun nü bei* [male supremacy] was taken to be a part of the traditional custom and old culture by the official propaganda machine, and became one target in the movement.[13] In relation to the promotion of anti-traditional and rebellious spirit in the CR, this propaganda might be represented in the current literature.

In spite of its relatively short history, contemporary Chinese literature has experienced many vicissitudes which form three stages or phases: pre-CR, CR and post-CR literature. It is significant for critics to reveal the characteristics of these three stages by putting them into a historical comparative perspective. The present study has investigated the stylistic character of contemporary Chinese fiction represented in its distribution of *bad* expressions. In accordance with the literature's three stages, the stylistic character also shows three markedly different phases. In other words, the changes in the distribution of *bad* expressions reveal from one angle the characteristics of the three phases of contemporary Chinese literature.

What I am in particular interested in is how the distributions of *bad* expressions, as a stylistic representation, indicate the changes of contemporary Chinese fiction. According to this study, they are related to the aspects of discourses including narrators' style, addressers' educational status, addressees' ideological standing, etc., which show the changes of social and ideological representation of Chinese fiction of the three periods. Through statistics, which are affirmed by literary linguistic critics as a method to demonstrate not only a qualitative tendency of a stylistic representation but also its quantitative extent, this analysis has shown the extent as well as the tendency of the differences of the *bad* language among the three phases of Chinese fiction. In terms of density and swearing distinction of the *bad* expressions, pre-CR fictional language is in the middle, CR fictional language in the lowest and post-CR fictional language in the highest.

It is known that *bad* language was popular in some Chinese societies of the Cultural Revolution, which has aroused scholars' attention. In his famous *Language versus Social Life* [*Yuyan yu shehui shenghuo*], Chen Yuan, one of the most authoritative Chinese sociolinguists writes: "During the Cultural Revolution, Chinese language was heavily polluted. People's writings and speech were full of empty, big, stereotyped and *bad* expressions …" "In the decade too many *bad* expressions existed in the social life… it was as if the more you used *bad* expressions, the more revolutionary you were."[15] Such an observation regarding *bad* expressions fits the language style of *dazibao* [big-character poster] or leaflets to denounce opposed people or things by Red Guards in the movement. I expected before this study that CR fiction would have a denser distribution of *bad* expressions than that of the other two periods. However, this investigation indicates that the rate and swearing distinction of *bad* expressions in CR fiction is the lowest in comparison with pre-CR and post-CR fiction. Therefore, the language style of the social discourses such as big-character posters and leaflets or oral slogans cannot represent the CR fictional language style.

Pre-CR and CR literature is known to be under the control of the then current ideological machine. One of the essential aspects of the ideological control was to promote the didactic function of literature, which was supported by both the principle of socialist realism and the convention of Chinese culture.[16] Nevertheless, the extent of strictness of the control had difference between the pre-CR and CR periods. The CR authorities disclaimed pre-CR literature as being deviated from the orthodox ideology, and carried out the control to its climax. The stylistic difference of the use of *bad* expressions between pre-CR and CR works shows the discrepancy in the strictness of the ideological control.

In post-CR fiction we have seen a series of bounds in the distribution of *bad* expressions, such as the lines of demarcation between males and females, between positive characters and negative characters, and between the educated and the uneducated, have been diminished or obliterated. In spite of some official propaganda, the ideological value and didactic function have gradually lost their weight in post-CR literature. Some critics state that post-CR literature has been developing towards daily and worldly recreation.[12] The above changes in the use of *bad* expressions show from one angle the trend of post-CR literature.

In view of the close relationship between language style and literary characteristics, which is shown in the representation of *bad* language in Chinese fiction, the linguo-stylistic analysis cannot be overemphasised in contemporary literary criticism.

TABLE 1　Sample Fiction

Group	Ref. Code	Author and Title
I Pre-CR Fiction	I. 1	Hao Ran, *The Sun Shines Bright* [Yanyangtian] (vol. 1)
	I. 2	Liang Bin, *Red Flag Chronicle* [Hongqi pu]
	I. 3	Liu Qing, *The Builders* [Chuangye shi] (vol. 1)
	I. 4	Luo Guangbin & Yang Yiyan, *Red Crags* [Hong yan]
	I. 5	Ru Zhijuan, *Lilies* [Baihehua]
	I. 6	Wang Meng, *The Young Newcomer in the Organisation Department* [Zuzhibu xin lai de qingnianren]
	I. 7	Yang Mo, *The Song of Youth* [Qingchun zhi ge]
	I. 8	Zhao Shuli, *Registration* [Dengji]
	I. 9	Zhou Libo, *Great Changes in a Mountain Village* [Shanxiang jubian] (vol. 1)
II CR Fiction	II. 1	Chen (Shen) Rong, *Evergreen* [Wan nian qing]
	II. 2	Gu Hua, *The Mountains and Rivers Roar* [Shanchuan huxiao]
	II. 3	Hao Ran, *The Golden Road* [Jinguang dadao] (vol. 1)
	II. 4	Hu Wanchun, *The Time in the Battlefield* [Zhandi chunqiu]
	II. 5	"Three-in-one" Group of Baise Prefecture, *Mountains Green after Rain* [Yu hou qingshan]
	II. 6	Wang Lixin, *The Jubilant Xiaoliang River* [Huanteng de Xiaoliang He]
	II. 7	The Writing Group of *Battle Chronicles of Hongnan* of Shanghai County, *Battle Chronicles of Hongnan* [Hongnan zuozhan shi]
	II. 8	Zhang Kangkang, *The Demarcation Line* [Fenjiexian]
	II. 9	Zhu Jian, *Qingshi Fort* [Qingshibao]

Group	Ref. Code	Author and Title
III Post-CR Fiction	III.1	Gu Hua, *Xiangsishu Women Inn* [Xiangsishu nü zi kedian]
	III.2	Hao Ran, *The Common People* [Cangsheng]
	III.3	Liu Heng, *Damned Grain* [Gouride liangshi]
	III.4	Mo Yan, *Red Sorghum* [Hong gaoliang]
	III.5	Su Tong, *Wives and Concubines* [Qiqie chengqun]
	III.6	Wang Meng, *The Embarrassed Season* [Shitai de jijie]
	III.7	Wang Shuo, *Nothing Decent* [Yidian zhengjing meiyou]
	III.8	Xu Xing, *All the Left Belongs to You* [Shengxia de dou shuyu ni]
	III.9	Zhang Chengzhi, *The Small Adobe House* [Huang-ni xiao wu]

TABLE 2　The Density of *Bad* Expressions

2—1　The Twenty-Seven Works

Work Ref. Code	Total Chinese Characters	Total *Bad* Expressions (Exps.)	No. *Bad* Exps. per 100000 Characters
I.1	472000	146	30.93
I.2	362000	87	24.03
I.3	359000	99	27.58
I.4	419000	71	16.95
I.5	6500	1	15.39
I.6	26200	0	0
I.7	436000	107	24.54
I.8	18200	10	54.94
I.9	215000	108	50.23
II.1	339000	30	8.85
II.2	392000	38	9.69
II.3	455000	44	9.67
II.4	70700	1	1.41
II.5	353000	72	20.40
II.6	68500	0	0

Work Ref. Code	Total Chinese Characters	Total Bad Expressions (Exps.)	No. Bad Exps. per 100000 Characters
II. 7	395000	12	3.03
II. 8	300000	7	2.33
II. 9	345000	155	44.92
III. 1	58900	83	140.90
III. 2	431000	128	29.69
III. 3	9700	27	277.09
III. 4	56900	53	93.14
III. 5	34500	28	81.15
III. 6	328000	157	47.86
III. 7	66500	52	78.19
III. 8	30300	65	214.87
III. 9	56700	34	59.96

2—2 The Three Groups Compared

Work Ref. Code	Total Chinese Characters	Total Bad Exps.	No. Bad Exps. per 100000 Characters
I	2313900	629	27.18
II	2718200	359	13.2
III	1072500	627	58.46

---

① See Roman Jakobson, "Closing Statement: Linguistics and Poetics", in T. A. Sebeok (ed.), *Style in Language* (Cambridge, Mass.: MIT Press, 1960), p. 350.

② See Ronald Carter and Walter Nash, *Seeing Through Language: A Guide to Styles of English Writing* (Oxford: Basil Blackwell, 1990), p. 21.

③ Cf. Lars-Gunnar Andersson and Peter Trudgill, *Bad Language* (London: Penguin Books, 1992).

④ Unlike the literature of the other two periods, CR literature consists of two categories: official literature and underground literature. The present investigation takes only the former into consideration.

⑤ Critics generally agree that the period between 1977 and 1984 saw the transition of post-CR literature from the influence of CR and pre-CR literature to its free development. See Wang Yichuan, *Hanyu xingxiang meixue yinlun*[*Introduction to Aesthetics of Images of Chinese Language*](Guangzhou: Guangdong Renmin Chubanshe, 1999), pp. 35—49.

⑥ (Supp. to Table 1). I. 1, Beijing: Zuojia Chubanshe, 1964. I. 2, Beijing: Zhongguo Qingnian Chubanshe, 1978. I. 3, Beijing: Zhongguo Qingnian Chubanshe, 1960. I. 4, Hong Kong: San-Lian Shudian, 1977. I. 5, Xie Mian and Hong Zicheng (eds.), *A Carefully Selected Collection of Contemporary Chinese Literary Works* [Zhongguo dangdai wenxue zuopin jing-xuan], Beijing Daxue Chubanshe, 1995, pp. 180—188. I. 6, *idem*, pp. 77—113. I. 7, Hong Kong: San-Lian Shudian, 1960. I. 8, see I. 5, pp. 47—72. I. 9, Beijing: Zuojia Chubanshe, 1962. II. 1, Beijing: Renmin Wenxue Chubanshe, 1975. II. 2, Changsha: Hunan Renmin Chubanshe, 1976. II. 3, Beijing: Renmin Wenxue Chubanshe, 1972. II. 4, *The Time in the Battlefield: Rosy Clouds of Dawn* [Zhandi chunqiu: Zhaoxia congkan], Shanghai Renmin Chubanshe, 1975, pp. 1—97. II. 5, Beijing: Renmin Wenxue Chubanshe, 1976. II. 6, see II. 4, pp. 98—192. II. 7, Shanghai Renmin Chubanshe, 1972. II. 8, Shanghai Renmin Chubanshe, 1975. II. 9, Nanjing: Jiangsu Renmin Chubanshe, 1976. III. 1, Gu Hua, *The Log Cabin Overgrown with Creepers* [Pa man qing-teng de mu-wu], Hong Kong: Tiandi Tushu Youxian Gongsi, 1988, pp. 1—78. III. 2, Beijing: Shiyue Wenyi Chubanshe, 1988. III. 3, Li Shuang and Zhang Yi (eds.), *Damned Grain* [Gouride liangshi], Beijing: Zhongguo Wenxue Chubanshe, 1993. III. 4, Haikou: Nanhai Chuban Gongsi, 1999. III. 5, *Fiction Monthly* [Xiaoshuo yuebao], No. 2 (1990), pp. 13—30. III. 6, Beijing: Renmin Wenxue Chubanshe, 1994. III. 7, *Collected Works of Wang Shuo* [Wang Shuo wenji], vol. 4, Beijing: Huayi Chubanshe, 1992, pp. 66—154. III. 8, Xu Xing, *Variations without a Theme* [Wu zhuti bianzou], Beijing: Zuojia Chubanshe, 1989, pp. 176—231. III. 9, *Collected Works of Zhang Chengzhi* [Zhang Chengzhi ji], Fuzhou: Haixia Wenyi Chubanshe, 1986, pp. 163—238.

⑦ See Lars-Gunnar Andersson and Peter Trudgill, *Bad Language*, pp. 14—17, 53—89.

⑧ English and Chinese contain some specific sorts of *bad* expressions which exist only in one of the two languages. For instance, according to Andersson and Trudgill, "a typical form of swearing in English and most other European languages involves *blasphemic* utterances", but in Chinese few words can be found to refer to religion in a derogatory way. Ibid. p. 55.

⑨ Zhongguo Shehui Kexueyuan Yuyan Yanjiusuo, *Xiandai Hanyu cidian* [*A Modern Chinese Dictionary*] (2nd rev. ed., Beijing: Shangwu Yinshuguan, 1983).

⑩ Although the rate of *bad* expressions in *The Common People* does not exceed that in *The Sun Shines Bright*, the frequency confirms the general trend towards a substantial increase of *bad* expressions from CR fiction to post-CR fiction. The reason that the former does not exceed the latter may be explained by the difference between the themes of the two works, that is, the latter depicts class struggles, by which the opposite classes are likely to attack each other with *bad* expressions, but the former tells people's ordinary life, in which the emotional conflict in ideology which may be demonstrated with *bad* expressions is greatly weakened and even disappears.

⑪ See *Bad Language*, p. 61.

⑫ See William Edward Soothill, *The Analects of Confucius* (Yokohama: The Fukuin Printing Company, 1910), pp. 557—559.

⑬ See Lars-Gunnar Andersson and Peter Trudgill, *Bad Language*, pp. 191—192.

⑭ See Zhongguo Gongchandang Hunan Sheng Weiyuanhui Xiezuo Xiaozu, "Chongfen fahui funü zai geming he jianshe zhong de zuoyong" ["Give Full Play to Women in the Revolution and Production"], *Hongqi*, No. 10 (1971), pp. 60—64.

⑮ See Chen Yuan, *Yuyan yu shehui shenghuo* [*Language versus Social Life*] (Hong Kong: Shenghuo Dushu Xinzhi Sanlian Shudian, 1979), p. 57 and 60.

⑯ Socialist realism was promoted in China in the 1950s, but the new slogan of "revolutionary realism plus revolutionary romanticism" took its place after 1985. In spite of some difference, nevertheless, the two slogans were consistent in principle. See Lan Yang, "Socialist Realism" v "Revolutionary Realism plus Revolutionary Romanticism". In Hilary Chung (ed.), *In the Party Spirit: Socialist Realism and Literary Practice in the Soviet Union, East Germany and China* (Amsterdam: Rodopi, 1996). According to the definition of socialist realism, "truthfulness and historical concreteness of the artistic depiction of reality must be combined with the task of the ideological moulding and education of the working people in the spirit of socialism". See Herman Ermolaev, *Soviet Literary Theories 1917 — 1934: The Genesis of Socialist Realism* (New York: Octagon Books, 1977), p. 197. To emphasise didactic effect of literature in the Chinese tradition is evidenced in Confucius's comment on the *Shi jing* [*Book of Poetry*]. Confucius held that poetry served the fundamental purpose of transmitting cultural values. The didactic effect was also stressed by the sixth-century literary critic Liu Xie. He argued that emotion and principle were interwoven in a fine piece of literature (See Liu Hsieh, *The Literary Mind and the Carving of Dragons*, Taipei, 1975, pp. 246 — 247). The eleventh-century philosopher Zhou Dunyi proposed *wen yi zai Dao*[writing as a vehicle of the Way].

⑰ See Chen Xiaoming, *Wubian de tiaozhan* [*The Boundless Challenge*] (Changchun: Shidai Wenyi Chubanshe, 1993), pp. 294—315.

附 中文概要：

在当代语言风格学和词汇学中，脏字詈语作为一种风格化的语汇类型越来越引起人们的关注。本文从语言学和文学批评相结合的角度，运用统计风格学、社会语言学及语用学的有关理论和方法，考察半个世纪以来中国小说中的脏字詈语。

本文将当代中国文学分为三个阶段：文革前文学、文革中文学和文革后文学。按照西方学界的习惯，我们把脏字詈语在形式构成上分为五种语型：固定型、禁忌型、比喻型、俚俗型和诅咒型；在表达功能上也分为五种类型：辱骂型、感叹型、助语型、幽默型和其他型。然后结合形式构成和表达功能两方面的特征，把脏字詈语在语义强弱上分成五种不同的程度级。

本文从三个不同阶段的小说中共选出 27 部作品作为样本（它们多为各阶段的标志性作品），进行统计分析。首先，从语言学角度，统计分析包括三方面：第一，总量分布，即脏字詈语在三个不同时期作品中的总量频度；第二，语形分布，指三个时期作品中脏字詈语在形式构成上的分布特征；第三，功能分布，即三个时期作品中脏字詈语在语义程度级上的分布特点。其次，从文学角度，与人物刻画相关，统计分析包括六方面：第一，根据性别，脏字詈语在说话人物中的分布频度；第二，根据教育程度，脏字詈语在说话人物中的分布频度；第三，根据意识形态地位（如英雄人物、正面人物、反面人物），脏字詈语在说话人物中的分布频度；第四，根据性别，脏字詈语在受话人物中的分布频度；第五，根据意识形态地位，脏字詈语在受话人物中的分布频度；第六，根据家庭角色（如丈夫、妻子、孩子），脏字詈语在受话人物中的分布频度。

这些统计分析呈现出脏字詈语在不同时期当代中国文学中的分布现状和由此体现的不同时期文学文本的共时语言风格。本文进而考察的是，这些不同的现状和风格所赖以形成的历史、政治、文化背景，揭示它们与作品文学要素特别是人物形象的关系，透视这种关系所显示的当时社会所崇尚的有关文学及其语言的审美情趣、文化意蕴和意识形态特征；同时，将不同时期的文学和语言进行比较，揭示它们之间的异同、联系及其所形成的历时图景，从一个特定的角度透视当代中国文学的变化沧桑，并印证、补充或者驳诘现存研究的某些结论。仅以总量频度为例，根据西方不少论及文革及其语言的著述,文革语言的显著特征之一是脏字詈语泛滥。然而,本文考察所显示的结果是,在文革前、文革中和文革后三段不同时期的文学中,脏字詈语在文革中文学里不仅数量上分布频度最低,而且语义上程度级别也最低(文革后文学中的脏字詈语分布频度最高,语义程度级别也最高)。这一事实不仅引出了与脏字詈语相关的语言风格与文学文本的自主性、意识形态性等的复杂关系,而且说明了某些现存的有关文革脏字詈语的论述不能涵盖文革文学文本的语言。其实,所谓文革脏字詈语泛滥所指涉的主要只是文革前期如大字报、斗争口号等批判语类的文本,换言之,它们代表的只是文革中特定时期内某些特殊文类的语言,而不是文革全期的全民性文本的语言,也不代表文革主流文学文本的语言。

　　限于篇幅,本文内容的细节无法一一在此列述。最后想说明的是,本文结合语言学和文学批评,考察脏字詈语这一风格语汇现象,如在研究对象或者方法论上引起某些同道的兴趣,作者热忱欢迎相与切磋、讨论!

汉语外来词音译的四种特殊类型

复旦大学 吴礼权

不同民族语言之间的接触与交流,就会产生语词借用。这是大家都明白的道理,也是世所皆见的语言事实。一般说来,一种语言借用另一种语言的词汇,有两种方式,一是意译,一是音译。汉语借用外来词的历史悠久,但大体也不出这两种基本的借用方式(当然还有由此两种方式结合产生的其他方式)。

就音译来说,汉语吸收外来词在采用音译方式时,几乎都是那些有关人名、物名、地名等专有名词,如"黑格尔"(Hegel,德国哲学家)、"可卡因"(cocainum,拉丁文,一种局部麻醉药)、"米兰"(Milano,意大利第二大城市)等等。本来,声音与意义之间就不存在任何必然的联系,特别是表示事物名称的语词,其语音形式与所指称的事物本体之间根本没有什么直接的联系可言,这是一般的语言学原理。至于一种语言中表示某种事物名称、概念的语词被译成另一种语言的语词,它们之间只存在着声音上的某种相似,根本不可能存在着语音与语义相联系的问题。这一点,也是人所共知的语言学常识。然而,令人玩味的是,在汉语音译词中却存在着这样一种情形:一些音译词在选择汉字作为其声音符号时,总是力图使作为注音符号角色的几个汉字所构成的词或词组具有某种与原借词所指称概念相近、相关的内容意义,或带有某种特定的感情色彩。如 dacron 是一种合成纤维,常作夏装的衣料。汉语的音译形式是"的确良"(或写作"的确凉"),让接受者从其字面上"望文生义"能略知其概念所指应该与某种物品有关,特别是"的确凉"的形式更能使接受者很容易猜想到这是一种布料,有一种穿上凉快的体感。又如 Dipterex,是一种有机磷杀虫剂,汉语的音译形式是"敌百虫",更是让接受者一望而知是一种杀虫剂。再如英文 gentleman,ladies,分别是"绅士""女士们"的意思,汉语的早期音译将之分别译成"尖头鳗""累得死"。这种音译形式尽管不能从形式上一望而知原借词的真实意义,其所选择作为音译符号的几个汉字所组成的词组与原借词所指称的概念内容也无多少直接关联,但是从间接的角度去理解却又能让接受者感到有些道理。"尖头鳗"是讽刺中国早期那些学习西方绅士派头只注重油头粉面的外表形式而无其内在气质风度的假洋鬼子的形象作派;"累得死"是形容中国女子做妻子的苦累,反映中国妇女地位的低下现状。两个音译词都带有了音译者较为强烈的调侃与讽刺的情感态度,多少也与原借词所指称的概念内容在意义上有点接近。总之,这类音译词本身很明显地反映出音译者在音译外来词时企图"汉化"外来词的文化心态。

笔者对于汉语音译词的上述情况非常感兴趣,曾就此方面论题撰写过几篇相关的论文,或侧重于探讨这一现象得以形成的民族文化心理,或侧重于它的修辞意义,或侧重于某一类型的概括分析。由于对此问题持续关注,目前又相继积累了一些新的语料,对此前的几篇论文的有些提法也有所重新考虑。因此,想借此文,对此前的个人研究进行一个整合,限于篇幅,这里只就汉语音译外来词的四种基本类型加以举例,其意在于提供学术界对于这一问题进行深入讨论的资料。

大致说来,我们可以将汉语外来词的音译的特殊形式归结为如下四种基本类型。

一 音义密合型

所谓"音义密合"型,是指汉语音译某一外来词时,力图使接受者从作为注音符号角色的几个汉字所组成的词组的字面上一望而知原借词实际所指的概念内容。当然,这种"望文生义"式的"一望而知",有直接与间接两种情况。如法语词 Elysée,是指称建于1718年作为法国总统官邸的那幢建筑物。汉语音译这一概念词时,选用了三个汉字"爱""丽""舍"作为注音符号来音译原词的读音。但是,由于音译者在音译此词时有强烈的"汉化"倾向,所选用的作为注音符号角色的三个汉字"爱""丽""舍"一经组合起来便事实上成为了一个具有特定意义的汉语词组,这样就让接受者从"爱丽舍"的字面上可"望文生义"地理解到原借词所指称的概念内容——房屋建筑。如果音译者音译时选用诸如"艾""力""涉"等三个汉字来音译原借词,就不可能让接受者"望文生义"地知会到原借词所指的概念内容是指房屋建筑,那么我们也就不能说音译者有力图"汉化"外来词的意图了。由于汉语音译法语词 Elysée 选用了"爱丽舍"三个汉字,而"爱丽舍"三个汉字事实上成了字面上有意义可解的词组,这就让接受者得以从"爱丽舍"的音译形式直接理解到原借词所指称的概念内容。诸如这种情况便是我们所称的直接的"一望而知",是直接的"音义密合"型。又如英文词 index,意思是"索引"。汉语音译时选择了"引""得"两个汉字,而作为注音符号的两个汉字"引""得"一经组合便成了有意义可解的词组。这样,接受者就很容易从"引得"的音译形式"望文生义"地理解到原借词的指称意义。而且这种直接的"一望而知"式的理解,结果恰与原借词所指称的意义内容是一致的,这就是典型的直接式"音义密合"型。间接式"音义密合"型,如法语词 détente,意思是"缓和"。汉语音译此词时选择了"低""荡"两个汉字,而选来用作注音符号的两个汉字"低""荡",一经组合便成了在汉语中有意义可解的词组。虽然"低荡"从字面上不能直接"一望而知"就是"缓和"的意思,但是"低荡"与"缓和"两词所表达的语义是有因果逻辑联系的,因为物理学的原理告诉我们,物体"低荡"的机械运动,结果便是冲击运动的"缓和"。因此,以"低荡"的音译形式来译 détente,还是易于达到让接受者"望文生义"地理解到原借词的原指称概念内容的,只不过这种"望文生义"的语义的理解要显得间接一些,但"音义密合"的效果还是达到了。又如英语词 deuce,意思是指体育比赛中的局末平分。汉语在音译此词时,选用了"丢""斯"两个汉字。这两个汉字一组合便成了有义可解的词组,"丢斯"从字面上理解就是"丢掉这个",这个意思不正与体育比赛中局末平分、双方罢手结束比赛的意思是一样吗?虽然两者语义间的联系是间接一些,但总算还是"音义密合"的。总之,"音义密合"型的音译虽有直接与间接的区分,但都鲜明地凸显出汉语在吸收外来词采用音译形式时力图"同化""汉化"外来词的努力倾向。

"音义密合"型的音译词,在汉语外来词的音译词中占有一定比重,它既体现了汉民族人特有的语言心理,也凸显了汉民族人音译外来词独到的艺术水平。下面我们列表罗举一些较为典型的"音义密合"型的汉语外来词的音译形式(下面表格内的音译形式及原借词内容概念的解说,均据刘正埮、高名凯、麦永乾、史有为编

《汉语外来词词典》，上海辞书出版社，1984年12月版。汉译形式的词上带 * 号的则是笔者自己从各种报刊资料中搜集来的例证，下面各表同此）。

原借词形式	语种	汉译形式	原借词的指称内容或概念
ata	突厥	阿大	长者。
old man	英	阿尔迈	老头儿。
[ɔlaŋ]	佤	阿郎	佤族村寨的头人，管理宗教等事务。
arhān	梵	阿罗汉	小乘佛教所理想的最高果位，佛果；也是对断绝了一切嗜好情欲，解脱了烦恼，受人崇拜敬仰的圣人的一种称呼。
[apətɕi]	朝鲜	阿爸基	爸爸。
[apaji]	朝鲜	阿爸伊	大伯。
[əməni]	朝鲜	阿妈妮	妈妈。
[aʰni]	藏	阿尼	尼姑。
[a wu pha]	傈僳	阿吾爸	老大爷。
[a wu ma]	傈僳	阿吾妈	老大妈。
ayuta	梵	阿由多	数十亿；兆。
age	满	阿哥	清代对皇太子的称呼。
albow	英	爱而湾（安而湾）	肘管，弯管，弯头，一种短的管接头。
essay	英	爱说	随笔、漫笔、小品文。
angel	英	安琪儿	天使。也用来喻指可爱的人。
amateur	英	爱美的	早期话剧运动用语，指业余爱好者，与专业演员有别。
eroticism	英	爱罗	情欲。
obuga, oboo	蒙古	敖包	意为堆子，道路和境界的标志，也有和宗教结合，当做山神、路神的止宿处来崇奉的。
babesia	英	百倍虫	一种寄生在动物血液中的原生动物，可以引起"铁克撒斯牛瘟"。
firūzah	波斯	碧绿石	绿松石。
dahlia	英	大丽花	即西番莲，也叫天竺牡丹、洋菊。多年生草本植物，花可供观赏。

汉语外来词音译的四种特殊类型

原借词形式	语种	汉译形式	原借词的指称内容或概念
dashiki	英	大稀奇装	一种原为非洲人穿的色艳袖短的宽大套衫。
duguilaŋ	蒙古	多归轮	环形,圈子。
doctor	英	多看透	博士。
tamas	梵	多磨	佛教教义中的三德之一,闇钝之德。
efu	满	额驸	清代官名,驸马,王公之婿。
filite	英	飞来脱	一种意大利军用火药,成分与弹道火药相似。
Pharaoh	英	法老	古埃及国王的称号。
Phillyrea	英	非丽属	一种地中海区域产的 oleaceae 科常绿灌木,开浅绿色小花,结橄榄状果。
florin	英	福禄令	原指中世纪佛罗伦萨在 1252 年发行的一种金币。
Gestapo	德	盖世太保	德国法西斯国家秘密警察组织,成立于 1933 年,希特勒曾用它在德国国内和占领区内进行大规模的恐怖屠杀。Gestapo 是取 Geheime Staats Polizei(国家秘密警察)的字头拼成的。
fashion	英	花臣	风行,时髦。
countersink	英	康得深	埋头钻,锥口钻。
crown	英	康乐(球)	一种游艺项目。在四周高起、四角有洞的盘上进行,木球类似棋子。玩时轮流用杆子撞击一公用球,先将己方的球全部撞入圆洞者为胜。
крикун	俄	客里空	苏联戏剧《前线》中的一个捕风捉影、捏造事实的新闻记者。新闻界用来指新闻报道中不尊重事实的坏作风。泛指生活中无中生有的现象。
commission	英	孔密兄	佣金,回扣,酬劳金,手续费。
cutex	英	蔻丹	指甲油。
garancine	法	轧兰新	一种用新鲜茜草制成的染料。
Cain	英	该隐	《圣经》故事中人类始祖亚当的儿子。据记载,该隐因嫉妒而将其弟亚伯(Abel)杀死,西方文学用为骨肉相残、谋害手足的比喻。

原借词形式	语种	汉译形式	原借词的指称内容或概念
kul	维吾尔	苦尔	维吾尔族封建庄园的家奴。
corvée	法	苦尔威	徭役,强迫的劳役。
coolie	英	苦力	帝国主义者对殖民地或半殖民地的重体力劳动者的蔑称。
romance	英	罗曼斯	中世纪欧洲骑士文学中的一种长篇故事诗,起源于11世纪,13世纪以后变为散文体,均以爱情为主要情节。又称浪漫史。
ribbon	英	礼凤	一种用来束发、饰帽、镶边的丝或绒织成的条带。
[ritu]	朝鲜	吏读	朝鲜7世纪到20世纪初使用的一种用汉字书写的汉语和朝鲜语混合型书面语。实词多用汉语,虚词多用朝鲜语,语法为朝鲜语。
Reuters	英	路透社	英国最大的世界性通讯社。
carnival	英	嘉年华会	西方四旬节前持续半周或一周的狂欢节,快乐节,谢肉节。
ghana	梵	健男	佛教所说的胎内八位(或五位)的第四胎,胎内密结成坚实肉团的阶段,为受胎后第四个七日。
kěměngan	马来	金颜香	一种树脂,可能就是安息香。
kumuda	梵	拘物头	地喜花,莲花的一种,有赤、白、青、黄等色。
kuśa	梵	俱舍(草)	吉祥草,学名 Poacynosuroides,印度人认为是一种神圣的草。可去不洁净,消除烦恼。
cut	英	卡脱	割开,中断,结束。
motor	英	马达	电动机的通称。
ergotinine	英	祖母绿	翠玉,绿柱玉,一种透明带绿色的宝石。
moca	梵	茂遮	成熟芭蕉的果实,佛典中八种更药之一,制成后称毛者浆。
montage	法	蒙太奇	镜头剪辑,剪辑画面,指把片断的镜头剪辑成连贯的影片,是电影艺术的重要表现方法之一。

原借词形式	语种	汉译形式	原借词的指称内容或概念
micro (skirt)	英	迷哥(裙)	超短裙,露股裙。
mini (skirt)	英	迷你(裙)	超短裙,长不及膝的短裙。
model	英	模特儿	绘画、雕塑时的造型对象。
nabo	蒙古	纳宝	元代皇帝停留住宿的处所。
pass	英	派司	通行证,护照。
pontoon	英	旁筒	浮桥,浮舟,浮筒,浮囊。
paravane	英	破雷卫	扫雷器,防潜艇器。
garinko	蒙古	怯怜口	家奴,奴隶。
samanta	梵	三曼多	普遍。
xšaθrya	古波斯	杀野	主人,统治者。
sofar	英	声发	声波水下测距定位的海岸设备。
šer	波斯	失儿	狮子。
store	英	士多	商店。
typhoon	英	台风	发源于热带海洋上的一种极猛烈的风暴,风力常达10级以上,并兼有暴雨。
taišĭ	蒙古	太子	贵族。
tissue	英	体素	生理学上指组织。
tip	英	贴士	小账,小费。
dumping	英	屯卉	倾销。垄断资本为了独占国外市场,以低于国内外市场(有时甚至低于成本)的价格向国外倾销大量商品。在击败竞争对手后,则按垄断价格出售,以达到其掠夺高额利润的目的。
Utopia	英	乌托邦	原义为乌有之乡,是英国 Thomas More 爵士在1516年用拉丁文所写书名的简称,后成为空想主义的同义语。
cement	英	西门土	水泥,也叫洋灰。
shimmy	英	西迷(舞)	1920年前后流行于西方的带有诱惑性的狐步舞,跳时浑身颤动。

原借词形式	语种	汉译形式	原借词的指称内容或概念
hippies	英	嬉皮士	美国俚语。原义是追求时髦风尚的人,20世纪60年代泛指美国出现的对社会不满而堕落的青年。
centaur	英	仙驼	希腊神话中半人半马的怪物。
champion	英	香槟	竞赛中的优胜者。
shampoo	英	香波	洗发剂,洗发粉,洗发皂。
šogjaraa	蒙古	笑呵	蒙古族的一种文艺样式,类似相声。
shock	英	休克	由于机体受到强烈刺激引起中枢神经呈抑制状态,并在其影响下,各系统机能亦普遍降低的综合表现。
chiffon	英	雪纺绸	一种用蚕丝、人造丝或耐纶织成的薄绸,可做衣料。
yuppies	英	雅皮士	美国近年城市地区年轻的专业人员。
yippies	英	喧皮士	美国俚语。1968年一些自命是激进活动分子的美国青年成立的松散组织的成员。
rakṣa	梵	夜叉	能鬼或捷疾鬼,佛教徒所说的一种吃人恶鬼或腾飞空中、速疾隐秘之恶鬼。原为印度神话中一种半神的小神灵。
yelling	英	夜冷	沿街叫卖。
engine	英	引擎	发动机。
inflation	英	印发热凶	通货膨胀。
infidel	英	婴匪毒	不信宗教的人。
humor	英	幽默	令人觉得有趣或可笑而又含有深刻意义的言谈或举动。
UFO	英	幽浮	尚未查明真相的空中飞行物。
zumurrud	阿拉伯	祖母绿	翠玉,绿柱玉,一种透明带绿色的宝石。

原借词形式	语种	汉译形式	原借词的指称内容或概念
SARS	英	杀死*	"非典型肺炎"（Atypical pneumonias），是指由冠状病毒或支原体、衣原体、军团菌、立克次体、腺病毒以及其他一些不明微生物引起的肺炎。而典型肺炎是指由肺炎链球菌等常见细菌引起的大叶性肺炎或支气管肺炎。英文简称 SARS（Severe Acute Respiratory Syndrome）。台湾译成"杀死"。

二 形象联想型

所谓"形象联想"型，是指汉语音译某一外来词时，力图在选择作为注音符号角色的汉字时尽量选用那些组合起来能够表示一定语义且接近原借词所指称事物或概念的形象之字眼，从而使接受者由这些汉字组合而成的词组的字面上"望文生义"，进而进行联想想象，从而获知原借词所指称内容概念的大致情况。如梵文词 avīci，是指佛教所说的八大地狱（即八热地狱）之第八狱，入者受苦无间断。这种语义概念，汉语音译时，选用了"阿""鼻"两个汉字。而"阿""鼻"两个汉字一经组合便成了汉语的一个复合词"阿鼻"，"阿"是词头，"鼻"是词根形式。这样读者便由鼻中炽热、肮脏的情状联想到原借词所指称的"八热地狱"情状。又如英文词 jeans，是指用三页细斜纹布或蓝色斜纹粗布、法兰绒等制成的工装裤，俗称"牛仔裤"。汉语将之音译成"紧士"，就非常形象。因为牛仔裤原由美国西部牛崽所穿，裤管、裤身着体紧绷，故以"紧士"音译，可使接受者经由联想很容易意会到原借词所指称的概念内容。

下面我们列表罗举一些较为典型的"形象联想"型的汉语外来词的音译形式。

原借词形式	语种	汉译形式	原借词的指称内容或概念
ago-go	英	阿哥哥（舞厅）	有乐队演奏的小舞厅。
planchette	法	百灵舌	扶乩写字的小转板，乩板。
[khuat thiaŋ]	佤	扩梯羊	佤族村寨的大头人。
landler	英	连得拉	德国南部和奥地利乡村流行的一种3/4或3/8拍子的舞蹈和舞曲
loli moo	女真	烈里没	枝叶下垂的样子。
luŋkor	蒙古	笼哥儿	佛教用语，风轮。
raurava	梵	噜罗婆	佛教教义中的八热地狱的第四狱，号叫地狱，入者受折磨而悲号。
cream	英	结涏	奶油。
rumba	英	轮摆（舞）	一种交际舞，原为古巴的黑人舞，节奏为2/4拍。
militia	英	密里沙	民兵，民军。
party	英	派对	交际舞会。
packing	英	盘根	填料，衬料或垫料。
Beetles	英	披头士	硬壳虫乐队。因此种乐队成员的发型均梳成甲虫的硬壳式样，故名。
chain block	英	千不落	块环链，滑车链。
shalwar	英	莎帷	巴基斯坦妇女穿的宽身而飘拂的长裙。
sarong	马来	纱笼	印尼、马来亚、缅甸、泰国等地人所穿的一种裙子。
cymbal	英	省摆尔	铜钹，铙钹，西洋打击乐器之一种。
dancing(girl)	英	弹性（女郎）	旧指舞女。
tango	英	探戈	一种步法多变、动作缓慢的舞蹈，起源于中非，后传入古巴、海地、墨西哥，其后又传入阿根廷、乌拉圭，20世纪初传入欧洲。
tempo	意	腾步	音乐进行的速度。
cyclamen	英	仙客来	报春花，一种樱草属的植物。

原借词形式	语种	汉译形式	原借词的指称内容或概念
[ɕienzətʂu]	鄂伦春	仙人柱	有两种意思：(1)由一夫一妻及其子女组成的鄂伦春族小家庭。(2)鄂伦春族的棚屋，由数十根木杆(一说32根)搭成的尖顶原始住所，一家居住。
yahoo	英	雅虎	泛指人面兽心的人。
yoyo	英	悠悠	一种利用惯性原理制成的可以上下转动的木质球形玩具。

三　广告口彩型

所谓"广告口彩"型，是指在音译外来词时尽量使所选用的汉字组合起来有一定的语义，且与原借词所指称的概念内容相关，同时还能凸显出某种广告口彩性质，能迎合消费者或接受者的心理。这类音译词主要集中于有关药品、食品、饰品等商品类(也包括少数事物、理念的推广)。其中药品类音译词多带"命""灵""宁""定""妥"等字眼；食品类多带"乐""福"等字眼；饰品类多带"丽""雅"等字眼。如英文词 vitamine，是指一种维生素，是生物生长和代谢所必需的微量有机物。汉语音译时将之译成"维他命"，可谓既贴合此药的功用，又有广告口彩效应。又如英文词 coca-cola，是指一种美国的清凉饮料。汉语音译时将之译成"可口可乐"，让人一见便知是一种食品，而且具有很强的广告诱惑力。再如法文词 foulard，是指一种印有小花、质地柔软、具有光泽的丝棉交织的绸布。汉语音译时将之译成"富利雅"，使人一见其名称便知其与衣装有关。同时"富利雅"之名对于消费者也有很大的广告吸引力。

"广告口彩"型的音译词在汉语音译词中占有很大比例，特别是在当今市场经济发达的形势下，对于很多外来商品名称，人们都着眼于市场营销的目的，尽量在文字上做功夫，力图使音译名称既有一定的语义,又有很强的广告口彩效应。下面我们略举一些较典型的音译形式,列表予以展示。

原借词形式	语种	汉译形式	原借词的指称内容或概念
afyūm	阿拉伯	阿芙蓉	鸦片。
aspidospermin	英	阿斯比多斯保命	一种自破斧树树皮中提取的苦味结晶生物碱,分子式为 $C_{22}H_{30}N_2O_2$,其硫酸盐可用于呼吸器官兴奋剂、镇痉药和伤寒的解热剂。
Esperanto	英	爱斯不难读	波兰眼科医生柴门霍夫所创制的一种国际辅助语,也叫"世界语"。他于1887年以"Dr. Esperanto"的笔名发表了此种世界语方案,故名。
antiformin	英	安替福明	牙科使用的一种防臭剂和消毒剂,并可用作黏液、痰等的溶剂。
antu	英	安妥	α—萘硫脲,分子式 $C_{10}H_7NHCSNH_2$,一种无臭灰色杀鼠粉剂。
barbital	英	巴比妥	一种镇静催眠剂,白色结晶性粉末,分子式 $C_8H_{12}O_3N_2$。
prontosil	英	百浪多息	一种红色结晶体,为抑制化脓性细菌的特效药,分子式 $C_{12}H_{13}O_2N_5S \cdot HCl$。
Pepsi-cola	英	百事可乐	一种美国清凉饮料。商标名。
bakelite	英	倍克利	酚醛塑料,电木,胶木。由比利时出生的美国化学家 L. H. Backeland 而得名。
trigemin	英	催济明	丁基氯醛氨基比林,一种镇静剂。
choletelin	英	胆特灵	胆黄素。
dacron	英	的确良	聚缩醛系的合成纤维。
Dipterex	英	敌百虫	一种有机磷杀虫剂,用于环境卫生、农作物的保护和防治牲畜皮肤寄生虫。
digitalin	英	地芰他灵	毛地黄甙,洋地黄苷,分子式为 $C_{35}H_{56}O_{14}$,医药上用作强心剂。
toxaphene	英	毒杀芬	氯化茨烯的商品名,一种有机氯杀虫剂,分子式为 $C_{10}H_{10}Cl_8$。
Fumiron	英	富民隆	磺胺苯汞,一种农业用杀菌剂。

原借词形式	语种	汉译形式	原借词的指称内容或概念
gambier	英	甘蜜	棕儿茶，茜草科植物，用其茎叶煎汁，干燥后成块状，俗名槟榔膏，可作止血、收敛剂，也可作染料。
Coryfin	英	柯里芬	一种薄荷制的药，可治头痛。
cortisone	英	可的松	即皮质酮，一种肾上腺皮质激素，无色小片状晶体，分子式为 $C_{21}H_{28}O_5$，用来治风湿性关节炎、白血病、肿瘤等疾病。
clonidine	英	可乐宁	一种降血压药，有明显的降压、镇静和减慢心率的作用。
copal	英	可配儿	由热带产各种树木采集来的一种坚硬透明的树脂，可作清漆原料。
laudanine	英	劳丹宁	半日花碱。自鸦片中提取的一种有毒的、结晶性的、在光学上为钝性的生物碱。分子式为 $C_{20}H_{25}NO_4$。
reserpine	英	利血平	蛇根碱，分子式为 $C_{33}H_{40}N_2O_9$，一种抗高血压剂和镇静剂。
gitalin	英	芰他灵	一种从毛地黄叶子中提取的结晶体糖甙。
cinchonine	英	金鸡宁	脱甲氧基奎宁碱，由金鸡纳树属和铜色树属（学名 Remijia）的树皮中提取的一种白色结晶性生物碱，分子式为 $C_{19}H_{22}ON_2$。
cacotheline	英	卡可西宁	一种有毒的碱，分子式为 $C_{12}H_{21}N_2C_7$，用硝酸燃烧番木鳖碱而得的橙黄色结晶体的硝酸盐。
ergotoxine	英	麦角妥生	即麦角新碱。用于产后，以控制子宫出血，并控制子宫复旧。
meperidine	英	美拍利定	一种合成的苦味、结晶状麻醉剂，分子式为 $C_{15}H_{21}O_2N$，用作镇静剂和止痛药。
Miltown	英	眠尔通	一种弱安定剂，用于烦躁、焦虑、神经衰弱性失眠。氨甲丙二酯（Meprobamate）的商品名。
pyoctanine	英	脓丹宁	甲基紫，龙胆紫，可作消毒剂。

原借词形式	语种	汉译形式	原借词的指称内容或概念
penicillin	英	配尼西灵	青霉素,分子式为 $C_9H_{11}N_2O_4SR$,一种抗生素,对革兰氏阳性细菌有强力抑制作用,在医疗上用途很广。
cevadine	英	瑟瓦定	一种存于喷嚏草籽中的结晶生物碱,分子式为 $C_{32}H_{49}NO_9$。
strychnine	英	士的宁	番木鳖素,番木鳖碱,马钱子素,马钱子碱,一种剧毒、无色、结晶性生物碱,分子式为 $C_{21}H_{22}N_2O_2$,可用作中枢神经兴奋剂和强心剂。
soufflé	法	苏福利	一种用牛奶、蛋白、干酪、鱼肉、白酱油等搅成泡沫焙制的蛋奶酥。
taffy	英	太妃(糖)	乳脂糖。
tylosin	英	太那仙	胼胺素,由一种链霉素中取得的抗霉素,用于治疗动物疾病。
whisky	英	威士忌	一种用麦类为原料经过发酵蒸馏而成的蒸馏酒,含酒量30%—70%。
vermouth	英	味美思	苦艾酒,一种用苦艾等香草调味的白葡萄酒。
shampoo	英	香波	洗发剂,洗发粉,洗发皂。
sulfaguanidine	英	消发因尼定	一种防治肠疾等传染病的特效药,分子式为 $C_7H_{10}N_4O_2S \cdot H_2O$。
cinchophen	英	辛可芬	即"阿托方"(atophan),一种苦味白色结晶性化合物,分子式 $C_{16}H_{11}NO_2$,可用以治疗风湿痛和痛风。
syntonin	英	新托宁	药用转化蛋白质,酸性蛋白质。
Yatren	德	药特灵	喹碘方或安痢生,是一种抗变形虫病药。
pachinko	日	扒金库*	日本的一种赌博游戏。
viagra	英	伟哥*	美国辉瑞公司的一种壮阳药,最初译成"万艾可"。
allday	英	好德*	上海的一个超市的音译名。
mazda	日	马自达	日本"松田"车的音译。
shirley	英	仙丽*	一种国外的女式内衣品牌名音译。
BMW	德	宝马*	德国产轿车名缩写的音译。
benz	德	奔驰*	德国产名车品牌音译。

汉语外来词音译的四种特殊类型　　177

原借词形式	语种	汉译形式	原借词的指称内容或概念
goodyear	英	固特异*	一种外国轮胎名称音译。
top	英	脱普*	一种洗发水名称的音译。
ikea	瑞典	宜家*	瑞典家具制造商的名称音译。
pentium	英	奔腾*	一种计算机处理器名称的音译。
theragran	英	施尔康*	中美合资的施贵宝制药公司的一种药物名称的音译。
Beverly	英	倍福来*	上海20世纪90年代中期流行的一种运动鞋名称的音译。
esili	英	伊思丽*	上海20世纪90年代中期流行的一种化妆品名的音译。
yeosure	英	日舒安*	上海20世纪90年代中期流行的一种化妆品名称的音译。
agree	英	雅思丽*	上海20世纪90年代中期流行的一种化妆品名称的音译。
E-mark	英	易买得*	一家韩国超市名音译。
carrefour	英	家乐福*	一家法国超市名音译。
metro	德	万客隆*	台湾人对一家德国超市名的音译,上海音译为"麦德龙"。

四　幽默诙谐型

所谓"幽默诙谐"型,是指在选用作为注音符号角色的几个汉字来音译外来词时尽量选用那些组合起来能够表义,但由这些汉字组合的词组所表达的语义与原借词所指称的真实语义之间产生了极大的格调或语义反差,从而使音译词带有强烈的幽默诙谐色彩。如英文 husband,其意是"丈夫",汉语音译时有人将之译成"黑漆板凳",这与原词所指称的概念内容在格调语义上都有强烈的反差效果,令人哑然失笑,幽默油然而生。又如英文 gentleman,其意是"绅士",汉语音译时有人将之译成"尖头鳗"。人非鱼,两者的差别很大,却硬是将两者拉配在一起来对译,出人意料,格调语义上的反差也非常大,使人忍俊不禁。又如英文 ladies,是"太太们""女士们"的意思,但早些时候,却有人将之译成"累得死",不禁让人想到中国妇女的现实生活状况,出人意表,让人感佩。再如梵文 stupa,指佛教特有的建筑物,原为放佛骨的地方,汉译时音译成"偷婆",原指概念内容与音译词字面义之间产生了巨大的语义与格调反差,显得有一种玩世不恭、猥亵神灵的滑稽味,令人无奈地为之一笑。

"幽默诙谐"型的音译词,在汉语音译词中虽然不及上述三类那样多,但数量还是不算少,下面仅就我们所能搜集到的一些典型例证予以列表展示。

原借词形式	语种	汉译形式	原借词的指称内容或概念
pickle	英	必克尔	酸菜,泡菜,是西餐中常备的食品。
danishmend	波斯	大石马	有教养的人,有文化的人。
fallacy	英	发拉屎	谬误,谬见,谬论。
coup d'état	法	苦迭打	政变,通过军事或政治手段造成政府突然的更迭。
küriyen gajar	蒙古	苦来亦阿儿子	地球仪一类的地理仪器。
rye	英	拉爱	裸麦,黑麦。
lamp	英	滥斧	灯。
kusumbha	梵	俱逊婆	红蓝花,草红花。一种菊科植物,可以染线,学名 Carthamus tinctorius。
mister	英	密斯偷	先生。
mutihāra	马来	没爹虾罗	真珠。
sacima	满	杀其马	一种满族糕点,用油炸的短面条和糖黏合而成。
TMD	英	他妈的*	英文 Theater Missile Defense Syste 的缩略写法,即战区导弹防御体系。

原借词形式	语种	汉译形式	原借词的指称内容或概念
NMD	英	你妈的*	英文 National Missile Defense System 的缩略写法,即国家导弹防御体系。

主要参考文献

刘正埮、高名凯、麦永乾、史有为　1984　《汉语外来词词典》,上海辞书出版社。

吴礼权　1993　《汉语外来词音译艺术初探》,《修辞学习》第 5 期。

吴礼权　1994　《汉语外来词音译的特点及其文化心态探究》,《复旦学报》第 3 期。

吴礼权　1996　《谐译:汉语外来词音译的一种独特型态》,《长春大学学报》第 1 期。

吴礼权　1996　《音义密合:汉语外来词音译的民族文化心态凸现》,《西安外国语学院学报》第 2 期。

吴礼权　1996　《论汉语外来词音译的几种独特型态》,《雁北师院学报》第 4 期。

现代汉语音译词的对音规律分析

法国巴黎第七大学 齐冲

1. 前言

一种语言在同外来语言的接触过程中都会受到自身语言语音的影响和限制。音译词同外语词的相似性就取决于它们在音段之间对应的完美程度。汉语中的音译词就是对外语词音的一种摹仿形式,这种摹仿形式主要体现在音段和超音段层面上。对此问题的研究,不仅能使我们了解音译词的形成规律,而且也能增强我们对汉语音节、韵律结构的认识。

本文主要讨论的是一些外语音节、音段及轻重音是如何在汉语中对应的。为了使该研究更具一致性和可靠性。我们选择了两百多条 20 世纪以来,尤其是 50 年代以后出现的音译词作为分析材料。选择近期的音译词作为分析对象的原因是:第一,外来词的来源较清楚,经过的渠道也较明朗。第二,普通话(国语)在音译外语词汇过程中的普及使对应音较为统一,同时也较容易甄别出带有方言痕迹的词汇。在选择词汇方面,我们尽量排除有方言影响的音译词。如针对粤语外来词对汉语的影响,我们参考了袁家骅(1960),朱永锴(1990),Bauer&Benedict(1997)等的研究。我们选择的词汇不包括广告词语及外国品牌[①],也不包括汉译人名与地名[②],主要是科技、医药、社会等领域中出现的一些音译词[3]。

我们将从每个音段的对应情况入手,对各音段的对音现象进行分析和考察,从而归纳出各音段的对应规律。同时,我们也将讨论对音的相邻环境、各种约限。语义因素也在我们讨论的范围内。最后我们将对外语中的轻重音在汉语里的对应进行分析。

2. 辅音声母对应

许多外语音节中的声母在汉语中都找不到现成的对应音,如破裂浊音。它们是如何在汉语中体现出来的?这是需要分析的现象之一。在汉语中能找到对应音的情况下,这些外语辅音在汉语中又是如何体现的?一些例外现象又如何解释?这也是下面分析的对象。我们把辅音分为以下几个系列进行分析:破裂音系列、擦音系列、塞擦音系列、通音与边音系列。

2.1 汉语和我们分析的外语的共同辅音(声母)有/p,t,k,s,f,l,m,n/[4]。可是在我们的考察中,对应完全没有例外的辅音声母只有三个:(>符号前为外语音,后为汉语音。括号内的数据为汉语对应音的出现次数)

m>m(40),f>f(18),n>n(29)

其余的共同辅音在对应过程中都有或多或少的出入。我们在下面的分析中会涉及这个现象。

2.2 我们根据发音部位与发音方式的区别性特征来列举汉语的对应辅音声母。

2.2.1 破裂音系列

双唇破裂音 /p, pʰ, b/：

p 〈 pʰ(15) / p(8)   pʰ 〈 pʰ(15) / p(7)   b 〈 p(33) / pʰ(1)

齿龈破裂音 /t, tʰ, d/：

t 〈 tʰ(22) / t(7)   tʰ 〈 tʰ(10) / t(1)   d 〈 t(27) / tʰ(3)

软腭破裂音 /k, kʰ, g/：

k 〈 kʰ(38) / k(1)   kʰ 〈 kʰ(17) / tɕ(1) / k(1)   g 〈 k(7) / tɕ(3) / kʰ(1)

从我们观察到的破裂音对应情况来看，主要趋势是外语清音（不论送气与否）在汉语中是以送气音对应的，而外语浊音对应的则是汉语不送气音。外语中的送气清音在汉语中绝大部分情况下也是以送气音反映出来的，可是不送气清音有时也以不送气音表达出来。这种情况主要表现在双唇和齿龈音（/p/＞/p/(8)，/t/＞/t/(7)）。然而这种情况的出现是有一定的条件的，那就是在外语音节中紧接 /p/, /t/ 的元音为央元音 /ə/ 或近央元音 /ɪ/。这个规律对 /k/＞/k/(1) 也是适合的。以下是对破裂音对应的主要规律的简述：

  a. 浊音 → 不送气音；b. 清音 → 送气音（不送气清音 → 不送气音/_央元音）

另外，外语中的软腭破裂音如 /g/ 转化成汉语 /tɕ/ 的情况也时常发生。我们注意到 /g/ 腭化成 /tɕ/ 是在有高元音 /i/ 或低元音 /æ, ɑ:/ 后接的情况下产生的。前一种情况是因为软腭破裂音在汉语中不能出现在前高元音前，就用 /tɕ/ 这个最相似的声音来代替。

后一种情况则跟文字有关。在汉语中/ka/应是最能反映/gæ,gɑ:/的音节,但由于拥有/ka/音节的汉字为数不多,且多为生僻字或多音字(如:"伽"可念成/ka/,/tɕia/或/tɕʰie/,"咖"可念成/ka/或/kʰa/)。最佳的办法就是把/gæ,gɑ:/转换为/tɕia/。我们注意到/tɕ/母在汉语中除阻后擦音段无法延长(吴宗济,1991:58),而使它更近似于破裂音。

2.2.2 擦音系列

唇齿擦音/v/,齿擦音/θ/:

$$v \Big\langle\begin{matrix} u(7) \\ f(2) \end{matrix} \qquad \theta \Big\langle\begin{matrix} s(4) \\ tʂʰ(1) \\ tʰ(1) \end{matrix}$$

齿龈擦音/s,z/:

$$s \Big\langle\begin{matrix} s(19) \\ ʂ(7) \\ ɕ(4) \\ ts(1) \end{matrix} \qquad z \Big\langle\begin{matrix} ts(6) \\ s(4) \\ tɕʰ(3) \\ ʂ(1) \\ ɕ(1) \end{matrix}$$

齿龈后擦音/ʃ,ʒ/:

$$ʃ \Big\langle\begin{matrix} ɕ(4) \\ ʂ(3) \end{matrix} \qquad ʒ > tɕʰ(1)$$

小舌擦音/ʀ/和声门擦音/h/:

$$ʀ \Big\langle\begin{matrix} l(4) \\ ɚ(1) \end{matrix} \qquad h \Big\langle\begin{matrix} x(14) \\ ɕ(1) \end{matrix}$$

唇齿擦音/v/在汉语中可转变为/f/清音也可转变为圆唇音/u/,汉语中/u/发音时双唇相接近,造成摩擦,十分近似擦音。同时,现代汉语中/u/很容易产生同音位变体/ʋ/或/v/。这些都为汉语/u/对应外语的/v/创造了一定的条件。

乔姆斯基和哈勒(1968)在《英语音系》一书中确定了[刺耳性](strident)这一区别特征。这正是/θ/和/s/对立的唯一区别特征(后者具有[＋刺耳性])。这也说明这两个音位最为接近。由于汉语中不具备/θ/音位,因此在大多数情况下都用/s/与它对应。

外语中的/s,z/有清浊的对立,对于浊音/z/的处理主要有两种方式:在前高元音前,汉语用/tɕʰ/、/ɕ/、/ʂ/等音来对应,其余皆用/ts/或/s/。这也说明/z/在中国人听起来的近似音不单只是/ts/。⑤

/ʃ/主要对应的是汉语中的前腭擦音。对应/ʒ/的例子很少,只有一个/tɕʰ/,也是由于/tɕʰ/在汉语中除阻后的擦音段很长,与擦音很相似(吴宗济,1991:58)的原因。

法语中的小舌擦音/ʀ/在汉语中以边音/l/和卷舌音/ɚ/作为对应。这是由于/ʀ/的浊音性造成的。汉语中除去鼻浊音声母/m/、/n/,就只剩下/ʐ/和/l/。相比较起来/ʐ/[＋擦音]更接近/ʀ/。然而能和/ʐ/拼合的音节十分少,如/ʐ/就不能与前高元音配合。这就是为什么/ʀ/对应时通常选择的是/l/。

声门擦音/h/在汉语中的对应比较整齐(/h/>/x/,从声门擦音到舌根擦音)。但它同前高元音组合时,由于汉语中缺乏/xi/音,它就腭化变为/ɕi/。但它的擦音性质没有变化。

2.2.3 塞擦音系列

塞擦音/tʃ,dʒ,tr,ts(dz)/:

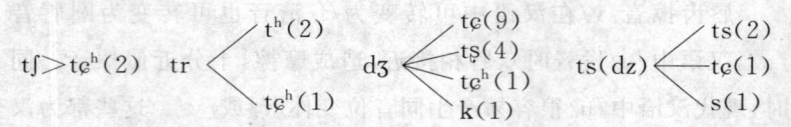

tʃ>tɕʰ(2)　　tr ⟨ tʰ(2) / tɕʰ(1)　　dʒ ⟨ tɕ(9) / tʂ(4) / tɕʰ(1) / k(1)　　ts(dz) ⟨ ts(2) / tɕ(1) / s(1)

塞擦音对应的例子较少,但一般情况都与汉语里的塞擦音有较整齐的对应:/tɕʰ/对/tʃ/,/tr/对/tʰ/,/tɕ/对/dʒ/,/ts/对/ts/。一些特殊的对应,如/dʒ/＞/tʂ/,是因为原语言/dʒ/后是非高元音所引起的。/dʒ/后接非高元音时,由于逆同化效应,舌位由此而降低,使它更容易同/tʂ/相混淆。

2.2.4 通音与边音系列

通音/r,j,w/:

r＞ l(27) / n(2) / ẓ(1)　　j＞ i(9) / u(1) / y(1)　　w＞u(3)

齿龈边通音/l/:l＞l(41)

软腭边音/ɫ/:ɫ＞ɚ(15)

/r/是英语中一个较模糊的音位,它在汉语里的对应音是/l/。这无疑是由于它们的发音部位和方式最为接近。相比较/ẓ/来言,/l/明显是最优选择。半元音/w/和/j/则分别由汉语里的/u/和/i/代替,例外很少。

作为声母的齿龈边通音/l/则毫无例外的同/l/对应,但当它在词尾或其后接音为辅音时,它就变位成一个模糊的软腭边通音/ɫ/[⑥]。而这时汉语中对应音就为/ɚ/或零位。

2.3 小结

从以上对辅音对应的分析中我们发现汉语的对应音同外语音在发音部位上可以有很大的不同,但它们的发音方式总是相同或相近的。这个现象证实我们对外来语音直感上最容易掌握的是发音方式,而不是发音部位。在分析过程中,我们也注意到辅音和元音的搭配也是决定选择对应辅音的一个重要因素。相接元音的高低直接影响对辅音的选择。另外,一个音节在汉语中体现的文字数量也是限制对音选择的重要因素之一。

3. 韵母对应

为便于分析,我们把原语言韵母分为:单元音、复元音、带-j-和-w-的韵母和带鼻音韵母四组。

3.1 单元音

我们以元音舌位的高低前后来观察以下的对音情况。

前高元音/iː,ɪ/: iː＞i(16)/eɪ(3)/y(1)/ɤ(1)/ae(1),
　　　　　　　　ɪ＞i(40)/eɪ(2)/ɤ(2)/e(1)/ʅ(1)/ai(1)
　　　　　　　　/ae(1)/iɛn(1)/iəŋ(1)

前半高/e/: e＞ɤ(9)/ae(7)/eɪ(5)/a(5)/i(3)/ie(1)

前半低/ɛ/: ɛ＞ae(1)/eɪ(1)/ɤ(1)

前低/æ,a/: æ＞a(29)/uo(2)/an(1)/ae(1)/eɪ(1)
　　　　　　a＞a(6)/ae(1)/ɤ(1)

央元音/ɜː,ə/: ɜ＞ɚ(1)/ɤ(1)
　　　　　　　ə＞a(24)/ɤ(10)/uo(7)/i(4)/u(3)
　　　　　　　/eɪ(2)/ʅ(1)/o(1)/ae(1)/ɑʊ(1)/ɑŋ(1)

央低/ʌ/: ʌ＞a(4)/ɤ(1)/ɑʊ(1)

后低/ɑː/: ɑː＞a(18)/ae(3)/ɑʊ(1)

后低圆唇/ɒ/: ɒ＞uo(7)/u(3)/ɑʊ(3)/ɤ(1)/a(1)

后半低圆唇/ɔː/: ɔː＞uo(4)/u(3)/o(3)/a(3)/ɑʊ(2)
　　　　　　　　/ɤ(1)/oʊ(1)/ɑŋ(1)

后半高圆唇/o/: o＞uo(1)/a(1)

后高圆唇/ʊ,uː/: ʊ＞u(4)

u:＞u(6)/o(1)/oʊ(1)/ʊŋ(1)

元音的对应有一个明显的特点,就是高低两极的元音对应最为清晰、整齐。如:/ɪ/在汉语中80%都是以/i/对应、85%以上的/æ/都以/a/对应。越是靠近中央的元音其对应音也越繁复。如/ə/就有11个不同的对应音,而且相互之间的比例相差不大。

3.2 复元音

以舌位的移动方向作为标准,我们把复元音分作上升式和移中式两种情况来分析。

上升式/aɪ,əɪ,eɪ/:aɪ＞ae(10)/i(3)/eɪ(1)/a(1),əɪ＞eɪ(1),
eɪ＞ae(5)/eɪ(2)/ɤ(1)

/aʊ,əʊ/:aʊ＞ɑʊ(2)/o(1)/ɑŋ(1),əʊ＞uo(15)/ɤ(4)
/u(5)/o(5)/oʊ(3)/ɑʊ(3)/a(1)/əŋ(1)

移中式/eə,ʊə/:eə＞eɪ(1),ʊə＞oʊ(1)/u(1)

上升式中,向前高方向移动的音在汉语中最容易被体现出来。而向后高方向移动的音则相对来说其准确性没有那么高。如/əʊ/在汉语中的一个对音是/uo/,其方向却是下降的。

移中式对应的规律性不强,主要原因有两种:a. 央元音本身太模糊;b. 汉语音节中没有这种元音组合。本文由于该式的例子不多,无法深入分析。

3.3 带-j-和-w-的韵母

/jəʊ,jʊə,ju/: jəʊ＞uo(1), jʊə＞u(1), ju＞u(2)
/ioʊ(1)/oʊ(1)/i(1)

/wə,wɪ,wɒ,wɔ/: wə＞ua(1)/ɤ(1), wɪ＞ueɪ(3),
wɒ＞ua(3), wɔ＞ua(1)

介音-/j/-和-/w/-在汉语中的对应很不平衡。介音-/w/-在汉语中一般都能表现出来,其表现形式为/u/。而介音-/j/-却几乎在我们的例子中没有反映出来。原因可能是由于在我们的例子中/j/后接音都有圆唇特征,而汉语中能和/i/结合的圆唇音只有一个:/oʊ/,这就大大限制了对音范围。如:/ju/理想的对应音当是/iu/,可汉语没有此音,所以用/u/或/ioʊ/或/oʊ/甚至/i/来代替。

3.4 带鼻音韵母

/In,Im,Iŋ/(I = i/ɪ): In>in(25)/iəŋ(13)/ən(3)/ei(1),
　　　　　　　　　　Im>in(1)/iəŋ(1),Iŋ>iəŋ(3)/in(2)

/en,ən/: en>ən(4)/əŋ(1),ən>ən(5)/an(1)/əŋ(1)/uo(1)

/æn,æm,ʌn,ʌm/: æn>an(6)/uan(1),æm>ɑŋ(2)
　　　　　　　　　/an(1),ʌn>an(1),ʌm>ʊŋ(1)

/ɒn,u:n/: ɒn>ʊŋ(3)/uən(2)/ɑŋ(1)/əŋ(1)/an(1),
　　　　　u:n>ʊŋ(1)

/aʊn,əʊn,əʊm/: aʊn>ɑŋ(2)/ʊŋ(1),əʊn>əŋ(3)/ʊŋ(1),
　　　　　　　　əʊm>ʊŋ(1)

/aɪn,eɪn/: aɪn>in(1)/iəŋ(1),eɪn>ən(1)/iəŋ(1)

/ā,ɔ̃,ɛ̃/: ā>ɑŋ(4)/an(1),ɔ̃>əŋ(1)/ʊŋ(1)/uən(1),ɛ̃>ən

汉语里鼻韵母分前后,而英、法语音节中/-n/尾与/-m/尾根据协同发音的原则常使元音鼻化,从而构成的近似于汉语的后鼻音韵母。这就是为什么外语里的/In,Im,en,ən,æn,æm,ʌn,ʌm,aʊn,əʊn,əʊm,aɪn,eɪn/中的鼻音韵尾,在汉语里极易混淆,它们既可对应成汉语中的前鼻音韵尾/n/,也可以对应后鼻音韵尾/ŋ/。

在鼻音韵母中,外语各元音特征在汉语中都有较准确的对应。高元音对高元音/In/>/in/,圆唇后元音对圆唇后元音/ɒn/>/ʊŋ/。这可能是因为汉语中具备一套较完整的鼻韵母系统,才使得其元音对应效果较好。

3.5 小结

由于外语元音同汉语元音系统有一定的差别,不仅是汉语中不存在的那些元音,即使存在,其音值也会有或多或少的区别。如:从声学角度上来说,同一个音/i/,英语共振峰频率测试值为270(F1)/2290(F2),法语为280/2300,汉语为290/2360。[⑦]这就是元音系统对应复杂的原因之一。单元音的对应主要特点是离中心越远对音越准确。央元音的模糊性导致对音的繁复。这一点在复元音对应中也得到了证明。如:复元音里的移中式对应的规律性不强就是央元音的模糊性所造成的,而同时其上升式的对应却较整齐。汉语音节的内部配合也能决定对音的质量。这在同带-j-和-w-的韵母和带鼻音韵母的对应中得到了充分的体现。

4. 省音、添音现象

4.1 省音

在我们列的表中,有许多词同原词相比少了一、两个音节或音段。如:巴比妥/pa1pi3tʰuo3/< barbital/ˈbɑːbɪtæl/,其中/l/在汉语里没有对应。我们作了一个统计,发现词尾音段是最容易被省略的,而词头、词中音段或整个音节被省略的现象却十分罕见。

词尾省音:/-t/>∅(14), /-t/>∅(5), /-ʀ/>∅(2),

$$/\text{-d}/>\emptyset(2), /\text{-g}/>\emptyset, /\text{-n}/>\emptyset, /\text{-ɪd}/>\emptyset,$$
$$/\text{-ɪk}/>\emptyset,$$

词中省音：$/\text{-rɪ}/>\emptyset, /\text{-rə}/>\emptyset, /\text{fɪ}/>\emptyset$

词尾音段被省主要是因为它们是轻音，而且念起来特别短促、模糊，是听觉中容易忽略的语音。词中音节被省的现象都是在汉语由三音节变成两音节的情况下产生的。我们也注意到被省音节中的元音都是短元音，这就使它们在对音时更容易被省略。

4.2 添音

在原词的基础上增添音节在汉语音译词中是很常见的。我们把添音现象分作两种：a. 一个音节的复元音或长元音分成两个音节；b. 辅音后加元音。

a. 复元音或单元音分成两个音节

这种情况常常是在因为汉语找不到对应音，只能用分音的方法使它融入汉语。如：

荷尔蒙/xγ2ə3məŋ2/< hormone/'hɔːməʊn/，此例中长音 ɔː 变为 ɣ ＋ ə 两个音节。

阿摩尼亚/a1mo2ni2ia4/< ammonia/ə'məʊnjə/，介音 j 分成 i ＋ i。

达因/ta2in1/< dyne/'daɪn/，其中 aɪn 被分作两个音节 a ＋ in。

b. 辅音后加元音

这种情况的例子不少，如：打兰/ta3lan2/<英 dram/'dræm/。该例中齿龈破裂音后插入一个/a/，使它变为单独的一个音节。在我们的材料中，所有带复辅音/dr/的音节都被重新组合成两个音

节。再如：达姆/ta2mu3/弹＜英 dum/'dʌm/，瓦特/ua3tʰɤ4/＜英 watt/wɒt/。

以上两例均为词尾辅音后加元音，使其变为单独音节。

辅音后加上的元音并不具备随意性，而是有很强的规律性的（请参看"对音表"中的第一行）。分析所有例词后，我们归纳出来的表现形式如下所示：

a. 双唇、唇齿音→双唇、唇齿音＋后高元音[＋圆唇]/_{♯,C}⑧

b. 齿龈擦音→齿龈擦音＋前半高元音[－圆唇]/_{♯,C}

c. 齿龈、软腭破裂音→齿龈、软腭破裂音＋后高元音[－圆唇]/_{♯,C}

d. 齿龈后擦音→齿龈后擦音＋前高元音[＋/－圆唇]/_{♯,C}

这里的后加元音性质同各辅音的区别特征是有关系的：后加元音的舌位或唇形同辅音的发音点关系最为密切。同时，我们看到后加元音与辅音的发音方式没有直接联系。

5. 语音同化和语义联想

除了上一节讨论的省音和添音的情况以外，语音同化和语义联想也是我们分析对音规律时需要考虑到的因素。

5.1 语音同化

一些多音节词由于语流影响常会产生语音同化现象。在外来词对音过程中，这一现象常能改变单个音节的准确对应。在我们找到的例子中，这种同化现象仅限于鼻音同化。如：ammonal

/ˈæmənæl/＞阿芒拿尔/a1maŋ2na2ɚ3/（炸药）中的音节/maŋ/就是受后面/n/的同化而产生了鼻韵尾。

同理：sauna/ˈsɑʊːnɑː/＞桑那/sɑŋ1na4/：ɑʊː→ɑŋ/_ n

　　　phenacaine/ˈfenəkeɪn/＞芬那卡因/fən1na4kʰa3in1/：e→ən/_ n

　　　rum/rʌm/＞朗姆/lɑŋ2mu3/酒：ʌ→ɑŋ/_ m

5.2　语义联想

在音译词中，有一类被称为音义兼顾的借词，即在音译的同时给予该词一定的含义。但由于这些词字面上的意义不能直接和全面地反应外来词义，有时甚至与外来词本义毫无联系，我们把它们称作可以造成语义联想的音译词。我们收录了 21 个这一类型的词。

　　　　　爱滋病 AIDS，博客 blog（web blog），大（汤）耗子 Townhouse，动漫（电脑游戏）Doom，黑客（骇客）hacker，可乐 cola，蔻 cute，酷 cool，快必达 computer，迷你 mini，眠尔通 miltown，声发 SOFAR（SOund Fixing And Ranging），兔 tool，托福 Tofel，瘟到（死）windows，嬉皮士 hippies，香波 shampoo，香榭丽舍 champs Elysées，伊妹儿 E-mail，雅飞士 yuffies，雅皮士 yuppies

这类词虽然是以音译为基础的，但由于对字词语义的兼顾，它们对音的准确性就会有所影响。如：SOFAR 是一种声定位测距法，为了把该词中含有的声音义加入到音译词中，外语音节/səʊ/就被译为/ʂəŋ/，这样就给外语音节强加上了一个鼻音韵尾，而使该词叫做"声发"。这样就造成了对音的误差。再如英语里的co-ca/ˈkəʊkə/作为植物名在中文中被音译为"古柯"/ku3kʰɤ1/，发音十分接近。但作为饮料名,则被译为"可口"/kʰɤ3kʰoʊ3/,字面上被附加上了一定的意义,但对音效果就不能令人满意了。总之,这种情况常是约定俗成的,也是汉语的一个特点。

6. 重音对应

外语中的重音在汉语音译词中是否有所体现?若有体现又是遵循什么规则对应的?要了解这些问题的答案,就必须对现代汉语音译词作一个系统的考察。下面就是我们对解决此问题的一个尝试。我们把对重音的分析单独放在超音段层面。由于我们分析的对象是外语中较稳定的"词重音",而汉语中超音段层面较稳定的是声调,把外语词重音同汉语声调联系起来就成为一个很自然的分析步骤。

影响重音的条件主要有:音强、音长和音高。英语重音主要靠音高来表现(英语词在我们的材料中占绝大多数)[①],声调则也仅依赖于音高。人们若要把外语重音反映到汉语音节中去,唯一的办法就是借助音高特征,也就是用声调把它反映出来。用音高反映重音可以有两种:一种是高频率音高,另一种是凸显音高。汉语四声中的第一声[55]和第二声[35]可认为是高频率音高,第四声[51]可认为是凸显音高。我们的假设就是:如果要在音译词中反映外语中的重音音节,就必须尽量运用第一、二、四声的音节进行对应。当然,我们也清楚,要使以上的假设得到最充分的检验,就必须考虑很多因素。如:音节与以上声调是否兼容;是否会遇到生僻字或歧义字等等。不过,这些因素并不影响分析结果的大方向。

为了证明这个假设,我们在表中选择了153个比较稳定的词

重音,然后再同它们在汉语中的对应音进行比较。从比较的结果中,我们得到了以下的统计数据:

重音节对应第一声的有 56 例,占总数的 37%

对应第二声的有 37 例,占总数的 24%

对应第三声的有 24 例,占总数的 16%

对应第四声的有 36 例,占总数的 23%

从以上数据可以观察到在汉语中运用第一声来对应重音是最多的情况,第三声最少。这一结果基本符合我们的假设。它同时说明在音译过程中超音段层面的重音也在译者的语感深层被考虑和涉及。

7. 结语

我们在分析了各音段的对音现象以后,总结出了它们对音的一些规律。如:辅音对应时强调发音方式、元音对应时则重视舌位高低。各音段的相邻环境是限制对音的一个重要因素。适应汉语的语音系统和音节系统也是对音过程中一个不可逾越的条件。另外,影响对音的其他因素有:省音和添音现象,语音同化和语义联想。我们对这些现象的规律也作了分析。最后,我们在超音段层面对外来重音在汉语中的表现作了统计和考察。研究证明汉语高声调能够反映外语重音。

由于音译外来词汇主要是对近似音的直觉选择过程,从语音学和音系学的角度来探讨汉语音译词问题就不仅能使我们加深对外来词的研究,而且对全面性地了解汉语音节系统、声调系统都会有极大的帮助。

附表(一)：现代汉语音译词表（总数 222 条，其中 15 条直接来源于法语，3 条来源于德语，1 条来源于拉丁语，其余均来源于英语。汉语音节后的数字代表四个声调。表中词前加 ＊ 号为音义兼顾类。）

A

阿帕奇/alpʰa4tɕʰi2/，英 Apache/əˈpʰætʃɪ/

阿马托/alma3tʰuo1/炸药，英/德 amatol/ˈæmətɒl/

阿芒拿尔/almaŋ2na2ɚ3/炸药，英 ammonal/ˈæmənæl/

阿摩尼亚/almo2ni2ia4/，英 ammonia/əˈməunjə/

阿米妥/almi3tʰuo1/，英 amytal/ˈæmɪtæl/

阿尼林/alni2lin2/，英 aniline/ˈænɪlæn/

阿朴吗啡/alpʰu3ma3fei1/，英 apomorphine/ˌæpəˈmɔːfiːn/

吖嗪/altɕʰin2/，英 azine/ˈæziːn/

阿司匹林/alsʅ1pʰi3lin2/，英 aspirin/ˈæspərɪn/

阿托品/altʰuo1pʰin3/，英 atropine/ˈætrəpɪn/

阿西台林/alɕi1tʰae2lin2/，英 acetylene/əˈsetɪliːn/

爱克/ae4kʰɤ4/，英 acre/ˈeɪkə(r)/

艾/＊爱滋病/ae4tsʅ1/，英 AIDS/eɪdz/

安培/an1pʰei2/，法 ampère/ɑ̄pɛʀ/

盎司/aŋ4sʅ1/，英 ounce/aʊns/

奥林匹克/aʊ4lin2pʰi3kʰɤ4/，英 Olympic/əʊˈlɪmpɪk/

奥伦/aʊ4luən2/，英 orlon/ˈɔːlɒn/

B

巴(压强单位)/pa1/，英 bar/bɑː(r)/

巴比妥/pa1pi3tʰuo3/，英 barbital/ˈbɑːbɪtæl/

巴罗克/pa1luo2kʰɤ4/，英 baroque/bəˈrɒk/

巴塞/pa1sɤ4/管，英 basset/ˈbæsɪt/

巴松/pa1suŋ1/，法 basson/basɔ̄/

巴亚德/pa1ia4tɤ2/，法 bayadère/bajadɛʀ/

拜/pae4/，英 byte/ˈbaɪt/

拜拜/pae2pae2/，英 byebye/baɪbaɪ/

班卓/pan1tʂuo2/琴，英 banjo/ˈbændʒəʊ/

贝雷帽/pei4lei2/，法 beret/beʀe/

苯齐巨林/pən3tɕʰi2tɕy4lin2/，英 benzedrine/ˈbenzədriːn/

苯坐卡因/pən3tsuo4kʰa3in1/，英 benzocaine/ˈbenzəʊkeɪn/

吡啶/pi3tiəŋ4/，英 pyridine/ˈpɪrɪdiːn/

比基尼/pi3tɕi1ni2/，英 bikini/bɪˈkiːnɪ/

吡咯/pi3luo4/，英 pyrrole/pɪˈrəʊl/

吡喃/pi3nan2/，英 pyran/ˌpaɪəˈræn/

比萨/pi3(1)sa4/饼,英 pizza/ˈpiːtsə/
比特/pi3tʰɤ4/,英 bit/ˈbɪt/
吡唑/pi3tsuo4/,英 pyrazole/ˈpaɪərəzɒl/
波尔多/po1ə3tuo1/酒,法 bordeaux/bɔʀdo/
波特/po1tʰɤ4/或 鲍/paʊ1/,英 baud/ˈbɔːd/
*博客/po2kʰɤ/,英 blog (web blog)/ˈbləʊg/
勃朗/po2laŋ3/峰,法(Mont)Blanc/blɑ̄/
拨铃波/po1liaŋ2po1/琴,英 berimbau/bəˈrɪmbaʊ/
波特/po1tʰɤ4/,英 baud/ˈbɔːd/
波音/po1in1/,英 Boeing/ˈbəʊɪŋ/
卟啉/pu3lin2/,英 porphyrin/ˈpɔːfɪrɪn/
布拉/pu4la1/风,英 bora/ˈbɔːrə/
布丁/pu4tiəŋ1/,英 pudding/ˈpʊdɪŋ/
布须曼/pu4ɕy1man4/人,英 Bushman/ˈbʊʃmən/

D

达姆/ta2mu3/弹,英 dum/ˈdʌm/dum bullet
达因/ta2in1/,英 dyne/ˈdaɪn/
打兰/ta3lan2/,英 dram/ˈdræm/
大仑丁/ta4luən2tiəŋ1/,英 dilantin/daɪˈlæntɪn/
*大(汤)耗子/ta4(tʰaŋ1)xau4tsɿ/,英 Townhouse/taʊnˈhaʊs/
*袋(带)子/tae4tsɿ/,法 thèse/tɛz/

丹宁/tan1niəŋ2/酸,英 tannic/ˈtænɪk/acid
德美罗/tɤ2mei3luo2/(度冷丁),英 demerol/ˈdemərɒl/
迪斯尼/ti2sɿ1ni2/,英 Disney/ˈdɪznɪ/
地高辛/ti4kaʊ1ɕin1/,英 digoxin/dɪˈdʒɒksɪn/
丁克/tiəŋ1kʰɤ4/家庭,英 Dink (double income no kids)/ˈdɪŋk/
*动漫(电脑游戏)/tʊŋ4man4/,英 Doom/ˈduːm/
多巴/tuo1pa1/,英 dopa/ˈdəʊpə/
多米诺/tuo1mi3nuo4/骨牌,英 Domino/ˈdɒmɪnəʊ/

E

厄尔尼诺/ɤ2ə3ni2nuo4/,西>英 El Niño/elˈniːnjəʊ/
尔格/ə3kɤ2/,英 erg/ɜːg/

F

法拉/fa3la1/,英 farad/ˈfærəd/
凡士林/fan2ʂɿ4lin2/,英 vaseline/ˈvæsɪliːn/
非那西汀/fei1na4ɕi1tʰiəŋ1/,英 phenacetin(e)/fəˈnæsɪtɪn/
非诺噻嗪/fei1nuo4saei1tɕʰin2/,英 phenothiazine/ˌfiːnəʊˈθaɪəzɪn/
芬那卡因/fən1na4kʰa3in1/,英 phenacaine/ˈfenəkeɪn/
芬森/fən1sən1/灯,英 finsen/ˈfɪnsən/
氟利昂/fu2li4aŋ2/,英 freon(氟氯烷)/ˈfriːɒn/

呋喃/fu1nan2/，英 furan/ˈfjʊəræn/
伏特/fu2tʰɤ4/，英 volt/ˈvəʊlt/

G

伽马/ka1ma3/射线，英 gamma/ˈgæmə/
格莱坎/kɤ2lae2kʰan3/诗体，英 glyconic/glaɪˈkɒnɪk/
格令/kɤ2liəŋ4/，英 grain/ˈgreɪn/
戈帕克/kɤ1pʰa4kʰɤ4/舞，英 gopak/ˈgəʊpæk/
古柯(可口)/ku3kʰɤ1/，英 coca/ˈkəʊkə/

H

哈卡/xa1kʰa3/舞，英 haka/ˈhɑkɑ/
哈罗/xa1luo2/，英 hallo/həˈləʊ/
海洛因/xae3luo4in1/，英 heroin/ˈherəʊɪn/
好莱坞/xɑʊ3lai2u1/，英 Hollywood/ˈhɒlɪwʊd/
荷尔蒙/xɤ2ə3məŋ2/，英 hormone/ˈhɔːməʊn/
赫兹/xɤ4tsɿ1/，英/ˈhɜːts/
*黑客/xeI1kʰɤ4/(骇客)/xae4kʰɤ4/，英 hacker/ˈhækə(r)/
亨利/xəŋ1li4/，英 henry/ˈhenrɪ/
烘陪机(鸡)/xʊŋ1pʰeI2tɕi1/，英 homepage/ˈhəʊmˈpeɪdʒ/
忽布/xu1pu4/，英 hop/ˈhɒp/
呼拉(圈)/xu1la1/，英 hula/ˈhuːlə/hoop
惠斯特/xueI4sɿ1tʰɤ4/，英 whist/ˈhwɪst/

J

吉伯/tɕi2po2/，英 gilbert/ˈgɪlbət/
吉尔/tɕi2ə3/，英 gill/ˈdʒɪl/
吉格/tɕi2kɤ2/，英 jig/ˈdʒɪg/
吉特巴/tɕi2tʰɤ4pa1/舞，英 jitterbug/ˈdʒɪtəbʌg/
加仑/tɕia1luən2/，英 gallon/ˈgælən/
加特/tɕia1tʰɤ4/，英 gat/ˈgɑːt/
焦耳/tɕiɑʊ1ə3/，英 joule/ˈdʒaʊːl/
基因/tɕi1in1/，英 gene/ˈdʒiːn/
夹克/tɕia1kʰɤ4/，英 jacket/ˈdʒækɪt/
佳娃/tɕia1ua2/爪 哇/tʂaʊ3ua1/，英 java/ˈdʒɑːvə/

K

卡路里/kʰa3lu4li3/，法 calorie/kalɔʀi/
卡他/kʰa3tʰa1/，英 catarrh/kəˈtɑː(r)/
卡特尔/kʰa3tʰɤ4ə3/，英 cartel/kɑːˈtel/
开尔文/kʰae1ə3uən2/，英 kelvin/ˈkelvɪn/
坎德拉/kʰan3tɤ2la1/，英 candela/kænˈdiːlə/
康门/kʰɑŋ1mən2/，英 com/ˈkʌm/
拷贝/kʰaʊ3peI4/，英 copy/ˈkɒpɪ/
珂罗/kʰɤ1luo2/版，英 collotype/ˈkɒlətaɪp/
可待因/kʰɤ3tae4in1/，英 codein(e)/ˈkəʊdiːn/
可卡因/kʰɤ3kʰa3in1/，英 cocain(e)/kəʊˈkeɪn/

*可乐/kʰɤ3lɤ4/,英 cola/ˈkəʊlə/
克拉/kʰɤ4la1/,法 carat/kaʀa/
克里奥尔/kʰɤ4li3ɑʊ4ɚ3/,法 créole/kʀeəl/
克隆/kʰɤ4loŋ2/,英 clone/ˈkləʊn/
抠/kʰoʊ1/,英 call/ˈkɔːl/
*蔻/kʰoʊ4/,英 cute/ˈkjuːt/＜蔻丹,英 cutex/kjuteks/
*酷/kʰu4/,英 cool/ˈkuːl/
库仑/kʰu4luən2/,法 coulomb/kulɔ̃/
夸德里尔/kʰua1tɤ2li3ɚ3/,舞,英 quadrille/kwɒˈdrɪl/
夸德隆/kʰua1tɤ2loŋ2/,英 quadroon/kwɒˈdruːn/
夸克/kʰua1kʰɤ4/,英 quark/ˈkwɑːk/
夸脱/kʰua1tʰuo1/,英 quart/ˈkwɔːt/
*快必达/kʰuae4pi4ta2/,英 computer/kəmˈpjuːtə(r)/
奎尼丁/kʰueɪ2ni2tiəŋ/,英 quinidine/ˈkwɪnɪdiːn/
奎宁/kʰueɪ2niəŋ2/,英 quinine/kwɪˈniːn/

L

拉德/la1tɤ2/,英 rad/ˈræd/
拉尼娜/la1ni2na4/,西＞英 La Niña/lɑːˈniːnɑ/
朗伯/lɑŋ2po2/,英 lambert/ˈlæmbət/
朗姆/lɑŋ2mu3/,酒,英 rum/ˈrʌm/
勒克斯/lɤ4kʰɤ4sʅ1/,英 lux/ˈlʌks/
雷姆/leɪ2mu3/,英 rem/ˈrem/
里比多/li3pi3tuo1/,英 libido/lɪˈbiːdəʊ/

利多卡因/li4tuo1kʰa3in1/,英 lidocaine/ˈlɪdəʊkeɪn/
灵格风/liəŋ2kɤ2fəŋ1/,英 linguaphone/ˈlɪŋwəfəʊn/
流明/lioʊ2miəŋ2/,英 lumen/ˈljuːmɪn/
芦丁/lu2tiəŋ1/,英 rutin/ˈruːtɪn/
鲁米那/lu3mi3na4/,英 luminal/ˈljuːmɪnəl/
洛伦/luo4luən2/,英 loran/ˈlɔːrən/

M

吗啡/ma3feɪ1/,英 morphine/ˈmɔːfiːn/
马克/ma3kʰɤ4/,英 mark/ˈmɑːk/
马拉松/ma3la1soŋ/,英 marathon/ˈmærəθɒn/
马赛克/ma3sae4kʰɤ4/,英 mosaic/məʊˈzeɪɪk/
麦尔登/mae4ɚ3təŋ1/,呢,英 melton/ˈmeltən/
麦克风/mae4kʰɤ4fəŋ1/,英 microphone/ˈmaɪkrəfəʊn/
麦淇淋/mae4tɕʰi2lin2/,英 margarin/ˈmɑːdʒərɪn/
麦托朋/mae4tʰuo1pəŋ2/,英 metopon/ˈmetəpɒn/
脉泽/mae4tsɤ2/,英 maser/ˈmeɪzə(r)/
曼陀林/man4tʰuo2lin2/,英 mandolin/ˌmændəˈlɪn/
猫得姆(猫)/maʊ1tɤ2mu3/,英 modem/ˈməʊdem/
蒙太奇/məŋ2tʰae4tɕʰi2/,法 mon-

tage/mɔ̃taʒ/
*迷你/mi2ni3/，英 mini/ˈmɪnɪ/
*眠尔通/miɛn2ə˞3tʰʊŋ1/，英 miltown/ˈmɪltaʊn/
摩尔/mo2ə˞3/，英 mole/ˈməʊl/

N

那可汀/na4kʰɤ3tʰiəŋ1/，英 narcotine/ˈnɑːkəti:n/
纳米/na4mi3/，英 nano metre/ˈnænəʊmiːtə(r)/
纳旁/na4pʰɑŋ2/，英 napalm/ˈnæpɑːlm/
纳斯达克/na4sʅ1ta2 kʰɤ4/，英 Nasdaq/ˈnæzˌdæk/
尼古丁/ni2ku3tiəŋ1/，英 nicotine/ˈnɪkəti:n/
尼可刹米/ni2kʰɤ3tʂʰa4mi3/，英 nikethamide/nɪˈkeθəmɪd/
尼龙/ni2lʊŋ2/，英 nylon/ˈnaɪlɒn/

O

欧姆/oʊ1mu3/，英/德 ohm/ˈəʊm/
欧波/oʊ1po1/，英 oboe/ˈəʊbəʊ/
欧佩克/oʊ1pʰeɪ4kʰɤ4/，英 Opec/ˈəʊpek/

P

帕洛米诺/pʰa4luo4mi3nuo4/马，英 palomino/ˌpæləˈmiːnəʊ/
帕姆佩罗/pʰa4mu3pʰeɪ4luo2/风，英 pampero/pæmˈpeərəʊ/
帕斯卡/pʰa4sʅ1kʰa/，法 pascal/paskal/
排/pʰae/，英 pie/ˈpaɪ/

拍拍垃圾/pʰaelpʰaella1tɕi1/，英 paparazzi /ˌpɑːpɑːˈrɑːtsiː/
派若宁/pʰae4ʐuo4niəŋ2/，英 pyronine/ˈpaɪərəni:n/
潘趣/pʰan1tɕʰy4/酒，英 punch/ˈpʌntʃ/
泡夫/pʰaʊ4fu1/，英 puff/ˈpʌf/
配克/pʰeɪ4kʰɤ4/，英 peck/ˈpek/
品脱/pʰin3tʰuo1/，英 pint/ˈpaɪnt/
扑克/pʰulkʰɤ4/，英 poker/ˈpəʊkə(r)/
普鲁卡因/pʰu3lu3kʰa3in1/，英 procaine/ˈprəʊkeɪn/
蒲式耳/pʰu2ʂʅ4ə˞3/，英 bushel/ˈbʊʃəl/

S

萨罗/sa4luo2/，英 salol/ˈsælɒl/
萨斯/sa4sʅ1/，英 SARS/ˈsɑː(r)s/
赛宾/sae4pin1/，英 sabin/ˈseɪbɪn/
赛璐玢/sae4lu4fən1/，英 cellophane/ˈseləʊfeɪn/
赛璐珞/sae4lu4luo4/，英 celluloid/ˈseljʊlɔɪd/
噻吩/sae1fən1/，英 thiophen/ˈθaɪəfen/
噻唑/sae1tsuo4/，英 thiazole/ˈθaɪəzəʊl/
桑那/sɑŋ1na4/浴，英 sauna/ˈsaʊːnɑː/
沙文/ʂa1uən2/，法 chauvin/ʃovɛ̃/
舍宾/ʂɤ3pin1/，英 shaping/ˈʃeɪpɪŋ/
*声发/ʂəŋ1fa1/，英 SOFAR/ˈsəʊfɑː(r)/（SOund Fixing And Ranging）

T

特氟隆/tʰɤ4fu2luŋ2/，英 teflon/'teflɒn/
特克斯/tʰɤ4kʰɤ4sʅ1/，英 tex/'teks/
特里可绫(科林)/tʰɤ4li3kʰɤ3liəŋ2/，英 tricoline/'trɪkəlɪn/
特屈儿/tʰɤ4tɕʰylə2/，英 tetryl/'tetrɪl/
听/tʰiəŋ1/，英 tin/'tɪn/
*兔/tʰu4/，英 tool/'tu:l/
托福/tʰuo1fu2/，英 Toefl/'təʊfəl/
妥尔/tʰuo3ɚ3/油，英 tall/'tɔ:l/oil
拓扑(学)/tʰuo4pʰu1/，英 topo(logy)/təʊ'pɒ/

W

瓦伦廷/ua3luən2tʰiəŋ/，英 valentine/'væləntaɪn/
瓦特/ua3tʰɤ4/，英 watt/'wɒt/
韦伯/uei2po2/，英/德 weber/'vəɪbər/
维纳斯/uei2na4sʅ1/，英 Venus/'vi:nəs/
维尼纶/uei2ni2luən2/，英 vinylon/'vaɪnɪlɒn/
乌洛托品/u1luo4tʰuo1pʰin3/，英 urotropine/jʊə'ratrəpi:n/
*瘟到(死)/uən1tɑʊ4(sʅ3)/，英 windows/'wɪndəʊ(s)/

X

西门子/ɕi1mən2tsʅ3/，英/德 siemens/'si:mənz/
*嬉皮士/ɕi1pʰi2ʂʅ4/，英 hippies/'hɪpɪs/
*香波/ɕiaŋ1po1/，英 shampoo/ʃæm'pu:/
*香榭丽舍/ɕiaŋ1ɕie4li3ʂɤ4/，法 champs Elysées/ʃāzelize/
肖托夸/ɕiɑʊ1tʰuo1kʰua1/，英 chautauqua/ʃə'tɔ:kwə/

Y

易比士/i4pi3ʂʅ4/或叶皮士/ie4pʰi2ʂʅ4/，英 yippies/'jɪpɪs/
伊德/i1tɤ2/，拉 Id/'ɪd/
*伊妹儿/i1mei4ər/，英 E-mail/'i:'meɪl/
依米丁/i1mi3tiəŋ1/，英 emetin/'emətɪn/
以太(伊太(1936))/i3tʰae4/，英 ether/'i:θə(r)/
*雅飞士/ia3fei1ʂʅ4/，英 yuffies/'jʌfɪs/
*雅皮士/ia3(1)pʰi2ʂʅ4/，英 yuppies/'jʌpɪs/
雅司/ia3sʅ1/，英 yaws/'jɔ:z/
吲哚/in3tuo3/，英 indole/'ɪndəʊl/
因特网/in1tʰɤ4uaŋ3/(英特网/iəŋ1tʰɤ4uaŋ3/，英 Internet/'ɪntə'net/
拥皮士/yʊŋ1pʰi2ʂʅ4/，英 yumpies/'jʌmpɪs/
尤里卡/iʊ2li2kʰa3/，英 EUREKA/jʊə'ri:kə/
优苏/iʊ1su1/，英 eusol/'ju:sɒl/

Z

扎/tʂa1/啤/pʰi2/，英 jar/'dʒɑ:(r)/，英 beer/'bɪə(r)/
朱巴/tʂu1pa1/舞，英 juba/'dʒu:bə/

现代汉语音译词的对音规律分析

附表(二):对音表(表中数字为音节出现次数,音节后无数字则出现次数为一次)

	Ø	p	pʰ	b	m	f	v	t	tʰ	d	n	θ	s	z	ʃ	ʒ
Ø		pu	pʰu	po	mu6 man mən	fu3		tʰɤ5 tʰuo2	tʰɤ	tʰɤ2 tɤ4			sɿ9 tsɿ ʂɿ5	tsɿ2 sɿ3	ɕy	tɕʰi
iː	i2		pi	pi	mi	fei2	uei			tɤ,tae	ni2		ɕi			
ɪ	i	pʰi5 pi2 pei		pi3	mi5 miɛn	fei			tʰae	ti2	ni9 niəŋ		sɤ ʂɿ ɕi			
e	ɤ,i	pʰei	pʰei	pei	mae2			tʰɤ1	tʰɤ3	tɤ2			ɕi,sae2		ɕie,sɤ	
ɛ		pʰei						tae		tɤ						
æ	a8	pʰa2	pʰa2	pa2	ma	fa	fan,ua	tʰuo2		ta	na5		sa			
a		pʰa							tʰae	ta						
ɜː	ə															
ə	a3	pʰu pʰi pa		pa2 po3	ma2,mei mi,mɑŋ	fei fu	ua	tʰɤ2 ta tʰuo	tʰuo	na3		tʂʰa tʰae	tɕi tsɤ	ʂɿ ɕiaʊ		
ʌ			pʰaʊ	pa						ta						
ɑː			pʰae	pʰae	pa3	ma,mae	fa			tʰa		na3		sa		
ɒ			pʰu						tʰuo		tuo		su	tsuo		
ɔː	aʊ2		pu		po3,pu	ma2			tʰuo2							
o										tuo					ʂa	
ʊ			pu		pu,pʰu											
uː			po						tʰu		tʊŋ					
aɪ		pi		pi, pʰae3	pae3	mae			uei		ta	ni		sae3		
əɪ							uei									
eɪ	ae2		pʰei		mae,mei								sae	sae	ʂɤ	
eə			pʰei													
ʊə																
aʊ				po									sɑŋ			
əʊ	aʊ oʊ3		pʰu	po3	mo2,ma mɑʊ	fu		tʰuo	tʰuo	tuo4 taʊ	nuo3		ʂəŋ	tsuo2		
jəʊ											nuo					
jʊə					fu											
ju			pi													
wə																
wɪ																
wʊ																
wɔ																
ɪn	in11 iəŋ	pʰin2		pin	miən	fei fən	uən	tiən4 tʰiən2	tʰiən	tiən2	niən		ɕin		tɕʰin2	
ɪm																
ɪŋ	in			pin				tiən2								

(续表)

ɑ̃	an						ɕiɑŋ
ɔ̃			mən			suŋ	
ɛ̃				uən			
en		pən2	fən2				
æn		pan	man		tan		
ən			man,mən	tən		sən	
ʌn		pʰan					
ɒn	ɑŋ	pəŋ				sʊŋ	
uːn							
aɪn		pʰin		tʰiən			
aʊn	ɑŋ			tʰɑŋ,tʰʊŋ			
əʊn			mən	fən2			
eɪn				fən			
æm							ɕiɑŋ
ʌm							
əʊm							

附表(二):对音表(续)

	tʃ	dʒ	tr	ts/dz	k	kʰ	g	h	r	ʁ	l/ɫ	w	j
∅		tɕʰy	tɕi2		tsʅ2	kʰɤ 11	kʰɤ3	kʰɤ,kɤ4			ɚ	ɚ15	
iː		tɕi		tɕi			tɕi				li2	li	li2
ɪ		tɕʰi	tɕi3	tɕʰy		kʰɤ		tɕi	ɕi		li3	li2,lai		i,ie
e					kʰa4	kʰae, kʰɤ,kʰa		xae			li,leɪ	leɪ	
ɛ													
æ		tɕia						ka,tɕia	xeɪ,xae	la			
a			tʂa		kʰa2,kʰɤ						la		
ɜː									xɤ				
ə		tɕʰi	tʰuo2	sa	kʰɤ6, kʰa2,ku			xa		la3, zuo	la2,luo2,lɤ		ia
ʌ					kʰɑŋ						lɤ		ia2
ɑː		tɕia, tʂɑʊ			kʰa2			tɕia	xa	la	la		ia
ɒ		kɑʊ			kʰɑʊ, kʰɤ			xɑʊ,xu	luo3	luo	ua		
ɔː						kʰoʊ		xɤ			lu,luo2		ia
o													
ʊ												u	
uː		tʂu			kʰu	kʰu		xu	lu				ioʊ
aɪ											lae		
ɪe													

(续表)

eɪ								
eə								
ʊə								iʊʊ,u
aʊ	tɕiɑʊ				xɑu			
əɪ	tʂuo		kʰɤ	ku,kʰɤ2	kɤ	luo2,lu	luo,lu	
jəʊ								
jʊə								
ju				kʰoʊ			liʊʊ, lu2	
wə			kʰua		kɤ			
wɪ			kʰueɪ	kʰueɪ	xueɪ			
wɒ			kʰua2	kʰua				
wɔ				kʰua				
ɪn						lin4	lin4, liəŋ	uən
ɪm						liəŋ	lin	
ɪŋ							liəŋ	
ā			kʰɑŋ			lɑŋ	lɑŋ	
ɔ̄				.			luən	
ɛ̄								
en						xəŋ		
æn			kʰan			nan2	luən	
ən						luən,luo	luən2	
ʌn								
ɒn			kʰan				luən2, lʊŋ2	
uːn						lʊŋ		
aɪn								
aʊn								
əʊn							lʊŋ	
eɪn						liəŋ		
æm						lan	lɑŋ	
ʌm								yʊŋ
əʊm					xʊŋ			

附 注

① 这些音译词常常是"音义兼顾",对音的准确性就得打折扣。

② 许多汉译人名都非常形式化,对译时常常也赋予一定的意义,或参考词典附录中的对译表。地名对应则还有语源考证的问题(齐冲 2001)。

③ 对于这些词语的选择及语源的考证,我们主要参考了 Mateer(1922),岑麒祥(1990),林伦伦等(2000),《近现代汉语新词词源词典》(2001)等(这里不一一列举,请参阅文后的参考文献)。

④ 当然外语和汉语里有些这样看似相同的辅音还是有一些细微的差别的。如/s/,汉语中 s 的舌位较英语更靠前。不过这些细微的差别是可以忽略不计的。

⑤ 如在《英法汉译音表》中,外语辅音声母/z/一律被对译成汉语的/ts/。请看看《外国地名译名手册》(1983:560—565)。

⑥ 这个规则的公式为:l→ɬ/_ {♯,C}。

⑦ 这些数据来自吴宗济(1991:96—97)。

⑧ 除了以上的一些例子,还有如:特氟隆/tʰɤ4fu2luŋ2/< teflon/ˈtefln/中的唇齿音/f/就被加上了一个具有[+后高+圆唇]特征的元音。

⑨ 当然,英语的其他声学征兆如:音长、音强,甚至音质都对重音产生影响。同英语不同的是,汉语重音的主要声学征兆是音长。

主要参考文献:

北京师范学院中文系汉语教研组　1959　《五四以来汉语书面语言的变迁和发展》,商务印书馆。

岑麒祥　1990　《汉语外来语词典》,商务印书馆。

高名凯、刘正埮　1958　《现代汉语外来词研究》,文字改革出版社。

郭伏良　2001　《新中国成立以来汉语词汇发展变化研究》,河北大学出版社。

胡晓清　1998　《外来语》,新华出版社。

李　康、张　阳　2002　《网络流行风　网上聊天词语妙用》,上海社会科学院出版社。

林伦伦等　2000　《现代汉语新词语词典》(1978—2000),花城出版社。

刘正埮等　1984　《汉语外来词词典》,上海辞书出版社。

陆谷孙主编　2000　《英汉大词典》,上海译文出版社。

陆再英等　2004　《英汉医学词汇》(第二版),人民卫生出版社。

齐　冲　2001　《十九世纪前期汉译西方地名的语音及文字问题》,*IACL*—10 & *NACCL*—13:10*th Annual Conference of the International Associa-*

tion of Chinese Linguistics & 13th North American Conference on Chinese Linguistics, University of California, Irvine, UE. & CEACL—2: The Second Conference of the European Association of Chinese Linguistics, Universitadi Roma《La Sapienza》,Roma, Italia.

齐　冲　2002　《汉语音译佛经词汇中省音现象的分析》,载《汉语史学报》(第二辑),上海教育出版社与浙江大学汉语史研究中心共同出版。
史有为　2000　《汉语外来词》,商务印书馆。
王均熙等　1987　《现代汉语新词词典》,齐鲁书社。
吴宗济　1992　《现代汉语语音概要》,华语教学出版社。
吴宗济、林茂灿　1989　《实验语音学概要》,高等教育出版社。
香港中国语文学会　1993—2000　《词库建设通讯》,第1—22期。
香港中国语文学会　2001　《近现代汉语新词词源词典》,汉语大词典出版社。
肖希喆、张兰清　1982　《医学术语构词手册》,吉林人民出版社。
新华通讯社译名资料组　1997　《英语姓名译名手册》,商务印书馆。
杨建平　2001　《时尚词汇——新名词应知应晓》,北京科学技术出版社。
袁家骅等　1960　《汉语方言概要》,文字改革出版社。
中国标准技术开发公司　1992　《海峡两岸词语对释》,中国标准出版社。
中国地名委员会　1983　《外国地名译名手册》,商务印书馆。
中国社会科学院语言研究所词典编辑室　2002　《现代汉语词典》(增补本),商务印书馆。
朱广祁　1994　《当代港台用语辞典》,上海辞书出版社。
朱永锴　1990　《香港粤语词语汇释》,《方言》第1期。
竺家宁　1999　《汉语词汇学》,五南图书出版公司。
Bauer R. S. & P. K. Benedict　1997　*Modern Cantonese Phonology*, Berlin & New York: Mouton de Gruyter.
Chomsky N. & Halle M.　1968　*The Sound Pattern of English*, New York: Harper & Row.
Guierre L.　1979　*L'accentuation en anglais contemporain*, Université Paris 7.
Halle M.　1973　"Stress Rules in English: A New Version", *Linguistic Inquiry*, IV, pp. 451—464.

Mateer A. H. 1922 *New Terms and New Ideas—Study of the Chinese Newspaper*, Shanghai: The Presbyterian Mission Press.

Novotna Z. 1967, 1968 *Contributions to the Study of Loan-Words and Hybrid Words in Modern Chinese*, Prague, Oriental Institute.

Qi Chong 1995 " Classification des emprunts lexicaux en chinois moderne"(现代汉语中外来词的分类), *Confluent*, n°2, pp. 74—80.

Qi Chong 1998 "Analyse diachronique des emprunts en chinois archaïque et médiéval—*Sources et Influences*"(上古与中古汉语借词历时研究——语源与影响), *Confluent*, n°3, pp. 19—29.

Qi Chong 2000 "Nouvelles réflexions sur les mots d'emprunt en chinois (20e siècle)"(重新分析二十世纪的汉语外来词), *XXXVIe Congrès International des Etudes Asiatiques et Nord-Africaines*, Montréal, Canada.

Viel M. 1981 *La phonétique de l'anglais*, Presses Universitaires de France.

字母词规范设想

暨南大学　郭熙

本文所说的字母词,是汉语运用中使用的部分或全部由字母构成的词,字母词中字母部分多源于外文(主要是英文),也有的是汉语拼音的缩写。如 B 超、阿 Q、维生素 A、卡拉 OK、三 K 党、3C 革命、CT、WTO、GB、RMB 等。

汉语中使用字母词已经有很长的历史,但改革开放以来出现数量越来越多,使用的频率也越来越高。字母词的使用给人们的交际带来了方便,同时也带来新的问题。对字母词进行规范引导已经成为现代汉语规范化的一个重要方面。

受有关部门委托,我们从 2001 年 12 月开始,就(1)字母词使用的现状,字母词问题研究的现状,国外同类情况的处理,社会对字母词使用的意见,字母词规范原则等问题进行了认真的研究。这里,我们把字母词规范的一些初步设想发表出来,意在听取社会各界的意见,供将来制定字母词使用规范时作参考。

1. 术语

1.1 汉字词

所谓汉字词是指书面上完全用汉字记录的词,与字母词和数字词相对。

1.2 分读

按字母名称或汉字音读分开来读,如 WTO、HSK、IT 产业等等。

1.3 拼读

指对中间含有元音字母的字母词的连读,例如 APEC、UNESCO。

1.4 转写

转写是用一种字母表的字符标记另一种字母表的字符的方法。这里指将非拉丁文字系统的文字符号转写成拉丁字母,即所谓"罗马化"。

1.5 词形

这里指字母词的书写形式。

2. 字母词规范的原则

2.1 字母词的规范应该是推荐性规范。它根据"科学实用、便于推行和普及、促进汉语健康发展"的指导思想,对字母词使用的若干方面作出原则性规定。

2.2 该规范主要应该适用于国家通用语言文字使用的领域,包括语文教学、新闻出版、广播电视、辞书编纂、信息处理等方面。

2.3 字母词在现代汉语中的使用是语言接触的必然结果。它已融入中国的社会生活中,成为日常语言表达不可缺少的一部分。字母词涉及到语言的多个方面。对字母词的使用进行规范必须全面考虑。总原则是:(1)科学性原则;(2)兼容性原则;(3)灵活性原则。

2.3.1 科学性原则

制定字母词的使用规范必须具有科学的语言观。既要合理吸收外来语成分,反对盲目排外,又要注意维护汉语的健康发展,反对汉语洋化倾向;既要从俗从众,尊重字母词使用的现实,又要照顾学理,坚持科学的规范导向;既要和现有的语言文字法规、标准保持一致,又要根据客观实际,本着科学务实的精神进行必要的调适。

2.3.2　兼容性原则

字母词的规范必须具有兼容性。既要注意与汉字书面记录系统协调互补,又要考虑与汉语的拼写系统相适应;既要注意和国际通用符号接轨,又要考虑到汉语社会的可接受性;既要考虑到日常生活中经常使用的字母词,也要考虑到各有关学科等所使用的字母代号。

2.3.3　灵活性原则

字母词来源广泛,形式多样,使用群体复杂;而且,随着语言接触的日益频繁,还会不断有新的情况出现。因此,规范必须遵循灵活性的原则,即在加强规范意识的前提下,充分考虑到不同地区、领域、群体等使用的实际情况,保持一定的灵活性,以方便广大使用者,将推行时遇到的阻力降到最低。

2.4　语言是动态的,字母词的规范应该体现出动态性。字母词会不断出现,有的字母词也会消亡。字母词在发展中还会有许多异形词,有关部门应随着语言的发展对其进行整理,确定推荐形式向社会公布。有关词典应及时对其进行增补。

3.　字母词的使用范围和基本要求

3.1　下列情况下可以使用字母词:

(1)汉语中没有相应的汉字词形式,例如:

　　　　A 股　指人民币普通股票

　　　　卡拉 OK

　　　　MP3　一种新型的音乐压缩格式。[英文 MPEG 1 Audio Layer3 的缩写]

　　　　siming@sohu.com

　　　　www.huayuqiao.org

(2) 有相应的汉字词但不易记读,例如:

　　　　BBS　电子公告牌系统。[英 bulletin board system 的缩写]

　　　　CT　①计算机体层成像;②计算机体层成像仪。[英 computerized tomography 的缩写]

　　　　DNA　脱氧核糖核酸。[英 deoxyribonucleic acid 的缩写]

　　　　DVD　数字激光视盘。[英 digital video disc 的缩写]

　　　　GDP　国内生产总值。[英 gross domestic product 的缩写]

　　　　IC 卡　集成电路卡。[英 Integrated circuit 的缩写]

(3) 数字缩略语,例如:

　　　　三 C 革命、五 W

(4) 电台或电视台英文名称的缩写,例如:

　　　　CCTV、BJTV

(5) 字母等作为型号代码,例如:

　　　　A4 纸、Y 染色体、T14 次、L235 次

(6) 专名的汉语拼音的缩写形式,例如:

　　　　HSK　汉语水平考试。[汉语拼音 Hanyu Shuiping Kaoshi

的缩写]

　　PSC　普通话水平测试。[汉语拼音 Putonghua Shuiping Ceshi 的缩写]

　　GB　国家标准。[汉语拼音 Guojia Biaozhun 的缩写]

(7)出于某种表达效果临时借用,例如:

　　他是一个 ABC(America Born Chinese)。

(8)非汉字音译的外国或外族人名(或其中的一部分),中国人名的罗马拼写形式(主要指缩写),例如:

　　J.皮亚杰、A.P.卢利亚、N.乔姆斯基、克特·W.巴克 N.Xs(倪海曙)

(9)非汉字音译的外国地名、互联网上的非中文域名。例如:

　　CN、wh、cn、NJ、SH

(10)其他必须使用字母词的情况。

3.2　使用字母词应当遵守如下基本要求:

(1)在没有必要的情况下不使用字母词。

(2)遵守有关字母词读写的规范。

(3)除了社会广泛使用的字母词外,文本中字母词首现时应该随文加注中文名称(或释文)。

(4)除科学领域已经规定或长期习用的非拉丁字母词或代号(如希腊字母)外,其他文种的字母原则上均应转写为拉丁字母(即罗马化)。

(5)尽量避免使用易造成误解的字母词,例如 ABC(①某方面的基本知识;②美国出生的华人[America Born Chinese])、CI(①企业标志;②企业形象);如必须使用,则应能让读者通过上下文辨识。

(6)对于异形字母词(例如,email/e-mail/Email),有关部门有推荐形式的,应采用推荐形式。

(7)要分清场合,政府及有关部门的官方文件(告)应尽量避免使用外来的字母词。

4. 字母词的读音规范

4.1 读音规范的原则

本着字母词规范的总的指导思想和总原则,字母词原则上以目前国际上比较流行的读法为标准:拉丁字母,可以直接按照英文字母去读,也可以按照本方案 4.2 中根据汉语音位系统的实际作出适当调整后的字母表读;用其他字母(如希腊字母)的词应按照科技界的习惯读法读。全国性行业有统一规定的,按规定读,但应该到国家语言文字主管部门备案。

4.2 字母词中的拉丁字母读音表

字母	汉语拼音注音	国际音标注音	字母	汉语拼音注音	国际音标注音
A	ei	[ei]	N	en	[ən]
B	bi	[pi]	O	ou	[ou]
C	sei/si	[sei/si]	P	pi	[p^{h}i]
D	di	[ti]	Q	kiu	[k^{h}iu]
E	i	[i]	R	ar	[a:ɚ]
F	êf	[ɛf]	S	ês	[ɛs]
G	ji	[tɕi]	T	ti	[t^{h}i]
H	êq	[ɛtɕ]	U	iou	[iou]
I	ai	[ai]	V	vei/vi/wei	[vei/vi/wei]
J	jie	[tɕie]	W	dabuliu	[tapuliu]
K	kê	[k^{h}ɛ]	X	êks	[ɛks]
L	êl	[ɛl]	Y	uai	[wai]
M	êm	[ɛm]	Z	z*ei	[zei]

说明:(1)汉语拼音字母 i 为舌面元音,单元音 i 读长音;(2)z*读作汉语拼音 s 的浊音;(3)R 和 W 的重音均在第一音节。

4.3 语调

字母词中字母的语调依照西文字母通常的方式处理。

4.4 重读

分读的字母词中如果有两个以上的字母,词末的字母一般重读,例如:

　　WT′O、C′T、UF′O、卡拉 O′K

4.5 分读与拼读

4.5.1 字母词原则上实行分读,例如,WHO 应读作 W、H、O;ISO 读作 I、S、O。

4.5.2 外文中已经拼读的缩略语可以按照汉语中直接使用外语词的方式处理。UNESCO 读作[juː'neskəu]、dos 读作[dɔːs]。一般说来,有元音夹在其中又容易拼读的,可以拼读,如.com,SOHO 族等。

其他来自外文的拼读字母词照外语读法读,例如,B2B(Business To Business)、f2f(face to face)。

4.6 含阿拉伯数字的字母词中的数字一般按相应的汉字数字的读音去读,如:

　　MP3、A4、U4 飞机

4.7 行业可以对代码字母词有规定的读法,例如铁路运输中的 T65 次、K265、L656 次中的 T、K 和 L 的读音分别为"特"、"快"和"临"。行业制定的标准应到国家语言文字工作部门备案,并与媒体协调,以便统一。

4.8 与字母词相关的一些符号的读法

@ 读作圈 a\at
- 读作短横
. 读作点儿
/ 读作左斜杠
\ 读作右斜杠

5. 字母词的书写规范

5.1 字母词书面使用规范的原则

字母词使用遵循汉语拼音正词法和中文罗马字母拼写法。

5.2 字母词中的字母一般使用大写,用以表示区别层级的以及科学上规定用小写或大小写有区别意义作用的除外。例如:

A. (a,b,c);B(a,b,c)……

hi-fi(高保真度)、pH 值(氢气浓度指数)

Internet(因特网)、internet(互联网)

ph(非法定光照度单位"辐射"的符号)、PH(酸碱度,尿常规化验项目之一)

5.3 字母词中的每一个字母占半个汉字位置。

5.4 字母间须使用的短横占半个汉字位置。

5.5 字母词后面的停顿符号依《标点符号用法》的规定执行;同一字母词内的字母之间原则上以不用标点隔开为宜。

5.6 字母词中字母前后出现数字时按照《出版物上数字用法的规定》执行。一般说来,在几个首字母相同的词的数字缩略形式里,词首的数目字应使用汉字,如三 B(baby、beast、beauty)、三 A 革命、三 D 动画、三 G 电话;表示序数、型号或代码的应使用阿拉伯数字,如 3F(三楼)、U-2 飞机、34°C、0.5A、MP3、T11 次。

习惯上使用上标的数字,可以使用上标,例如:C^4ISR(指军队自动化指挥系统)。

5.7 含字母词的文本提倡横排,必须竖排的,字母应按顺时针方向转 90 度。例如:

> 经过一轮
> 又一轮的谈判,
> 中国正式加入 WTO 的时间表已经排定。

6. 词书收录字母词的规范

6.1 字母词和汉字词的检索

在辞典编纂或编制其他检索系统时,原则上按照字母顺序排列。如果汉字词按照声调分开排列,以拉丁字母开头的可以排在前面,其中少量非拉丁字母的西文起首字母词(如"α 粒子,α 射线,β 粒子,β 射线,γ 刀"等)可以作为附录,排在词典末尾;以汉字起头的字母词,和其他汉字词一样处理。例如:

【AA 制】【ABC】【AB 卷】【AB 角】【ABS】【AB 制】

【吖】【阿】……【阿婆】【阿 Q】【阿姨】……

【BBS】【B 超】【BP 机】

6.2 词典应按照规范方案给字母词注音(包括重音)。

6.3 词典应该在需要拼读的字母词词条后加注"拼读"字样及其音标,例如,APEC(拼读)['eipek](亚太经合组织)。

6.4 对于异形字母词,词典应以有关部门推荐的词形为主条。

从宏观角度看社区词

香港岭南大学　田小琳

一　社区词是客观存在的语言现象

（一）社区词的定义

二十年前，那是1985年，当我从北京来到香港时，香港还没有回归祖国。不过，1984年中英两国政府已经签订了《联合声明》，香港的政治走向变得十分明确，那就是自1997年7月1日起，英国将香港交还给中国，中国对香港恢复行使主权。按1990年全国人大通过的《中华人民共和国香港特别行政区基本法》所规定，香港回归中国后，实行"一国两制"，而且五十年不变。"一国"是前提；"两制"即中国内地实行的是社会主义制度，而香港仍保持资本主义制度。我从北京到了香港，这个社会的反差是很大的，特别是在香港回归前的过渡期。

这个社会反差，使我必须迅速地了解香港社会，在香港实地的工作、学习和生活中，逐渐地融入这个社会。社会形态反差的强烈，加上我的语言学知识，就使我具备了较灵敏的语感。在和当地人的交往中，一些原来常挂在嘴边的词是用不着了，特别是有关政治、意识形态方面的词语；而香港人说的一些词语、香港中文报刊上的一些词语，我又半懂不懂。我很快发现，这一类词语并非方言问题。这可以从两个方面看，我曾应邀给香港高级公务员、高级中文主任专题讲授"中华人民共和国建国四十多年以来的常用词汇",共 10 讲。从 20 世纪 50 年代的"三反""五反""大跃进""三面红旗",讲到 60 年代的"社教""文化大革命",再讲到 70 年代末期至 80 年代的改革,对内搞活,对外开放,设立特区,吸引三资企业,等等。我讲的并不是北方方言词,而是在全国流通但不在香港流通的词语。香港政府的公务员面临回归,急于了解内地所流通的词语,特别是政治、经济方面的词语。这是一方面。从另一方面看,对我来说,则要从香港的口语和书面语中,咀嚼着那些自己不熟悉的词语,体味着它们的含义。比如,我从报纸上看到,说香港人出外旅游时,心里老惦念着家里的"金鱼缸",这真是怪事。原来"金鱼缸"指的是香港股票交易所。因为交易所里有玻璃围墙,透过玻璃可以看到穿着红色背心的交易员在跑来跑去忙着买卖,如同金鱼在鱼缸里游弋。此外,如鳄鱼潭、大鳄、大闸蟹、恒生指数、红筹股、蓝筹股、大蓝筹、国企股、垃圾股、毫股、仙股、牛市、熊市等,都是和股市有关的香港社区词。如此这般长年积累下来,现约有 2000 多个香港社区词可供琢磨、研讨。我在《香港社区词研究》(已刊于 2004 年 5 月第三期的《语言科学》杂志)一文中已列举了几百例。

从北京走到香港,看词汇的眼光就宏观了一些,否则你难以了解香港社会;再从香港走到澳门,走到台湾,走到新加坡,眼光就更宏观了一些。原来社会形态的差异,均反映在词汇上。其实,这种现象从社会语言学的角度分析,从词汇学的角度分析都是顺理成章的事。

由大量社区词语料的归纳分析,特别是对中国内地社区词和香港社区词的研究,我在 1993 年的一次国际学术研讨会上,提出了社区词这个术语,并从概念的内涵和外延上给它下了定义。社区词是反映本社区的社会制度,社会的政治、经济、文化的词语。多半在本社区流通。现代汉语社区词包括中国内地社区词(以下简称内地社区词)、香港特别行政区社区词(以下简称香港社区词)、澳门特别行政区社区词(以下简称澳门社区词)、台湾省社区词(以下简称台湾社区词)。

(二)各社区社区词举隅

1. 内地社区词

以近五十年的历史看,内地社区词中政治色彩重的词语较多,在五六十年代,喜欢沿用军事词语,例如战士、战线、战略部署等。在"文革"十年中,急剧产生一批"文革"词语,足够编一部词典;"文革"结束,这批词语随之逐渐消失,成为历史词语。改革开放以来,产生大批反映政治、经济、文化及社会生活的社区词,多本新词语词典均有收录。以军事词语为比喻的数量大大减少,还保留有"上岗、下岗"等,反映经济建设、现代信息科学方面的词语大大增多,以"工程"为根词造词,形成庞大词族,"希望工程、菜篮子工程、米袋子工程、火炉子工程、送温暖工程"等,不一而足。并喜用缩略语,特别是数字缩略语,例如两个文明、三个代表、三讲、四化、五讲四美三热爱、五个一工程等。缩略语之多也可编成词典。

2. 香港社区词

关于香港社区词,笔者已有多篇论文介绍,这里不再赘述。这里仅以二十几例香港社区词为例,看它们在近年香港中文报刊上的活跃程度。词语出现频率统计来自香港一个网站,统计来自四十几份香港报刊杂志。

	词语	1998年	1999年	2000年	2001年	2002年	2003年
1	特首	6883次	15920次	23423次	29490次	28005次	39884次
2	负资产	292次	605次	2207次	7116次	5571次	5788次
3	红筹股	2577次	6219次	6175次	11459次	4930次	4482次
4	打工皇帝	29次	96次	168次	271次	307次	211次
5	草根阶层	55次	127次	224次	306次	321次	242次
6	弱势社群	62次	145次	543次	1075次	1108次	1400次
7	夹心阶层	140次	149次	120次	193次	108次	155次
8	生果金	43次	50次	312次	420次	569次	263次
9	综缓	57次	55次	94次	134次	182次	137次
10	毅进课程	0次	0次	81次	183次	136次	142次
11	母语教学	240次	383次	443次	666次	458次	532次
12	两文三语	82次	194次	314次	404次	514次	516次
13	杀校	0次	0次	0次	2次	29次	176次
14	垃圾虫	71次	207次	158次	245次	431次	1059次
15	烈火战车	5次	71次	116次	16次	98次	119次
16	饮咖啡	25次	109次	256次	307次	349次	499次
17	财务公司	406次	872次	1117次	1245次	1430次	1147次
18	差饷	2362次	4314次	3112次	5911次	6279次	6112次
19	陈四万	5126次	13808次	18740次	19096次	16302次	14035次
20	超班马	39次	314次	573次	371次	274次	371次
21	大信封	24次	67次	79次	222次	222次	148次
22	丁屋	137次	310次	328次	330次	322次	285次

3. 澳门社区词

澳门盛行博彩行业,只举在这方面流行的一批社区词,例如:

博彩业、散位、荷官、行为纸、包头、社屋、经屋、饮可乐、上会、银行更、黑庄、双赢政策、咖啡文化、书记、人情纸、呢码等。

4. 台湾社区词

台湾社区词既不在大陆也不在香港流通。下面略举一些台湾社区词：八部、扒粪报导、拜洋主义、半开门儿、保留地、保全人员、单行犯、惯行犯、地下十妖、恶心钱、发姐、红唇族、房捐、公教人员、官衙式组织、国安会、国民性、国事犯、假签署、精致文化。最近在选举方面常用的有蓝营、绿营、泛蓝、泛绿、非蓝非绿、扫街拜票等。

5. 海外华人社区词（以新加坡社区词为例）

目前所见研究得较系统的有新加坡，仅以新加坡社区词为例。例如：资政、自主学校、宗乡会馆、组屋、组屋区、乐龄、乐龄中心、报生纸、半边家庭、保健储蓄、工作准证、工商保安公司、辅助学校、辅导级、普通级、限制级、副姐、分层地契等。

二　由四个社区的社会历史背景看社区词的形成

社区词的产生和流通决定于社会的大背景。词汇最灵敏地反映着社会的变动，历史的变动。为看清社区词的生成和流通，不能不简要地回顾近半个世纪以来中国社会的历史，以及由于历史的变动形成的不同社区。由于有不同的社区，才会产生流通于各社区的社区词。

社区词是以社会形态为标准来分区的。在中国版图内，首先可分为四个社区。在华人社会可能会分多个社区。

（一）中国版图内的四个社区流通着有差异的社区词

划分这四个社区，主要是从近半个世纪的历史来看的。由1949年算起，到今天已超过半个世纪。

1. 中国内地

1949年10月1日中华人民共和国成立,半个世纪来历经很多变化,有多次的政治运动和经济变革,其间以文化大革命的十年(1966—1976年)为最长;后以1978年中国共产党十一届三中全会作为一个转折点,中国对内搞活,对外开放,以经济建设为工作重心,实行有中国特色的社会主义制度,二十多年来综合国力大大增强。几十种新词新语词典所收几千个新词语,反映了内地社会的变化之迅速,记录了中国前进的脚步。这些词语很多不在外面流通。

2. 香港特别行政区

1997年7月1日香港回归中国,成为香港特别行政区。再从历史上看,1840年至1842年英国对中国发动侵略战争,1842年8月清政府被迫签订《南京条约》,将香港割让给英国,香港百多年来受英国殖民统治,直至1984年中英两国政府签订联合声明,确认1997年7月1日香港回归中国。香港回归中国后,实行港人治港,高度自治,一国两制的政策,继续实行资本主义制度,五十年不变。这种社会背景,和内地有较大差异,必然会有一批流通于香港的社区词。一些社区词还反映了中西文化的交流。

3. 澳门特别行政区

1999年澳门回归中国,成为澳门特别行政区。从历史上看,澳门在明朝时就被葡萄牙所占,五百多年来受葡萄牙殖民统治,1999年12月20日回归中国后,和香港一样实行一国两制。澳门回归后,形势很好,繁荣安定,博彩业继续经营和发展。从历史上和现实上看,澳门和香港的社会生活又有区别,因而两地虽有共同流通的词语,在社区词上也有差异。

4. 台湾省

从历史上看,1894年至1895年,日本发动侵华战争,暴发中日甲午战争,1895年4月17日,清政府被迫签订丧权辱国的《马关条约》,将台湾割让给日本,台湾受日本殖民统治五十年,直至1945年二战结束,日本投降,台湾光复。1949年后,蒋介石政权移至台湾。现联合国及世界绝大多数国家均只承认一个中国,即中华人民共和国,并承认台湾是中国领土不可分割的一部分。目前,台湾的蓝营和绿营已展开了斗争,台湾社会已形成蓝绿两军对峙的局面。一批反映选举文化的台湾社区词应运而生。

由于上述历史的原因,从现阶段看,中国境内可分为四个社会区域,最大的是中国大陆,接下来依次是台湾省、香港特别行政区、澳门特别行政区。港澳台的面积虽比大陆小,但由于两岸四地的频繁交流,特别是经济上的交流,港澳台的语言对现代汉语的语言生活的影响并不小。

(二)海外华人社会形成的各华人社区的社区词

关于海外华人社会使用汉语(包括方言)的情况,《汉语与华人社会》(邹嘉彦、游汝杰著)一书有很多详细描写,可作为研究华人社区词语的参考。

1. 历史上形成的海外华人社会,如东南亚各国的华人社会,以新加坡、马来西亚为例,很多人都能用华语口头交际。

2. 现代迅速扩大发展的海外华人社会,很值得重视。江浙人多往欧洲发展,台湾人、福建人多往美国发展,东北人多往俄罗斯、日本发展,香港人多往加拿大、澳大利亚发展,近二十年来大量的欧美留学生,在国外各大城市发展,世界各大洲均有中国新移民,形成了很多华人社区。这使现代汉语大大扩大了使用的范围。这种现象在世界上是绝无仅有的。

海外华侨、华裔多达五六千万人,这些人也将现代汉语带到世界各地。他们在使用汉语的同时,也会根据当地社会的需要,用固有的汉语语素,创造一些社区词。由于移民所去国家、地区众多,推论过去,应该形成多个社区,这需要作进一步的调查研究。

三 社区词和方言词的差异

社区词与方言词、外来词、文言词都可作为现代汉语词汇的来源,丰富规范词库。社区词和文言词的差异比较明显。社区词和外来词会有少部分交叉情况,因为社区词中有部分可能来自外来词,比如内地社区词中的"3+X",就是外来词中的字母词;香港社区词"嘉年华"(carnival),是音译加意译的外来词。社区词和方言词的界线则要特别小心划分,因为方言词和社区词都涉及地域问题。以香港社区词来说,会不会和粤方言词交叉,交叉的部分又是怎样的,都需研究。我认为,社区词和方言词如有交叉情况,数量也不会很大,因为二者有根本的区别,表现在以下几方面。

(一)产生的背景不同

现代汉语的方言现象十分复杂,方言指通行于一个地区的与标准语区别的语言。方言分歧现象有深远的历史原因和地理原因。两千多年来的中国社会,是自给自足的封建社会,直至1911年辛亥革命才结束封建的帝制。加上,中国地域广阔,山川阻隔,交通不发达,这些都是形成方言的原因。中国的方言区,可分为官话区、晋语区、吴语区、徽语区、赣语区、湘语区、粤语区、闽语区、客家话区九大方言区。

社区的划分和方言区的划分不同。社区词不是来自方言的差异,而是来自社会形态的差异。社区词是生活在这个社会区域的人都会使用的,不论这人操什么方言。比如,香港流通粤语,也有说吴方言的、闽方言的,而香港社区词并不能挂在粤方言词汇系统里,也不能算是吴方言的,或是闽方言的。香港社区词是在整个香港社会流通的。

(二)流通的地域不同

上文已经说到,方言在不同的方言区流通,方言词随之在不同的方言区流通,比如,吴方言词在吴方言区流通。社区词是在不同的社区流通,比如,台湾社区词在台湾流通。

(三)构词的语素有差异

社区词一般用通用语素构词,而方言词构词中,除了用通用语素,还用方言字书写的方言语素构词。比如,粤方言中的嘢、嘅、冇、乜、咁、喺等。正因为社区词用通用语素构词,因而可由在本社区的各方言人士共享,也才有可能进入规范词汇。

(四)社区词的流通可能快于方言词的流通

在现代社会信息发达,计算机普及,由于各社区之间的交流频繁,加上社区词的构词是大家容易理解的通用语素,因而,社区词的流通,可能比方言词的流通要多要快。比如,台湾最近选举中,常用的"泛蓝""泛绿""蓝营""绿营"等,很快在各社区流通,尽管香港并无此政治现象,但香港人都明了这些词的意思。

(五)可能产生的交叉现象

由香港社区词可能部分来源于粤方言词看,香港社区词和粤方言词就有少部分的交叉现象。这交叉的部分,仍由社会形态不同而产生。因为1949年以后,在广东流通的一些粤方言词,可能因为社会意识形态的变化,而弃之不用;但在香港这五十多年来仍然沿用。比如：花红、股东袍金、名媛、炒鱿鱼、八卦杂志、师奶杀手、阿二靓汤等。也正因如此，香港社区词和粤方言词的划界有时便有难处。

四　社区词的交流为现代汉语词汇带来的积极影响

（一）社区词丰富了现代汉语词库，社区词和文言词、方言词、外来词一起作为一般通用词的重要来源，在现代，其每年进入规范词汇的数量可能比文言词多，比外来词也不少。从商务印书馆出版的《新华新词语词典》中，可以看到一些香港社区词也收入在内。比如，"水泥森林""特首""特殊教育""跳楼价""问题少年""无厘头""物业""物业管理""智障""恒生指数""蛇头""烂尾楼""蓝筹股""垃圾股""垃圾邮件"等。当然，这些新词语还没有全部进入《现代汉语词典》，吸收和规范还要有一个过程。

（二）从历时和共时的眼光看，再预计将来，社区词都是一个客观存在的语言现象，词汇和社会永远脱离不了关系，因而社区词研究是社会语言学、应用语言学、心理语言学、汉语词汇学、词源学共同关心的课题，也是语文教学关心的课题，且是一个常新的课题。

（三）社区词的交流，无论是狭义的社区词，还是广义的社区词，借助于一日千里的现代信息科学，促进了各不同社区人们之间的沟通，增加了使用汉语的人们相互之间的了解，增加了中华民族的凝聚力。无论是语言，还是文字，都是沟通的工具。秦始皇制订和推行的"书同文"政策，两千多年来，在我们这个多方言国家起了积极的作用，有利于国家的统一。今天，将各社区流通的词语纳入现代汉语词汇的大家庭，而不是排除在外，也是一个向前看的积极做法。

五　有关社区词的评论和研讨

十年来,在一些学术研讨会上,在大学的讲堂里,在为中小学老师所作的学术讲座上,我都谈到社区词的问题,以引起大家的讨论。

最早积极响应的是新加坡的周清海教授,他给予我很大的鼓励和支持。他认为社区词是客观存在,在新加坡也有社区词,在有关的教学和测试中都应考虑到社区词。他并倡议编写华语大词典,将各社区的部分社区词也考虑收入在内,以便全球华人的交流。

陈章太教授在《二十世纪的中国语言学》(1998年6月,北京大学出版社)一书中,论及中国社会语言学的词语变异和规范的研究时,提到：

> "田小琳近年来对现代汉语词汇的特点、香港社区词尤感兴趣。她把在一定社会区域流通,反映该社会区域的社会制度和社会的政治、经济、文化背景的词语命名为社区词,并著有《香港流通的词语和社会生活》《香港词汇面面观》《现代汉语词汇的特点》《社区词》《香港词汇研究初探》等。"

于根元教授在《20世纪的中国应用语言学研究》一文(收入《世纪之交的中国应用语言学研究》,1999年12月,华语教学出版社)中,论及新词新语研究时提到：

> "田小琳多次提出'社区词'的概念,并且进行了初步的研究,对整个词汇研究会有重要的影响。"

王均教授在为拙作《现代汉语教学与研究文集》(2004年5月,香港商务印书馆)一书所写的序言里,花大量篇幅论及了社区词问题。他谈到：

"小琳则在1993年12月在香港国际语文教育研讨会上提交的论文中提出'社区词'的新概念、新名词，并把它与方言词、外来词、文言词并列，作为一般通用词的组成成分。后来她又继续在这方面不断进行深入研究，收集了多篇讨论社区词的文章，纳入她所主编的《香港中文教学和普通话教学论集》（人教社，1997）之中，就像她在汉语语法研究方面把"句群"作为大于句子、小于段落的一级语法单位或一个使用层次而进行深入研究时选编《句群和句群教学论文集》（1986）一样，这是她在汉语词汇构成与分类方面的独特贡献。"

"重要的有两点：一是发现'社区词'的独特性质，二是理论的阐述及其范围的分析界定。然后是讲规范。"

"作者说：从共时语言学的角度看，现代汉语词汇的应用分布在目前使用汉语的人群中，包括生活在中国的人，也包括生活在世界各地的华人社区的人。包括广阔的中华大陆，也包括香港和澳门特别行政区、台湾省。——怎么我们眼光就只看到大陆，而忽略了港澳台和海外各地的华人社区呢？只着眼大陆，来讲语言规范，是一种情况；放眼世界，来谈规范，当然还是要讲规范的，但是就要宽容些，多一些弹性，多一些伸缩余地吧！语言规范，本来是为了提高效率，而不是用来束缚人的表达手段的。"

"词汇是语言中最开放、最灵活、最敏感、最活跃、变化最显著的部分。词汇和社会有着密切的关系，它随着社会的发展而发展，随着社会的新陈代谢而新陈代谢。随着新事物、新概念的出现，马上就会出现新词语；随着某些事物和概念的消失，某些词语就会成为历史词语而退出通用词语的范围。它既有宏观上的规律，如构词法的特点等，又有微观上的变化，如在不同语境中的语音、语义以至修辞色彩的细微区别。从词汇和社会有密切关系这个大前提出发，来看现代汉语词汇和香港社会的关系，可以发现，它的历史、地域、文化、发展，方方面面无不折射到香港人运用的现代汉语词汇中。你能说它不属于现代汉语词汇吗？——说它是方言词？作者分析了社区词跟方言词的区别：社区词不是由于地理区域划分的不同而形成的，而是由于社会形态的不同而形成的。作者把她从香港中文报刊上收集到的千把个社区词从内容来源和构词特点两个方面分析，确实使我们看出它跟纯粹的方言词有不同之处，不必我来引述。正像作者所说：社区词是涉及现代汉语词汇学、词源学、社会语言学、应用语言学以至语文教学研究的一个很广泛的问题，是一个很值得研究的问题。"

"有关只在大陆使用的词语是否也属'社区词'，我同意作者的意见，你像'三讲、五个一工程、红头文件、软着陆……'之类的语词，既然带有明显的社会形态和历史背景色彩，很难或几乎不能在别的社区流通，不论它通行的地域大小、人口多少，从性质上说，只是大陆范围的全民共通语，说它是大陆流通的社区词，也并不贬低它的地位。大陆以外的人学习汉语，对这部分词就是要学嘛！同样，大陆以外的社区语词，普通话里没有的，也是要学，学习而后才能理解和应用。你没有可以替代它的全民共同语词嘛！"

林焘教授在为我的语言学论文集写的一篇序言中谈到：

"作者在八十年代移居香港后，就开始注意香港和内地由于社会制度不同而形成的词汇差异,经过长时间的考察研究,提出了'社区词'这样一个新概念,目前已为一些语言学家所接受。今后两岸三地以及世界各地华人的交往将日益频繁,作者所提出的'社区词'现象将会显得更加突出,对这种现象进行全面深入的剖析,很有可能为汉语词汇研究开辟一个新的园地。"

张斌教授也在为我写的语言学论文集一篇序言中谈到:

"要特别提到的是,在词汇研究方面,小琳教授提出'社区词'的概念,并从理论上和实例上加以分析,我认为这个创见是十分有意义的。今后编写词汇学,宜增加这方面的内容。"

邵敬敏教授主编的《现代汉语通论》(上海教育出版社,2001年)一书中在"第三章第四节　词汇的来源系统"中谈到社区词语的流行。将"社区词"这个概念吸收进大学现代汉语教材中。书中认为:

"社区词的特点:社区词指的是在某一社区流通,反映该社区政治、经济、文化的特有词语。所谓'社区'主要指由于不同的社会制度的背景而形成的,比如,中国内地、香港特区、澳门特区、台湾省以及海外华人社区。"

由十几位海内外学者发起建立的网上"华语桥"(http://huayuqiao.org/)也分别设立了大陆社区词、港澳社区词、新加坡社区词等网页,各地桥友业已在网上对社区词进行热烈的讨论。

关于社区词的研讨,得到前辈学者的鼓励,得到同行的响应,相信会有进一步深入研究的结果。如果能将各社区的广义社区词,选一部分编入全球华语大词典中,对于中国的对外开放,对于港澳台地区以及海外朋友,了解中国、走进中国,都会起到积极的作用。

主要参考文献

黄　翊、龙裕琛、邵朝阳　1998　《澳门：语言博物馆》，海峰出版社。
邱质朴主编　1990　《大陆和台湾词语差别词典》，南京大学出版社。
商务印书馆辞书研究中心编　2000　《应用汉语词典》，商务印书馆。
商务印书馆辞书研究中心编　2003　《新华新词语词典》，商务印书馆。
汤志祥　2001　《当代汉语词语的共时状况及其嬗变》，复旦大学出版社。
田小琳　1997　《香港中文教学和普通话教学论集》，人民教育出版社。
汪惠迪编著　1999　《新加坡特有词语词典》，新加坡联邦出版社。
魏　励、盛玉麒主编　2000　《大陆及港澳台常用词对比词典》，北京工业大学出版社。
邢　欣主编　2003　《都市语言研究新视角》，北京广播学院出版社。
张卓夫　2001　《澳门多语现象研究》，澳门写作协会出版。
朱广祁等编著　2000　《港台用语与普通话新词手册》，上海辞书出版社。
邹嘉彦、游汝杰编著　2001　《汉语与华人社会》，复旦大学出版社、香港城市大学出版社。

论华语区域特有词语

深圳大学 汤志祥

0. 导言

0.1 如果从单一语言(甚至语族)的角度来看,中国话是全球除了英语之外,分布区域最广的语言。它主要通行于中国大陆(以下简称"大陆")、台湾、香港以及新加坡等地。而全世界凡是有华人的地方中国话(不论是叫做"华语"还是"华文")都通行无阻。但是如果从使用人口的角度来看,说中国话的人口却毫无疑问地稳占全球第一位,因为说华语的人在数量上仅大陆就已经达到十三亿之巨,这样庞大的话语社团(language community)早把占第二位的"国际通用语"——英国话(英语或者英文)远远地抛在了后头。

0.2 然而饶有兴味的是中国话又是世界上唯一的一个同时具有诸多不同称谓的语言:大陆习惯称之为"汉语"或者"普通话",台湾依然称之为"国语",在香港和澳门人们传统地把它叫为"国语"或者改口叫"普通话",新加坡、马来西亚则一如既往地把它叫做"华语"。但在不少国家,它又被正式地称为"中国语",甚至简称为"中语"。不管你喜欢与否,中国话头上戴有如此多姿多彩的"帽子"(或曰"标记"),也委实让国人经常感到既困惑又无奈。然而称谓的不同也从一个侧面确实反映着中国话内部存在着差异的事实。这些差异很值得我们进行研究。为行文方便,本文以下把中国话的名称称为"华语"。

0.3 众所周知,华语内部的差异分布的特点是其明显的地域(地区)性。讲各地华语的人一般不仅能从口音上而且更能从词汇和词义的层面上被人觉察出其所代表不同区域(地区)来。这种现象就如同英语内部存在着美国英语、英国英语以及加拿大英语和澳洲英语一样。所不同的是,华语这种差异不是以国家为区分点,而是以不同的流行区域(地区)作为其分野。

0.4 囿于论题的约束,本文将不涉及华语内部的语音方面的差异,而仅仅着眼于近期不少语言研究者特别关注的词汇系统内部的差异。这类具有差异性的词语本文称之为"华语区域特有词语",或者简称为"华语区域词语"。

所谓"华语区域特有词语"实际上是指存在于华语的母体(以大陆为代表的主体性语言)与它的子体(流行于港澳台新等分体性语言)聚合而成的整个语言集团里那部分带有明显地区特征的差异性词语。

1. "华语区域特有词语"的定义、外延和分类

存在于全球整个华语内区的所谓"华语区域特有词语"(可以简称为"华语区域词语"),从总体上说,具有以下四个特征:

(1)从语源来看,它们是由某一个通行华语区域的人们根据该地区的社会特点率先创造出来的;

(2)从空间上看,它们是流行于某一个特定的区域的词语,为该地区的人们所理解并使用;

(3)从时间上看,它们涵盖了产生那些词语的特定的区域的历

时和共时的范畴;

(4)从内容来看,它们反映该地区政治、经济、科学、文化和生活方面的特有事物。

如果深入地去观察,这种"华语区域词语"的定义主要可以分为广义和狭义两类。

1.1 狭义的"华语区域特有词语"

从狭义来看,只有那些只在或者主要在某一特有的区域内流行,代表着该地区某一特有概念或者某种特定事物的词语,才叫做"华语区域特有词语"。这些词语不仅表层词形有所不同而且深层语义也很独特甚至独有。这类词语也可以看做是"特义异形异音"词语。譬如(以双个音节的词语为例):

大陆:大腕、黑哨、呼死、驴友、团购、禁摩、考级、私宰、减负、双规;

台湾:拜票、桩脚、黑金、求刑、飚车、国府、国宅、公保、情治、研拟;

香港:清吧、金禧、买旗、团契、拍丸、大圈、鸭店、差饷、笼屋、凤阁;

澳门:电兔、云古、坛野、积妹、砌砖、雀精、摆尾、度颈、吸四、踩线;

新加坡:峇峇、浆绿、必甲、卜基、扯购、大万、二司、购兴、鸠收、康联。

这类某区域(地区)词语特有的词语可以称之为"××华语特有词语",例如"大陆华语特有词语""台湾华语特有词语""香港华语特有词语""澳门华语特有词语"和"新加坡华语特有词语"。也可以简称为"大陆特有词语""台湾特有词语""香港特有词语""澳门特有词语"和"新加坡特有词语"。

1.2 广义的"华语区域特有词语"

从广义上看,除了上述那些"特义异形异音"词语外,凡是华语区内不同说法的词语都可以称之为"华语区域特有词语"。它们还包括以下两小类:

(1)"同义异形异音"词语

这是一些表层词形不一而深层所指相同的词语。即同一样事物在不同地区有不同说法。它包括:

a. 外来词语或者外来概念词语在不同地区的不同翻译。譬如 taxi,大陆叫"出租汽车",台湾叫"计程车",香港叫"的士",新加坡叫做"德士";美国现任总统 George W. Bush,大陆翻做"布什",台湾叫"布希",香港称"布殊"。"严重急性呼吸系统综合症"(Severe Acute Respiratory Syndrome,即 SARS)在不同地区分别被叫做"非典"或者"沙士",另外还有叫做"沙示""萨斯""沙斯""撒肆"等等的,不一而足。

b. 同一种事物在不同地区的叫法。譬如:大陆的"人际关系",台湾叫"人脉";大陆的"期房",香港叫"楼花";大陆的"赌博",澳门叫"博彩";大陆的"药方",新加坡叫"配药单";大陆的"外国人",马来西亚叫做"红毛人";等等。它们词义深层所指几乎是同一的事物(不包括语义色彩在内)。这些词语之间的关系可以看做是"完全同义词"。

(2)"近义异形异音"词语

这指那些词形不一而语义大致相近,但是在某些方面都不尽相等的词语。譬如:台湾的"背书",大陆相应只能叫做"签署同意";香港的"凤阁",大陆大致叫做"窑子";澳门的"监场",大陆可以翻成"现场监督";新加坡的"卫生所",大陆对应的只能是"太平间";等等。这些词语之间的关系只能是"部分同义词",即"近义词"的关系。

以上两小类词语我们认为可以明确地把它们叫做"华语异称词语"。

对这些"华语异称词语"以及"华语特有词语"并不是所有学者都加以区分的。他们甚至认为不如一律简称"大陆词""台湾词""香港词""澳门词"和"新加坡词"更为直截了当。而本人则认为细分两类词语对深入研究大有裨益。

2. "华语区域特有词语"的构成成分

由于"华语区域特有词语"的定义有广义和狭义两种,而广义的"区域词语"外延是包含了狭义的"区域词语"的,所以前者的构成也就自然地包括了后者。因此我们宜先从狭义的"华语区域特有词语"起剖析其构成成分。

2.1 狭义的"华语区域特有词语"的构成成分

从构成成分来看,狭义的"华语区域特有词语"应包含有三个小类:(1)各地华语的本土词语;(2)各地华语的特指方言词语;(3)各地华语的特用外语借词。

(1)狭义的"华语区域特有词语"之一:各地华语本土词语

从理论上说,一个特有词语的产生是当地人对本土存在着的某种特有事物或者特定的观念,以一种独特的语音外壳和文字形式固定下来的认知和认定过程。这种以新的语言"符号"所指称的事物有其"本土"的特有性。因此我们可以说:一个本土的词语具有一种代表着不同于共有语言词汇系统的"共性"的"个性"。所以狭义的"华语区域特有词语"首先应该指各地华语特有的本土词语。譬如：

大陆的本土词语："导厕"（指引外来人寻找厕所的工作）、"陪泳"（陪伴和伺候游泳的色情活动）、"双开"（对涉嫌贪污腐化的官员开除党籍和开除公职）、"婚托"（以介绍婚姻为幌子去骗钱的人）、"黑心棉"（昧着良心以次充好的劣质棉花）、"毛坯房"（未进行内部装修就上市的房屋）、"红头文件"（以红色的带有机关名称的信笺纸印刷的具有一定权威性的政府文件）等等。

台湾的本土词语："贿选"（候选人在选举中用金钱贿赂投票者以非法获得选票）、"飙车"（一些青年非法进行的摩托车赛车）、"吃案"（情治部门隐瞒罪行数字）、"眷村"（政府专为迁台人员建立的居住点）、"公道伯"（办事公道、受人敬重的人）、"放牛班"（国中里没有升学希望的学生组成的班级）、"牛肉场"（上演色情歌舞表演的场所）、"槟榔西施"（在路边以卖槟榔营生的女孩）。

香港的本土词语："赌船"（停留在公海里供人进行赌博活动的船只）、"瞥伯"（喜欢偷窥女性隐私的人）、"综援"（为无依无靠的老人、残疾人和失业者提供的经济援助）、"生果金"（政府发给老年人的每月的生活津贴）、"狗仔队"（专门跟踪社会明星以取得独家新闻素材的记者队）、"六合彩"（一种大众彩票）、"打工皇帝"（年收入最高，常常达到数千万甚至上亿港币的职员）、"官津学校"（接受政府津贴的学校）。

新加坡的本土词语："按通"（供缴付罚款的电子终端机）、"大坡"（新加坡河以南的市区）、"组屋"（政府建造的居民住宅）、"奎龙"（搭建在浅海上的捕鱼设施）、"浮脚屋"（用支架架空呈舞台状的房子）、"度岁金"（一种政府在农历岁末发给贫苦老人的慰问金)、"华裔馆"(陈列早期中国移民的文物和资料的展览馆)、"合家网络"(一种屏蔽色情网站适合全家观看的互联网)。

另外值得一提的还有在某些华语区域存在着某种特殊行业,例如香港有发达的赛马业、耍乐业,澳门有著名的博彩业。这些行业都有着特别发达的"行业词语"或者是"行业隐语"。这类词语理所当然地也应该属于华语的"本土词语"的范畴。譬如:

香港的赛马用语:"谷赛"(在快活谷进行的比赛)、"抢带"(争取带头领先)、"弗马"(状态好的马)、"晨课"(马匹早上出操)、"彩池"(显示派彩结果的显示屏)、"单Q"(取得单独一场的连赢)、"三T"(三场特定的三重彩组成的特大派彩)、"冷脚"(搭配用的冷门马)、"单头"(单一的投注)、"断缆"(所投注的马匹不能过关得胜)、"短头位"(马匹在比赛中得胜或者落败的距离)、"跑夜马"(在晚上进行的比赛)、"游水马"(善跑湿地的马)等等。

香港的麻将用语:"番子"(包括东、南、西、北、中、发、白等牌)、"雀精"(打麻将技法高超的人)、"暗杠"(自己摸入四只相同的牌)、"食糊(编者注:"糊"应为"和",此处仍依据原始材料,下同)"(得胜)、"天糊"(庄家一开牌就食糊)、"对死"(两家各有一对相同的牌但都不肯放出)、"过搭"(偷换吃牌的手法)、"摸黄"(摸清所有牌都没有人得胜)、"叫糊"(差一只牌就糊牌)、"出冲"(打出牌让别人食糊)、"大魔王"(经常自摸的人)、"清么九"(包括一筒、一索、一万、九筒、九索、九万的组合)、"做对对"(手中所持的牌全部成对)等等。

澳门的博彩用语:"丁办"(一万)、"闲家"(赌客)、"宝子"(牌九按大小排列出的十六对派)、"骰宝"(一种中式赌博方式)、"白咭"(插牌用的白色卡片)、"旺门"(热门的号码)、"爆牌"(所得牌点数超过二十一点)、"天干"(牌九中有一只天牌和八点牌组成)、"外八门"(开中的骰子其中两点相同)、"买全围"(投注于一至六的围骰)、"买两门"(投注两个号码)、"穿火龙"(正常没有作弊的骰子)等等。

以上各地华语的本土词语所指代的是当地社会特有的事物。这种反映不同社会的特征的词语有人称之为"社区词"或者是"文化词"。不难看出,这类词语不管其表层词形怎么样,如果从构词法角度去看,它们都是根据华语的构词法创造出来的。

(2)狭义的"华语区域特有词语"之二:各地华语特指方言词语

由于中国是一个方言大国,而全球华人社会都流行着多种方言,因此有的"华语区域特有词语"是以当地的通行方言指称的。我们认为,那些已经有方言书面形式的表达当地特有事物的特指词语也应该属于"区域特有词语"的范畴。譬如:

大陆特指方言词语:"倒爷"(京语:专门从事倒卖到买活动以获利的人)、"托儿"(京语:从旁引诱别人受骗去进行某种行动以从中获利的人)、"吃请"(京语:赴有求于己的人设的宴会)、"貓儿腻"(京语:隐秘的或者不可告人的事儿)、"生猛"(粤语:生机勃勃、富有朝气和活力)、焗油(粤语:一种染发和烫发的工艺)、"吃软饭"(粤语:男人不工作,靠女人生活)、"发烧友"(粤语:狂热的爱好者)等等。

台湾特指方言词语:"死当"(闽语:没有补考的科目不及格)、"阿西"(闽语:容易受骗的人)、"搬铺"(闽语:安顿移卧将死的人)、"歌仔戏"(闽语:一种民间戏曲)、"在来米"(闽语:一种稻米)、"穿帮"(沪语:露出破绽,被揭穿)、"姊妹淘"(沪语:姐妹关系)、"大荷苞"(客语:赌博时负责开宝的女人)等等。

香港特指方言词语:"赌波"(粤语:赌球)、"放水"(粤语:体育比赛中串通作弊)、"蛇头"(粤语:专门从事组织偷渡团伙的头目)、"鸭店"(粤语:专给富婆介绍男妓的公司)、"搞笑"(粤语:制造笑料)、"警花"(粤语:年轻女警或警校女学员)、"大牌档"(粤语:领有政府大型公示牌照的饮食摊儿)、"□fing[22]头丸"(粤语:一种毒品,普通话译作"摇头丸")、"包二奶"(粤语:在家外包养情妇)等等。

新加坡特指方言词语:"芭"(闽语:丛林地带或者山林)、"阿官"(闽语:女性化男人)、"财库"(闽语:一种书记员)、"茶乌"(闽语:一种外国红茶)、"大衣"(闽语:特指一种男性西服)、"豆爽"(闽语:一种绿豆腐)、"山龟"(闽语:没见过世面)、"肉骨茶"(闽语:排骨汤和功夫茶)等等。

这一类词语大多暂时没有被权威辞书确认为公认的书面(普通话)的词语。但它们已经在报刊书籍中使用着,有其书面的形式。

(3)狭义的"华语区域特有词语"之三:各地华语特指外语借词

由于所处区域(地区)的关系,各地华语,尤其是台湾和新加坡的华语中都有一些借自与当地的历史、地域和文化有关系的其他民族的具有特指义外语借词。这些词语反映的也是独特的事物。譬如:

台湾的特指外语借词主要借自日语。其中包括音译词语和形义借词两种。譬如:

a. 音译借词:妈妈桑(夜总会或妓院女领班,ままさん)、华沙卑(芥末,わさび)、甜不辣(炸虾,てんぷら)、帕青哥(一种赌博游戏,ぱちんこ)、撒西米(生鱼片,さしみ)、塌塌米(草垫,たたみ);

b. 形义借词：町(区，まち)、坪(地积单位，つぼ)、原住民(土著居民，げんじゅうみん)、金权(金钱带来的权利，きんけん)、七宝烧(一种烧酒，しっぽうやき)、人形(玩偶，にんぎょう)、玄关(房间进门处，げんかん)等等。

新加坡特指的外语借词主要借自马来亚语。譬如：阿渣(一种开胃小菜，achar)、峇峇(汉族男人和马来女人所生的男性后代，baba)、娘惹(汉族男人和马来女人所生的女性后代，nonya)、峇迪(蜡染的花布和衣服，batik)、巴冷刀(一种马来刀，parang)、卡巴亚(一种女式短上衣，kebaya)、莎丽(印度女子的传统服装/一种印度绸子，sari)、叻沙(一种小吃，laksa)、宋谷(穆斯林男性小帽，songkok)、乌达(一种小吃，otak-otak)。

2.2 广义的"华语区域特有词语"的构成成分

广义的"华语区域特有词语"除了上述部分外，还包括以下两种构成成分：(1)华语异称词语；(2)各地华语的特用的外语借词。

2.2.1 广义的"华语区域特有词语"之一：华语异称词语

正如前文所述，所谓"华语异称词语"是各地华语对同一事物或者近义事物的不同称说。这类词语包括(1)和大陆母体不同的台、港、新"华语异称词语"；(2)各地华语之间不尽相同的"华语异称词语"。

(1)和大陆母体不同的台、港、新"异称词语"

有一部分事物在台、港、新华语里用来指称的构词的词素是和大陆不太相同的。按照区域，它们分别是 a."台湾异称词语"，b."香港异称词语"和 c."新加坡异称词语"。这三小类词语现在分别举例如下：

a. "台湾异称词语"

	大陆词语	台湾词语	构词特点
1	上级	层峰	完全异素、字数相同
2	冷饮	冰品	完全异素、字数相同
3	压缩板	合成木	完全异素、字数相同
4	盲人	视障者	完全异素、字数不同
5	游客	观光客	完全异素、字数不同
6	演出合同	秀约	完全异素、字数不同
7	摆饰	摆设	部分异素、字数相同
8	打印机	列印机	部分异素、字数相同
9	保证书	切结书	部分异素、字数相同
10	人际关系	人脉	部分异素、字数不同
11	健康舞	有氧舞蹈	部分异素、字数不同
12	博士生	博士候选人	部分异素、字数不同

b. "香港异称词语"

	大陆词语	香港词语	构词特点
1	前科	案底	完全异素、字数相同
2	裁判	球证	完全异素、字数相同
3	俯卧撑	掌上压	完全异素、字数相同
4	光棍	王老五	完全异素、字数不同
5	罚款通知书	告票、牛肉干	完全异素、字数不同
6	娱乐节目主持人	唱片骑师、DJ	完全异素、字数不同
7	条例	规例	部分异素、字数相同
8	首脑	主脑	部分异素、字数相同
9	招生	收生	部分异素、字数相同
10	饮食店	食肆	部分异素、字数不同
11	溜旱冰	滚轴溜冰	部分异素、字数不同
12	大专院校	专上学院	部分异素、字数相同

c. "新加坡异称词语"

	大陆词语	新加坡词语	构词特点
1	过户	割名	完全异素、字数相同
2	英文书	红毛册	完全异素、字数相同
3	迪斯科	踢死狗	完全异素、字数相同
4	假唱	罐头歌	完全异素、字数不同
5	高发地段	黑区	完全异素、字数不同
6	孤魂野鬼	好兄弟	完全异素、字数不同
7	航天飞机	太空梭	部分异素、字数不同
8	频道	波道	部分异素、字数相同
9	超车	割车	部分异素、字数相同
10	外国人	红毛人	部分异素、字数相同
11	药方	配药单	部分异素、字数不同
12	敬老院	安老居院	部分异素、字数不同

(2)各地华语之间不尽相同的"华语异称词语"

有些词语在各个不同的华语地区说法不尽相同,反映出各地华人对同一事物的不同认知,不同的指称习惯和不同的文化。譬如:

	大陆词语	台湾词语	香港词语	新加坡词语
1	出租汽车/的士	计程车	的士	德士/计程车
2	摩托车	机车	电单车	电单车/摩托车
3	自行车	脚踏车	单车	脚车/脚踏车
4	袖珍收音机	随身听	耳筒机	耳筒机/随身听
5	电子计算器	电算器	计数机	电子计算器
6	集成电路	积体电路	IC	IC
7	农民	农人	农夫	农夫/农人
8	保姆	佣人	工人	佣人

（续表）

9	领导	主管/上司	波士	上司
10	担保书	切结书	担保书	保证书
11	出生证	出生纸	出世纸	报生纸/出生纸
12	方便面	速食面	即食面	快熟面/即食面

2.2.2 广义的"华语区域特有词语"之二：各地华语特用外语借词

华语在全世界广阔的地域分布以及各国文化交流的日益频繁使得华语和英语以及其他语言的互相影响和接触得以不断加强。这种交流和接触的必然结果之一就是华语里的外来借词不断增多。但由于各地华语与英语以及其他语言的交流层次和接触面有所不同，所以在引进外语借词方面也就自然出现了差异，从而形成了彼此之间相异的语言面貌。各地华语比较常见的特用的外语借词举例如下（以下的词例包括借词中的纯音译词、意译加音译词、音意兼译词以及英文加中文的自创词）：

（1）各地华语中特用的英语借词

大陆特用的英语借词：BP机（无线寻呼机，beeper）、伊妹儿（电子邮件，e-mail）、丁克家庭（不要孩子的双收入家庭，DINK）、闪客（一套软件，flasher）、IP卡（IP电话卡，internet protocol）、IT界（电子信息技术界，information technology）、舍宾族/烧瓶族（网上购物者，shopping）、黑客（精通电脑、通过互联网侵入别人电脑的人，hacker）、欧佩克（石油输出国组织，OPEC）、万维网（全球网络，www.）、雅飞士（西方国家的一种青年人，yuffies）。

台湾特用的英语借词：宝丽龙（聚乙烯，polythylene）、宝特瓶（塑料瓶，potable）、卜非（自助餐，buffet）、费思（面子，face）、马杀鸡(按摩,message)、马可杯(大杯子,mug)、脱口秀(清谈节目,talk show)、三温暖(桑拿浴,sauna)、雪文(肥皂,savon)、迷思(神话/荒诞的说法,myth)、秀(表演,show)、幽浮(不明飞行物,UFO)、A拷(原版,copy A)、A片(成人录像带,adult videocassette)、E性(追求完美)。

香港特用的英语借词：嘉年华(狂欢活动,carnival)、快劳(文件夹,file)、甫士(姿势,pose)、夹band(组织乐队)、book位(预定座位)、复call(回电话)、行catwalk(走台步)、CID(便衣警察)、DJ(音乐节目主持人)、做facial(做脸部美容)、ICAC(廉政公署)、NG(不行,重来)、O记(有组织罪案及三合会调查科)、PA(制作助理)、T恤(一种短袖衫)、货van(小型货车)。

新加坡特用的英语借词：爱之病(艾滋病,AIDS)、巴仙(百分点,percent)、必甲(小货车,pick-up)、卜基(非法接受赛马赌注的人,bookie)、羔丕店(咖啡店,coffee)、固打(配额,quota)、罗厘(卡车,lorry)、妙士(一种刺激阴茎勃起的尿道栓剂,muse)、NETS亭(一种多功能电子转账机,NETS kiosk)、P准证(具有专业资格的外国人工作许可证,P work passes)、司诺克(台球,snooker)、亚细安(东盟,ASIAN)。

(2)各地华语中来自其他语言的特用借词

除了英语的借词外,各地华语中还有一些很有特色的来自其他语中的借词。其中以台湾的日语借词和新加坡的马来亚语借词最有特色。

台湾特用的日语借词其中包括音译词语和形义借词两种。譬如：

a. 音译借词：欧巴桑(老太太,おばあさん)、欧吉桑(叔叔、伯伯,おじさん)、欧古桑(太太,おくさん)、阿莎力(干脆、爽快,あっさり)、撒哟娜拉(再见,さようなら)、巴克野鹿(骂语,ばかやろう);

　　b. 形义借词:便当(盒饭,べんとう)、车掌(售票员,しゃしょう)、看板(告示牌、展示牌,かんばん)、统合(统一、联合,とうごう)、艺能(文艺、演艺,げいのう)、整合(整顿、重组,せいごう)、职场(车间、工作场所,しょくば)、休业式(结业典礼,きゅうぎょうしき)等等。

　　新加坡特用的马来语借词:巴刹(市场,pasar)、多隆(求助、帮忙,tolong)、甘榜(乡村、村落,kampung)、加龙古尼(旧货收购人,karung guni)、隆帮(搭脚儿/寄居/捎带/委托,tumpang)、惹兰(街道、道路,jalan)等等。

3. "华语区域特有词语"的发展和变化

　　"华语区域特有词语"是一个处于经常性变化着的动态的词语群。作为华语词汇系统中的一个子系统,它们具有如下显著的特征:

　　(1)新质"区域特有词语"在不断地产生,旧质"区域特有词语"也在不断地被淘汰,乃至走向消亡;

　　(2)不同区域之间原来仅在单区存在的"区域特有词语"会发生相互之间的交流、碰撞和吸收,从而成为"双区"或者"三区"共用的词语;

　　(3)一部分"区域特有词语"因不断地升格,最终进入全球华语流通语词语的范畴。

　　3.1　新质"特有词语"的不断产生和旧质"特有词语"逐步消亡

语言是和社会共生、共存和共变的,"华语区域特有词语"作为某个区域的词语系统里的一部分也必然会随着那个地区社会的变化而发生变化。这种变化主要是两种形式:一是反映新事物的新质"特有词语"不断地在产生,二是反映旧有事物的旧质"特有词语"会逐渐地被淘汰,乃至消亡。这都是不争的事实。以下以"大陆特有词语"以往二十年的兴衰为例来描述这种发展变化的轨迹。

众所周知,大陆社会自20世纪80年代起了显著的变化,一个以政治、经济、科技的表层发展所带来的文化、思想、观念以及生活习俗的深层演进都呈现在世人的面前。那些点点滴滴的演变都毫无例外地反映在整个词汇系统的发展变化中。大量的新词新语新义的涌现就是一个明证。现在看来,那种反映大陆社会变化的方方面面的新词语绝大多数都属于"大陆华语特有词语"的范畴。

纵观这二十年,不少以往没有的"新词"在不断地产生,同时也有不少流行过一段时间的"新词"在逐步消失。这是一种社会对词语的自然的筛选。为说明这种变化,现在以2000年为一条分水线,对大陆的新词语——特有词语进行一个断代的动态描述。

(1) 大陆新质"特有词语"的不断产生

进入2000年,大陆特有词语大量地涌现出来。其特点是:某些义类的词语成批地出现。最突出的是健康美容类和房地产类。它们反映出大陆社会在全面走向小康的道路上人们生活方面的变化。

a. 健康美容类:

暴肥、变脸、变身、彩甲、痴肥、抽脂、除痘、除皱、唇线、丰韵、改眉、护足、换肤、减磅、减脂、健臀、降脂、紧腹、净肠、绝毛、蓝眉、靓肤、隆鼻、隆乳、美白、美肤、美甲、美体、美胸、美牙、嫩肤、排毒、排脂、漂绣、轻身、清痘、祛疤、祛斑、祛痘、祛脂、祛痣、润白、瘦臂、瘦腹、瘦脸、瘦腿、瘦腰、水疗、塑身、塑形、脱敏、推油、无脂、吸脂、洗肠、洗眉、洗牙、细腰、纤美、纤面、纤体、纤腰、香薰、消斑、消脂、修臂、绣眉、眼线、眼影、药浴、抑病、造眉、造唇、增肥、整形、织发、治痘、足摩、足浴、足饰、成人病、点绛唇、定型水、惰性脂、防晒霜、防晒油、护发素、减肥霜、健胸霜、洁面露、洁面乳、睫毛膏、睫毛液、咖啡眉、矿泥浴、美颜霜、沐浴露、清肠道、染发剂、润肤霜、森林浴、收腹霜、褪黑素、温泉浴、洗发水、洗面奶、洗手液、羊胎素、游离子、育发液、非处方药、光子嫩肤、洗浴中心

b. 房地产类

板楼、错层、动区、房市、个盘、豪装、红盘、湖景、净价、静区、楼门、绿景、名盘、明间、区位、套型、卫浴、优价、跃层、跃式、招包、主区、总价、组团、安居房、超高层、成品房、纯现楼、次卧房、出租屋、大户型、大社区、得房率、低密度、防水门、房产商、福利房、高密度、共管式、观景式、架空层、接吻楼、解困房、经济房、精装修、毛坯房、盼盼门、三拼式、实用率、双拼式、微利房、握手楼、小复式、小高层、小户型、小跃式、玄关化、跃复式、遮阳板、主题化、主卧房、装甲门、准现楼、子母门、自建房、白金住宅、超大社区、成熟小区、单体住宅、电子巡更、独院住宅、高质低价、健康住宅、康居工程、门禁系统、商务公寓、商住两用、生态住宅、十足品牌、示范小区、完整配套、园林景观、中庭公园、装修套餐、可视对讲系统

　　这两类新质"特有词语"的大量产生当然得益于这两个行业（包括广告业）的飞速发展。它们从侧面反射出进入2000年以来

这两个新兴行业兴旺发达的景象。当然大陆新词语的变化远不止这么些,但是光从这两类词语的飞速发展就可以窥探到进入21世纪后日渐富裕的大陆人民的生活正大步迈向现代化的史实。

(2)大陆旧质"特有词语"的逐步淘汰和消亡

与此同时,一些自80年代初期产生的"新词语"也随着社会的前进而走向消亡。我们不妨以《1991汉语新词语》《1992汉语新词语》《1993汉语新词语》《1994汉语新词语》四本编年体词典以及一本断代的《精选汉语新词词典》为例,考察一下它们当年所收的一些"新词语"已经被淘汰而走向消亡的情况。譬如:

窃券、洋道、义录、文罚、虚业、慧芳服、形状书、十星户、大锅债、无烟校、电红娘、行业病、托牛所、换位体验 (摘自《1991汉语新词语》)

舍徽、他费、外才、坏评、廉商、内事、态度款、电影茶座、游山会、大三产、含铁量、老年法庭、帮忙公司、两条腿凳子 (摘自《1992汉语新词语》)

奖订、公钓、民标、官心、病德、黄条、堵盲、学星、搭车药、人造节、广告药、无忧卡、生态时装、阳光投资 (摘自《1993汉语新词语》)

汽奶、犬口、公访、监销、赚心、频调、私片、电烦恼、季谈会、人情车、有色食品、娃娃教授、抬头广告、新闻早茶、婚补消费 (摘自《1994汉语新词语》)

布标、中观、市策、冷线、卧谈、甜活、二哥大、二全民、大白边、公费书、计划饭、平价生、口号农业、鞭炮夫妻、茶杯子工程 (摘自《精选汉语新词词典》)

其实台湾、香港、新加坡三地的"特有词语"也存在着类似的现象,不过没有大陆"特有词语"的变化幅度那么大,程度那么明显罢了。

3.2 "区域特有词语"之间的相互之间交流和吸收

由于世界华语圈之间的政治、经济、科技、文化和人员方面的频繁交流,一些原来仅仅是用于某一华语区的"区域特有词语"会通过相互借用而相互吸收,从而使得原来单一区域内使用的"区域特有词语"逐渐变为"双区通用"甚至"多区通用"的词语。这是语言的交流,也是文化的交流,更是社会的交流。下面分别例举并考察一些原先是单区的"特有词语"后来被别的地区吸收从而变为"双区通用"词语或者"多区通用词语"的情况。

(1) 单区"特有词语"变为"双区通用"

根据已有的资料,各个华语区域之间互相吸收的词语的情况是不太相等的。一般来说,如果某两地的经济、文化和人员等的交往多,两地之间的"区域特有词语"借用数量比较多。反之亦然。

以下为相互借用其他"区域特有词语"的事例,所例举的是相对数量比较多的地区。譬如:

a. 大陆华语吸收的台湾词

播报、残障、操控、车程、撤资、传人、打拼、打压、动因、封杀、公信力、关爱、管道、黑金、互动、贿选、绩效、考量、理念、农人、品牌、企盼、亲子、受众、双赢、诉求、锁定、台海、凸显、心路历程、延揽、研判、彰显、掌控、整合、主打、主因、资讯、族群、作秀、做爱

b. 大陆华语吸收的香港词

按揭、案底、吧台、曝光、冰毒、博彩、菜品、餐饮、担纲、档期、灯饰、对手戏、房车、非礼、封镜、高企、搞笑、个案、柜员、豪宅、贺岁、红筹股、货柜、即食、挤提、家居、警花、警讯、劲升、劲舞、拒载、开

镜、蓝筹股、联手、楼花、牛仔裤、面巾纸、纳税人、派发、皮草、抢手、抢眼、球员、人蛇、肉感、入住、赛季、赛事、赛制、色狼、煽情、上镜、蛇头、涉案、升班马、胜出、失婚、时蔬、手袋、水货、索偿、投诉、旺市、卧底、西兰花、洗钱、线报、线人、写字楼、雪藏、饮品、赢面、泳装、原装、扎啤、斩获、找赎、纸巾、自动柜员机

c. 台湾华语吸收的香港词

吧女、白金唱片、摆乌龙、标参、泊车、成数、吃软饭、抽佣、出炉、磁碟、打女、大跌眼镜、大牌、得主、跌破眼睛、赌片、恶补、发烧友、坊间、封镜、风生水起、肥嘟嘟、告白、狗仔队、光碟、光碟机、荷包、胡天胡帝、花心、火爆、货柜、货柜车、货柜船、鸡同鸭讲、金曲、金饰、接单、巨无霸、开镜、老千、离谱、六合彩、漏夜、露台、买单、拍拖、平价、旗下、抢手、抢眼、人小（细）鬼大、入围、水货、饰物、蔬果、王老五、乌鸦嘴、物超所值、洗钱、心知肚明、雪藏、眼睛吃冰激凌、一头雾水、泳装、有型有款、原汁原味、中规中矩、转行、走光

d. 香港华语吸收的台湾词

变局、变数、车程、程式、程式员、重整、初阶、传人、刺青、党魁、飞弹、封杀、副署、复康、高阶、公干、公权力、公信力、管道、归化、国父、黑箱作业、互动、华府、回应、贿选、家政、架构、教席、教宗、金权、军售、厘定、厘清、历练、列印、列印机、理念、连（联）署、遴选、灵媒、民生、默剧、牛郎、歧见、亲子、侨领、取向、上游工业、双赢、诉求、烫手山芋、提升、夕阳工业、洗脑、下游工业、心仪、异数、研判、研习、演艺、业界、因应、银弹、引领、朝阳工业、整合

e. 新加坡华语吸收的台湾词

阿兵哥、矮化、飙车、残障、车程、党鞭、共识、管道、互动、交集、凯子、泡妞、人脉、视障、双赢、诉求、随身听、锁定、提升、凸显、脱口

秀、嫌犯、修理、秀场、银发族、整合、智障、主催、状况、资深、族群、作秀

f. 新加坡华语吸收的香港词

暗疮、案底、霸王车、摆乌龙、波霸、唱片骑师、抄牌、晨运、冲凉、出炉、出位、船民、雌威、大耳窿、得直、灯饰、抵步、电单车、恶补、非礼、非女、菲佣、搞笑、个案、光碟、黑马、红豆冰、欢场、挥春、货柜、鸡同鸭讲、机位、嘉年华、降头、酒廊、垃圾虫、烂尾、妈咪、猛男、拍拖、瞥伯、骑劫、入围、色狼、杀手、师奶、食水、收银员、索偿、踢死兔、贴士、投诉、T恤、王老五、伟哥、谐星、鸭店、艳舞、银鸡、影碟、鱼生、造马、走光

以上资料告诉我们下面四点：（1）在世界华语圈的四个主要区域里，相比较而言，大陆华语在改革开放以后对台港华语词语的吸收是比较开放和宽松的，所以借用这两个区域的特有词语的数量也相对比较多；（2）新加坡华语也是如此，借用的其他地区华语词语的态度相对开放，只是它吸收香港词语比台湾多；（3）港台两地一向交流比较频繁，所以容易相互吸收对方的词语；（4）不难看出在四地"区域特有词语"中以香港词被各地吸收的数量最多。因此可以说，香港词在整个华语区相对比较活跃，辐射能力也较为强劲。

（2）单区"区域特有词语"变为"多区通用"

随着世界华语圈交流的日益频繁，原来属于单一区域的某些词语因其本身所反映的社会生活面日渐宽广而逐步提高了自身的交际能力，使用范围逐渐向其他区域延伸，慢慢地会变为"双区词语"，然后再变为"多区词语"，其中的佼佼者还最终上升为全华语区的共通词语。目前看来这些已经称得上是"华语共同词语"的词

例有：

飙车、播报、残障、操控、车程、撤资、出炉、传人、打工、打拼、打压、大跌眼睛、大牌、动因、发烧友、封杀、个案、公信力、共识、狗仔队、关爱、光碟、光碟机、黑金、互动、花心、回应、贿选、绩效、理念、买单、民生、农人、拍拖、品牌、企盼、亲子、入围、受众、双赢、水货、诉求、锁定、投诉、T恤、洗钱、心路历程、研判、研习、一头雾水、原汁原味、彰显、整合、主打、资深、资讯、走光、族群、作秀、做爱。

4. 结语

4.1 全球华语区"区域特有词语"的存在反映了世界华语文化圈除了整体性以外还有各自差异性的存在。根据20世纪末研究的成果，"华语区域特有词语"在华语整个词汇系统中所占的比例大约是百分之十。也就是说，全球华语圈内的词语有百分之九十是相同的。这也就说明了为什么说华语的人相互之间基本上没有交际的困难和很大的语言障碍。

4.2 全球华语区"区域特有词语"的发展和变化是整个华语发展变化的一个局部。推动某些"华语区域特有词语"逐步通过使用和传播，由单区走向双区和多区，最后成为华语词汇系统的一个有机组成部分的历史进程主要是整个华语圈在经济、科技、文化和人员方面的交流和交融。可以预期，随着大陆经济的日渐发展壮大，随着全球华语圈内政治、经济、科技、文化等层面的交流不断加快、加深和加厚，整个华语的整体性还会不断加强。

4.3 世界总是多样的，语言也总是存在着差异性，这是自然的、合理的和必然的。只要华语圈内的社会和文化呈现出多样化的发展趋势，那么华语区内"区域特有词语"还会继续存在并且不断产生新的词语来,永不停息,永不枯竭。

4.4 目前对华语区"区域特有词语"的动态研究实质上既是属于整个华语语言本体发展变化的整体性研究的范畴,也属于华语社会语言学的范畴。因此华语研究应该属于华语社会和华语文化研究的一部分。我们以前对世界华语和华语文化的概念不甚重视,整个研究也还处在初级阶段,所以现在该是放宽视野,放开手脚,加大投入,加大力度去发掘,去体验,去考察,去收获。

主要参考文献

陈瑞端、汤志祥 1999 《九十年代汉语词汇定地域分布的定量研究》,《语言文字应用》第 3 期。

郭 熙 2004 《普通话词汇和新马华语词汇的协调与规范问题》,载《词汇学理论与应用》(二),苏新春、苏宝荣编,商务印书馆。

刘一玲主编 1994 《1993 汉语新词语》,北京语言学院出版社。

刘一玲主编 1996 《1994 汉语新词语》,北京语言学院出版社。

莫倩仪 2000 《澳门博彩业用语研究》,暨南大学硕士学位论文(未刊)。

邱质朴主编 1990 《大陆和台湾词语差别词典》,南京大学出版社。

邵朝阳 2003 《澳门博彩语研究》,北京语言大学博士学位论文(未刊)。

汤志祥 1995 《中港台新汉语词汇差异举隅》,《徐州师范学院学报》第 1 期。

汤志祥 2001 《当代汉语词语的共时状况及其嬗变——90 年代中国大陆、香港、台湾汉语词语现状研究》,复旦大学出版社。

汤志祥 2002 《汉语新词语和对外汉语教学》,《语言教学和研究》第 2 期。

汤志祥 2003 《新词语:仿拟类推和词缀化——当代汉语词汇变化的特点和能产性探讨》,载《第七届世界华语文教学研讨会论文集》第 3 册,台北。

汤志祥 2004 《过往二十年社会变迁对词语的催生与筛选》,《中国社会语言学》第 1 期(总第 2 期),澳门。

汪惠迪编 1999 《新加坡特有词语词典》,新加坡联邦出版社。

魏 励、盛玉麒主编 2000 《大陆及港澳台常用词对比词典》,北京工业大学出版社。
于根元主编　1992　《1991汉语新词语》,北京语言学院出版社。
于根元主编　1993　《1992汉语新词语》,北京语言学院出版社。
中国社会科学院语言研究所词典编辑室　2002　《现代汉语词典》(2002年增补本),商务印书馆。
周洪波主编　1997　《精选汉语新词语词典》,四川人民出版社。
朱广祁　2000　《港台语普通话新词手册》,上海辞书出版社。

浅谈台湾词语同大陆的差异[*]

商务印书馆 余桂林

一

两岸词语的差异问题,随着海峡两岸经贸文化交流的增多而逐渐成为学者们研究的热点,不少学者都撰文讨论。我们拟以最近出版的由北京语言大学与台北中华语文研习所合编的《两岸现代汉语常用词典》(以下简称《两岸词典》)中收录的台湾词条作为考察对象,分析台湾词语同大陆的差异的表现形式及特点。

依据《两岸词典》前言介绍,该词典主要是从实用出发,所收词汇力求反映两岸的使用现状,方便两岸读者学习使用。因此,考察该词典中的台湾词条基本能分析出台湾词语同大陆差异的主要情况。据笔者初步统计,词典中收录的台湾词条共计 1365 个,其中作为台湾特有词语而立目的词条 1020 个,作为台湾特有义项的词条有 345 个。[①]进一步考察,立目词条里有 505 个词语在普通话中难以确定相应词语或没有相应词语,不便于进行比较讨论,我们不作分析。因此,我们所要探讨的就是剩下的 860 个词语,将它们同大陆普通话中相应的词语进行比较,找出它们差异的表现形式和特点。

---

[*] 本文在写作过程中吸收了苏新春、李志江二位先生的意见,在此谨致谢忱!

二

依据同普通话词语的比较情况,我们将这860个台湾词条分为三类:(一)同义异形。对于相同的所指对象,两地使用不同的词语来指称,词语之间构成同义异形关系。例如,指称"抹在头发上的油脂化妆品",大陆称"头油",台湾称"发油"。这类词语有404个。(二)同义词语结构单位不对等。大陆作为一般短语来指称或表述的事物或现象,台湾已将其简缩成一个词,两地同义词语结构单位不对等。例如,"公民投票",台湾已经缩略成"公投"了。这类词语共有111个。(三)同形异义。345个作为特有义项的词条,两地尽管都使用同一词语,但在意义上却有差异,台湾词义在大陆词义的基础上有所扩大或改变,两地词语属同形异义关系。例如,"爱人"一词,词典中列有三个义项:❶丈夫或妻子互为对方的爱人。❷指恋爱中男女的一方。❸情人。②其中义项❶为大陆特有,义项❷为两地共有,义项❸为台湾特有。

(一)同义异形。同义异形是指两地用不同的词语形式指称相同内容的构词现象。但是,相同内容的不同词语形式不是没有任何联系,而是异中有同,同中存异。主要体现在:

1. 对应词语结构相同,音节数相同,个别构词成分不同。请看表1。

表1

A组		B组		C组	
台 湾	大 陆	台 湾	大 陆	台 湾	大 陆
发油	头油	磁碟	磁盘	放利	放债
机率	概率	户长	户主	即溶	速溶

(续表)

乳酪	奶酪	乳羊	奶羊	捐血	献血
安老院	养老院	软体	软件	扫黑	打黑
护航舰	护卫舰	线民	线人	适任	胜任
速食面	方便面	打卡钟	打卡机	展售	展销
幼稚园	幼儿园	登机证	登机牌	打广告	做广告
录影机	录像机	工作天	工作日	钻漏洞	钻空子
报导文学	报告文学	人造皮	人造革	电脑排版	激光照排
花式溜冰	花样滑冰	人工智慧	人工智能	人工造雨	人工降雨
视讯会议	电视会议	生活品质	生活质量	太空漫步	太空行走
开发中国家	发展中国家	生活水准	生活水平	政治庇护	政治避难

表1中,A组两地的对应词语全为偏正结构的词语,对应词语的中心成分完全相同,修饰成分不同;B组两地的对应词语全为偏正结构的词语,对应词语的修饰成分完全相同,中心成分相异;C组两地的对应词语都是其他结构的词语,词语中都有相同的构成成分。三组中对应词语的相异成分大多数有同义或近义关系,如"花式溜冰—花样滑冰、人造皮—人造革、捐血—献血、支领—支取"中对应的"花式—花样、皮—革、捐—献、领—取",少数相异成分是从不同角度来表述的,如"速食面—方便面、打卡钟—打卡机、放利—放债、政治庇护—政治避难"中对应的"速食—方便、钟—机、利—债、庇护—避难"。

2. 对应词语结构相同,包含有相同的构成成分,但音节数不同。请看表2。

表2

A组		B组		C组	
台 湾	大 陆	台 湾	大 陆	台 湾	大 陆
快锅	高压锅	标示牌	标牌	地砖	地板砖

(续表)

陆桥	过街天桥	次级品	次品	电锅	电饭锅
交通车	班车	地主队	主队	脚架	三脚架
瑕疵品	残品	核子能	核能	脑波	脑电波
计程车	出租汽车	牛奶糖	奶糖	仪队	仪仗队
太空船	宇宙飞船	银牌奖	银奖	羽球	羽毛球
提款机	自动取款机	诊疗室	诊室	贫户	贫困户
液化瓦斯	液化气	核子武器	核武器	自由业	自由职业
无线电话机	步话机	户口名簿	户口簿	喷射机	喷气式飞机
智慧财产权	知识产权	生物时钟	生物钟	三角带	三角皮带
子母画面电视	双画面电视	主审裁判	主裁判	远距教学	远距离教学

表2中，A组两地的对应词语的相异的构成成分有一定联系但音节数不同，如"液化瓦斯—液化气"中相异的成分台湾"瓦斯"是日语借词，"气"的意思，大陆则直接用汉语成分"气"，因此A组从本质上看同第1类较为接近；B、C两组两地的对应词语是一种互为简缩关系，B组台湾用全称，大陆用简称，C组台湾用简称，大陆用全称。

3. 对应词语外在形式差异较大。请见表3。

表3

A组		B组		C组	
台湾	大陆	台湾	大陆	台湾	大陆
冰品	冷食	唛	商标	矽	硅
道地	地道	雷射	激光	呎	英尺
窃盗	盗窃	幽浮	飞碟	吋	英寸
通学	走读	冷媒	氟利昂	哩	英里
奶精	咖啡伴侣	马杀鸡	按摩	浬	海里
介面卡	接口	三温暖	桑拿浴	浔	英寻

(续表)

优酪乳	酸奶	瓦斯炉	煤气灶
电晶体	晶体管	戴奥辛	二噁英
立可白	修正液	咖啡因	咖啡碱
吸二手烟	被动吸烟	雷射碟	激光唱片
唯读记忆体	只读存储器	雷射盘	激光唱片

表3中,A组中两地的对应词语外在形式差异较大,或者结构不同（如"窃盗—盗窃"）,或者构成成分完全不同（如"介面卡—接口"）,甚至难以看出两个词语词形之间的联系（如"立可白—修正液"）;B组中对应词语的差异主要是由于对外来词语采用音译还是意译造成的,台湾倾向于用音译,大陆倾向于用意译;C组中词语差异是由新旧名称造成的,台湾使用的是大陆曾用但现在已弃用的旧名称。

4. 对应词语是同音词或近音词。请见表4。

表4

A组		B组	
台湾	大陆	台湾	大陆
阿拉	安拉	反潮	返潮
阿们	阿门	龟版	龟板
盎斯	盎司	俐落	利落
爱滋病	艾滋病	马蟥	蚂蟥
迪斯可	迪斯科	卯劲	铆劲
顶客族	丁客族	陪礼	赔礼
华尔滋	华尔兹	萤光	荧光
来福枪	来复枪	仲介	中介
沙其马	萨其马	主脚	主角

(续表)

阿伐射线	阿尔法射线	座标	坐标
安非他命	安非他明	乱烘烘	乱哄哄
格林威治	格林尼治	打恭作揖	打躬作揖

表 4 中,A 组为音译外来词,两岸在用字上有一定的差异;B 组是不同书写形式的汉语自有词语。出现不同的书写形式,这和两岸各自现有的规范标准和使用习惯是密切相关的。例如,"艾滋病"与"爱滋病",最初大陆都曾使用,后国家有关部门确定以"艾滋病"为标准词形,"爱滋病"逐渐淘汰。

上述四类同义异形关系,第 1、2、4 类中的对应词语有相同的构成因素,形式上差异较小,同义关系容易看出;第 3 类中的对应词语没有相同的构成因素,形式上差异较大,同义关系不易察觉。各类包含的词语数见表 5。

表 5

类 别	第1类	第2类	第3类	第4类	总 计
词 数	192	104	65	43	404
百分比	47.53%	25.74%	16.09%	10.64%	100%

表 5 显示,差异较小的第 1、2、4 类共有 339 个,占 83.91%;差异较大的第 3 类仅 65 个,占 16.09%。因此,就同义异形关系来说,两地主要还是使用结构相同、构成要素基本相同的对应词语。

(二)同义词语结构单位不对等。用词用语求简求新是人们的普遍心理,人们在交际中经常会使用简称和缩略词,简缩也成为汉语造词的重要方式。《两岸词典》中 111 个台湾特有词就是台湾已简缩的词而大陆未简缩,因而形成两地同义词语结构单位不对等。从音节数看,这些简缩词中有 97 个为双音节,占该类总数的

96.40%,这也反映了汉语词的双音化趋势。

从构成方面看,这些简缩词包含有多种结构类型。例如:并列式,洽询(接洽咨询)、碗盘(碗和盘子);偏正式,凶嫌(行凶的犯罪嫌疑人)、总辞(总辞职、全体辞职);补充式,调降(调整使降低);主谓式,公投(公民投票);动宾式,示爱(表示爱情)、造势(制造声势)。各种结构的词条数见表6。

表6

结构类	并列	偏正	补充	主谓	动宾	总计
词条数	31	55	1	6	18	111
百分比	27.93%	49.55%	0.90%	5.40%	16.22%	100%

从表5可以看出,简缩词语主要集中于偏正式和并列式,补充式最少。

从功能方面看,简缩词语包含有名词类、动词类及其他词类,但在111个词中,名词有52个,占46.85%,动词有58个,占52.25%,仅有"适切"一词为形容词性,可见,名词和动词是台湾特有简缩词的主要词类。

(三)同形异义。我们根据词义在两地的使用情况,将《两岸词典》中含有台湾义项的345个词语分为三种类型:

1. 词语含有两地共用义、台湾义和大陆义。例如,"分流"释义:❶部分河水从干流中分出,流入另外的河道。❷(行人、车辆等)分散到不同的道路上行走;(货物、资金等)进入不同的领域。❸依学生的意向、兴趣,以及能力,在适当年级文理分组教学。❹对所属人员分别情况予以安置。其中,❶❷为两地共用义,❸为台湾义,❹为大陆义。

2. 词语含有两地共用义和台湾义。例如,"干线"释义:❶指交通线、输电线、输油线等的主要路线(跟"支线"相对)。❷干渠。其中,❶为两地共用义，❷为台湾义。

3.词语仅有台湾义和大陆义，没有两地共用义。例如，"高工"释义：❶高级工程师的简称。❷高级工业职业学校的简称。其中，❶为大陆义，❷为台湾义。

这三种类型反映出两地词语同形异义关系的两种情况：1、2类中的词语有两地共用义，在两地属部分同形异义关系；3类中的词语没有两地共用义，在两地属完全同形异义关系。据我们统计，345个词语中属部分同形异义关系的有312个，占90.43%；属完全同形异义关系的有33个，仅占9.57%。可见，就同形异义关系来看，两地词语差异还是同为多，完全相异者极少。

此外，我们将345个词语中的台湾义与大陆词语进行对照，发现其中有77个词语的词义大陆用另外的词来表述或概括，占总数的22.32%。这77个词语与对应的大陆词语就构成同义异形关系。例如，"编纂"的释义❷"最高级的编辑职务"为台湾义，此义大陆称为"编审"，"编纂"与"编审"为同义异形关系。类似的词语还有如"飞弹、荣誉、透过、水准、大学生"，对应的大陆词语分别是"导弹、民誉、通过、水平、本科生"。

三

通过上面的分析，我们可以看出，台湾词语同大陆存在一定的差异，这种差异表现为多种形式，差异中包含有多种联系，差异的程度也不是很大。但这种差异毕竟存在，在某种程度上会给两地人们的交往造成不便，甚至会影响到汉语在世界范围内的推广。针对词语使用的现状，两地的学者及有关机构应采取适当的措施以尽可能地缩小差异。我们认为，缩小差异至少可以从以下三方面着手。

（一）两地在词语的规范和引导上应力求一致。台湾与大陆词语之间的差异，是语言变体与标准语的关系，按理变体应该向标准语靠拢。但是，由于长时间的隔离及政治原因，台湾地区在用词用语方面特别强调地区特性，延缓了与标准语融合的进程。因此，两地专家学者及有关机构应该加强沟通交流，使双方在词语的规范和引导方面达成共识，形成一个统一的标准。例如，两地现在对外来科技术语的翻译上就存在非常大的差异。同一术语，大陆可能选择音（意）译，台湾却选择意（音）译；同是音译，书写形式可能不一致，大陆选用这个字，台湾用那个字，如"艾滋病"与"爱滋病"；同是意译，选用词形（包括结构和构成语素）可能不一致，如"软件"与"软体"。所有这些，两地应该坚持一个统一的标准，形成一致的词语形式。

（二）大陆普通话应适当吸收台湾用词。语言的词汇系统具有动态的稳定性，既要保持相对稳定，也要适当吸收新成员。共同语适当吸收方言词语，是丰富共同语词汇的重要途径之一。普通话词汇系统一直都是以较为宽容的态度从各地方言中吸收新成员，丰富自己。因此，普通话也应该以同样的态度从台湾词语中接收新成员，把台湾常用词汇中的鲜活词语融合进来，使之成为普通话词汇中的正式成员。据我们统计，《两岸词典》中的1020个台湾词目词条，有102个在《现代汉语词典》（2002增补本）收录，[3]其中57个词是在新词新义部分增加的，如"采认、发烧友、残障"等。这体现了作为记录普通话词汇系统的《现代汉语词典》对这些词语的认同和接受。

（三）大陆在整理和规范普通话字形、词形时应该兼顾台湾的词语使用状况。由于长期隔离,一直以来大陆有关部门在整理和规范字形、词形时主要是考虑大陆的词语使用现状,没有顾及台湾词语的情况,可能会在无意中人为地加深两岸词语的差异。现在,信息技术飞速发展,两岸人员交流的方式和途径增多,大陆考察台湾用词用语的窗口已经开启并逐渐扩大,我们完全有条件调查台湾词语的使用现状,进而在制定相关标准时予以一并考虑,最终制定出符合两岸语言实际的灵活实用的规范。

附 注

① 《两岸词典》中把极少数以前两地共用、后来大陆不太使用而台湾仍在使用的词看作台湾特有词条,如"暴雨、交通车"等。对此,学者们可能会有不同看法,本文为了考察方便,严格按照《两岸词典》的标记来定义台湾词条。

② 本文所用释义均取自《两岸词典》。

③ 其中一部分词是因大陆现在不太使用而被看作台湾特有词条的,如"回佣、公教人员",这些词原本就是普通话中的成员,在《现代汉语词典》一直收录,并不是对台湾词语的吸收;一部分词《现代汉语词典》释义时标〈方〉,是作为方言词收录的。

主要参考文献

北京语言大学、(台北)中华语文研习所　2003　《两岸现代汉语常用词典》,北京语言大学出版社。
侯昌硕　1999　《试谈海峡两岸的同义异形词语》,《湛江师范学院学报》(哲学社会科学版)第 4 期。
吕书之　2000　《大陆汉语与港台汉语词汇差异比较》,《理论观察》第 2 期。
马相开　2002　《海峡两岸语词状况的分析与展望》,《学术研究》第 12 期。
苏金智　1994　《台港和大陆词语差异的原因、模式及其对策》,《语言文字应用》第 4 期。
苏金智　1995　《海峡两岸同形异义词研究》,《中国语文》第 2 期。

苏新春　2003　《台湾新词语及其研究特点》,《厦门大学学报》(哲学社会科学版)第 2 期。
中国社会科学院语言研究所词典编辑室　2002　《现代汉语词典》(2002 年增补本),商务印书馆。

现代汉语词典释义中的几个问题

北京大学　陆俭明

辞书是人们学习语言文字最重要的工具之一。理想的辞书是,对象明确,选词恰当,字形、字音、词形规范,释义准确、简明,举例精当,语言浅显,具有科学、准确、简明、实用的特色。而要编写这种高要求的辞书,辞书的编写者,特别是主编,不仅在语言文字方面要有较好的功底,而且还要具备严谨的科学态度和对读者高度负责的精神,此外还要有很好的文字表达能力。要编一部好的辞书真不容易啊。而且一般说来,我们很难一步就能编出一部好辞书。因此,我们对任何一部辞书,都不能求全责备,不能要求它十全十美。为了使现有的辞书更加完善,特别像《新华字典》和《现代汉语词典》这样一些精品辞书更加精益求精,下面我们试就目前所出版的辞书在释义和词性标注上所存在的问题,提出一些不成熟的意见,跟大家一起讨论。

一　应充分注意吸收已有的汉语研究成果

辞书的编写、修订,一个很重要的方面就是要注意吸取汉语学界新的研究成果,以确保辞书的高质量。《现代汉语词典》1996年修订版,在"要"条增加一个"需要"的义项:

要:❻需要:我做件上衣要多少布？|由北京到天津坐汽

　　　　　车要两个小时。
这就是吸取当时研究成果的结果。但总起来说,辞书学界在这个问题上还不是很注意。举例来说,关于"啊""也"在汉语语法学界都已有很好的研究成果。语气词"啊",胡明扬(1981)和陆俭明(1984)都以丰富的实例说明,出现在疑问句、祈使句等句尾的"啊"都还是表示一种和缓的语气。可是《现代汉语词典》《应用汉语词典》对"啊"的注释还是按原样未改,仍然是在疑问句末尾表示疑问语气,在祈使句末尾表示祈使语气,等等。关于副词"也",马真(1982)和其他一些学者的研究成果为汉语语法学界所公认,认为"也"就是表示类同。这一研究成果,《现代汉语规范词典》有所吸收,但目前多数词典的注释中,仍然说"也"可以表示并列、转折、递进等。根本没有注意吸收这些研究成果。

二　要防止将格式的意义归到包含在格式中的某个词的头上

　　"也"的注释就反映了这个问题。正如马真(1982)所指出的,其实所谓"也"表示什么并列、递进、转折等,都是"也"所在的格式表示的,而不是"也"本身表示的。关于这个问题,马真(1982)就提醒大家了;陆俭明、马真(1985)再一次指出:

　　　　在把握虚词的意义时,还要注意防止这样一点:把本来不属于某个虚词的语法意义硬加到这个虚词的身上去。我们知道,一个虚词在话语中的使用频率越高,它的用法也就越复杂,它表示的语法意义也就越不易为人们所把握。这可以说是一个普遍规律。因此,这样的虚词也就容易让人把本来不属于它的语法意义误认为是它的语法意义。这种弊病在虚词研究中是常有的。

这虽然是就虚词研究来说的,但所指出的问题有一定的普遍性。时至今日,20年过去了,这个问题似并未真正引起汉语学界的充分注意。关于这个问题,武汉大学留学生教育学院的王黎女士有专文论述,我这里就不多说了。

三　表述要尽可能的准确,更要防止出现硬伤

词典释义的表述要力求简明、准确,更不能出现文字上或内容上的错误。但目前的辞书释义中,表述不准确,文字上或内容上出现差错时有所见。例如,《现代汉语词典》从试用本到2002年版本一直以来对"馒头"的注释就有问题。请看:

  馒头:一种用发酵的面粉蒸成的食品,一般上圆而下平,没有馅儿。

面粉发酵后还能再称为面粉吗?"用发酵的面粉蒸成的食品"这说法显然欠妥。是否可以改为:面粉经过发酵后所制作蒸成的一种食品,一般上圆而下平,没有馅儿。

再看有的辞书对助词"的"的注释:

  的(de):助词。❶用在定语后。1.主要修饰名词。例:美丽的风光｜宏伟的建筑｜光荣而艰巨的任务。……(《新华字典》10版)

  的 de ❶|助|用在作定语的词或词组后面。a)表示对中心语的领属关系,对事物的性质、属性、范围等加以限定▷我的书｜镀金的首饰｜幸福的童年。b)表示对中心语加以描写▷蓝蓝的天｜愁眉苦脸的样子。……(《现代汉语规范词典》)

对于上面这样的注释,我们要问:到底是哪个词语"修饰名词"啊?是哪个词语"表示对中心语的领属关系""表示对事物的性质、属性、范围等加以限定""表示对中心语加以描写"啊?按目前这两部工具书的表述,得理解成是助词"的"。这显然不符合助词"的"的功能。这样的表述显然不正确。《现代汉语词典》对助词"的"的注释就没有那样的问题。请看:

> 的·de ❶助词,用在作定语的后面。a)定语和中心语之间是一般的修饰关系:铁的纪律|幸福的生活。b)定语和中心语之间是领属关系:我的母亲|无产阶级的党。c)……❷……《现代汉语词典》)

《现代汉语规范词典》对成语"呼之欲出"的注释,在表述上也存在错误。请看:

> 呼之欲出:形容人物画得逼真或对场景描写得生动,好像一叫就会走出来。(《现代汉语规范词典》)

这个错误比较明显——人物可以"一叫就会走出来",场景怎么能"一叫就会走出来"呢?《现代汉语词典》对"呼之欲出"的注释就很好。请看:

> 呼之欲出:指人像等画得逼真,似乎叫他一声他就会从画里走出来,泛指文学作品中人物的描写十分生动。(《现代汉语词典》)

《现代汉语规范词典》的注释显然源于《现代汉语词典》,编写者为了避免抄袭之嫌,就想改换一下,但没有改好,结果出了明显的表达错误。再如,《现代汉语规范词典》关于"蚕食"一词的注释,在表

达上也不准确,请看:

> 蚕食:像蚕吃桑叶那样逐渐侵吞。(《现代汉语规范词典》)

蚕吃桑叶是一点一点吃的,不是大口大口吞的,这跟鲸鱼进食不同,所以历来有"蚕食""鲸吞"之说。

有时,不注意释义的表述,不注意相关词条在释义上的照应,还可能造成政治性错误。《现代汉语规范词典》就存在这样的问题。请看该词典对"基本法"和"根本法"的注释:

> 基本法:即根本法▷《中华人民共和国香港特别行政区~》。(《现代汉语规范词典》)

> 根本法:即宪法。因为宪法是制定一切法律的根据。(《现代汉语规范词典》)

按该词典对"基本法"和"根本法"的注释,我国香港特区的基本法也成了宪法了。当然这是说客观效果,不是说编者就这样认为。

四 尽可能从学习者的角度多考虑考虑,应尽可能让学习者明白,更要防止误导

辞书的注释,还得注意这样一点,那就是要多从学习者的角度考虑,尽可能避免对学习者的误导,特别是针对中小学生和外国留学生所编写的辞书。这可以说是对辞书注释的高要求。譬如说"优异",这是一个书面语词,需要收入词典加以注释。但目前的词典或注释为"特别好"(《现代汉语词典》),或注释为"特别出色"(《现代汉语规范词典》)。这样注释没有错,对我们一般知识分子来说,不会产生什么负面影响。但是,这样注释对一个小学生或初

中生,对一个外国留学生来说,就有可能产生误导,他们有可能根据这样的注释造出或说出下面这样可笑的句子:

(1)*他的身体优异。

(2)*你这个办法优异。

(3)*他工作干得优异。

有一年,我应邀去北京某个中学跟语文老师座谈,在一个初一的学生作文本上看到这样一个句子:

(4)*我蹲在湖边,俯瞰着水中的游鱼。

例(4)"俯瞰"一词显然用得不合适,这里宜用"俯视"。当时我就考虑,那位学生怎么会把"俯瞰"用在这里呢?后来才发现,语文课本上对"俯瞰""俯视"的注释是这样的:

俯瞰:俯视。

俯视:从高处往下看。

而语文课本的注释就是照抄自词典。学生学了一个新词,本能地想找机会来使用它。既然"俯瞰"就是"俯视",而"俯视"是"从高处往下看",那么蹲在湖边往水里看,不也是"从高处往下看"吗?这样一想,就用了"俯瞰",他哪里知道"俯瞰"不是用在这种场合或者说语境的。可见,由于我们给词语注释时很少从学习者的角度考虑,所以有时所作的注释看来没有什么错,但最后还是起了误导学生的负面影响。

语言文字的规范,极为重要,需要积极提倡,甚至需要立法。而语言文字规范的实际推行,在很大程度上要靠高质量的字典、词典,而且最好有多种不同特色的、面向不同对象的高质量的字典、词典。《新华字典》是新中国第一部语文工具书,由魏建功先生任主编,于1953年出版;《现代汉语词典》是中国社会科学院语言研究所(先前称"中国科学院语言研究所")在 1956 年根据当时国务院的指示开始组织力量着手编写的,历时 22 年,于 1978 年出版。这两部辞书说是分别由魏建功先生和吕叔湘、丁声树先生任主编主要由语言研究所组织编写的,实际上凝结了我国老一辈语言学家的心血,因为当时语言所的同仁编出样稿后,不只在语言所全所内,而且发向全国各高校和语言学界的诸位学者专家,广泛征求意见。因此,从某种意义上来说,《现代汉语词典》可以说是我国老一辈语言学家共同的研究成果。这两部辞书在推广普通话、促进汉语规范化,特别是在字形、词形、注音、释义等方面都无形中起了指引规范方向的作用。《新华字典》和《现代汉语词典》正是以它的高质量享誉海内外。这为我国学界所公认。当然这两部辞书不能认为是十全十美的,在词条的选取上,在释义上,也还存在着这样那样的问题与不足,都需精益求精。

辞书编纂者要积极推进语言文字的规范化,但我认为不宜用"规范"二字冠名。为什么?理由很简单,因为在当今中国,"规范"二字已有特殊的含义,"规范"与国家的法连在一起,"规范"已成为一种政府行为;而一部辞书包括多方面的内容——收词(多少?哪些?),字形和词形的确定,字词的注音,字词的义项(多少?排列次序如何?),字词的具体释义,词性标注,等等。目前一部词典能做到规范的,至多也就是字形、词形和注音这三项,其他各项都没法做到规范。要知道,作为词典的灵魂则是字词的释义,"衡量一部现代汉语辞书水平的高下,除收词、注音等外,主要就看它对每个字、每个词条释义如何"。而字、词的释义则是很难加以规范的。如果字典、词典以"规范"冠名,对我们圈内人士来说,这好像是无所谓的事情,可是广大读者,特别是广大中小学的教师和学生会误以为这是政府或者说是教育部钦定的规范字典、词典,以为字典、词典里面所说的都是正确的、规范的。这样,一旦字词的释义出了差错和问题,由此造成的危害那就大了。因此,倡导规范是可以而且也是应该的,但是字典、词典如果用"规范"二字冠名,则在当今我国社会,有害无益。关于这个问题,目前汉语学界颇有争议。我只想再说一句话:大家多为读者,特别是多为青少年想想,而不要为自己的"利益"迷失了方向,丢弃了责任!

最后,提出一个与知识产权有关的、不知该怎么解决的问题。说实在的,在《新华字典》、《现代汉语词典》以后出版的语文字典、词典,基本上没有离开这两部辞书的框架。特别是《现代汉语词典》对许多词语的释义几乎已成为经典式的释义。而新编的辞书为了避免抄袭或侵权之嫌,不得不加以更改,结果造成某些词语释义上的倒退,甚至出现硬伤。举例来说,"化石"这个词,《现代汉语词典》是这样注释的:

> 化石:古代生物的遗体、遗物或遗迹埋藏在地下变成跟石头一样的东西。(《现代汉语词典》)

《现代汉语规范词典》对该词的注释明显是源于《现代汉语词典》的。为了避侵权、抄袭之嫌,《现代汉语规范词典》的编写者将注释文字改为:

> 化石:由长年埋藏在地层中的遗物、遗迹或古生物遗体变成的跟石头一样坚硬的东西。(《现代汉语规范词典》)

而这样的注释明显不妥,甚至可以说有硬伤。再如"航空",《现代汉语词典》的注释是:

　　　　航空：指飞机在空中飞行。(《现代汉语词典》)

这个注释当然从航空事业目前的发展情况看，还得修改，但没有硬伤。《现代汉语规范词典》关于"航空"的释义是明显源于《现代汉语词典》，但为了避嫌，改得让人哭笑不得，请看：

　　　　航空：在空中飞行。(《现代汉语规范词典》)

按照这个注释，鸟在空中飞行也可以称"航空"了。

　　这个问题今后该怎么处理，怎么解决？听说国外有一种做法，对于先行出版的词典里的一些无可挑剔的释义，后人编写词典时在征得原作者与出版社同意并双方履行一定的签约手续后可以照搬借用。这样做的好处是，辞书编纂在释义上有继承性，以确保辞书的高质量。希望有关部门能重视、考虑这个问题，制定相应的法规，目的是为了今后不断编写、出版各种类型的高质量的字典、词典。

主要参考文献

胡明扬　1981　《北京话的语气助词和叹词》(下)，《中国语文》第6期。

李行健主编　2004　《现代汉语规范词典》，外语教学与研究出版社、语文出版社。

陆俭明　1984　《现代汉语里的疑问语气词》，《中国语文》第5期；又见陆俭明、马真著《现代汉语虚词散论》(修订版)，语文出版社1999年。

陆俭明　1997　《希望〈现代汉语词典〉精益求精》，《语言文字应用》第2期。

陆俭明、马　真　1985　《虚词研究浅论》，载《现代汉语虚词散论》，北京大学出版社。

马　真　1982　《说"也"》，《中国语文》第4期。

新华辞书社　1953　《新华字典》，人民教育出版社。

新华辞书社　1957　《新华字典》，商务印书馆。

中国科学院语言研究所词典编辑室　1973　《现代汉语词典》(试用本)，商务印书馆。
中国社会科学院语言研究所词典编辑室　1996　《现代汉语词典》(修订版),商务印书馆。
中国社会科学院语言研究所词典编辑室　2002　《现代汉语词典》(2002年增补本),商务印书馆。

说"词典"之"典"

——兼评《新华新词语词典》

武汉大学 冯学锋

一

典,就是典范。词典,因其典范才使人们学习、效仿。供人们学习、效仿,是词典的基本功能,所以词典被称为工具书。何为典范?或者说,衡量典范的标准是什么?词典的种类繁多,应有不同的典范,不同的衡量标准。仅就一般语文词典而言,人们对其"典范"的认识也未必一致。

"科学性""规范化"等,恐怕是我们用来衡量词典优劣的使用频率最高的术语。这里的科学性和规范化,往往局限在对收词、注音、释义及例示的恰当、准确等等方面的要求。在平均每年约有1000个新词语产生的今天,人们常为"查不到"而困惑,面对词典,人们无从学习,无以仿效,这时,词典何以称"典"?

20世纪90年代以来,国内已出版不少有关新词语的词典。据统计,有50余部之多。2003年商务印书馆出版的《新华新词语词典》,对我们重新认识词典的典范性有重要的启发作用。

《新华新词语词典》"是一部语词和百科兼收的中小型语文词典,主要收录20世纪90年代以来出现或进入社会生活的新词新义新用法,也酌收部分早些时候出现但目前高频使用的新词语,共收条目约 2200 条,连同相关词语可达 4000 条。除语文词语外,尤其关注信息、财经、环保、医药、体育、军事、法律、教育、科技等领域的新词语"。[①] 所收词语贴近生活,具有很强的现实感和实用性。比如:

政治类:三个代表、政治文明、小康社会、可持续发展、西部大开发

经济类:欧元、纳税人、涨停板、跌停板、二板市场、经济全球化

信息类:漫游、蓝牙技术、数字地球、虚拟现实、视频点播、交互式电视

医学类:氧吧、亚健康、脑死亡、安乐死、变性术、干细胞、黑色食品

环保类:排污权、生物入侵、阳伞效应、代际公平、代内公平、可吸入颗粒物

体育类:黑哨、金哨、街舞、下课、雄起、德比战、世界波、升班马

法律类:大法官、代位继承、知识产权、独立董事、举证责任倒置

教育类:奥赛、雅思、博导、司考、春招、话题作文、终身教育、素质教育

军事类:天军、海警、士官、禁飞区、"9·11"事件、数字化战场

科技类:城铁、轻轨、克隆、孵化器、高科技、基因组、纳米技术、生物芯片

时尚类:哈日、韩流、舍宾、脏弹、文唇、美体、波波族、边缘

人、旗舰店

房地产类：期房、商住楼、福利房、商品房、安居房、亲水住宅、经济适用房

语词类：打拼、新锐、粉领、水吧、飘一代、量贩店、文化快餐、形象大使

这些词语既是专业的，又是人们"耳熟"却又未必"能详"的。

这部词典在编纂的运作方式、体例的设计等方面都颇具创意，诚如季羡林先生所言，"从词典的编写思路上看是一件很值得赞许的事情"。[②]

二

词典要成为"典范"，就必须反映人们的语言生活。这种反映首先必须是"如实"的。"如实"不是简单照搬或实录，是对原生态词语的动态的总体把握。这里既有对其使用范围及其频率的当下的考察，也有对其发展趋势的未来的预测。如何处理二者的关系，体现出编者对新词语的认识，并直接影响对新词语的收录。

《新华新词语词典》的编纂者的一些做法，很值得我们注意。这些做法可概括为"三个结合"。

一是科学性与人文性相结合。一方面，他们利用了相关的统计资料及数据，如中央民族语文翻译局提供的1994—2001年"两会"名词术语资料、北京大学计算语言学研究所提供的《人民日报》1998年未登录词语词表、北京语言大学计算语言学研究所提供的新词语使用频度、散布度和流通度的有关资料及数据等等；另一方面，他们又参考读者的语感和专家的意见，他们称之为"与读者互动"和"与专家互动"，即向读者征集新词语，由专家斟酌遴

选。

二是语词性与百科性相结合。该词典收集的新词语,如前所述,涉及政治、财经、信息、医学、环保、体育、法律、教育、军事、科技等热点领域,与经济生活相关的新词语占到词典总条数的一半以上。其中,财经类200条、信息类300条,这两者加起来占到词典总条数的四分之一。因此,编者强调该词典是"语词和百科兼收"。

三是现实性与前瞻性相结合。该词典不仅收录了不少百科条目,而且还收录了一些专业性很强的术语。如环保类的"代际公平"和"代内公平"。

代际公平　当代人和后代人在利用自然资源、满足自身利益、谋求生存与发展上权利均等。

代内公平　同代人在利用自然资源、满足自身利益、谋求生存与发展上权利均等。

据编者介绍,这两个词从词典编辑的角度来看,太专了,老百姓用不着,似乎可不收。但国家环保总局的专家却认为:"这两个词用不了两年,就会成为热点了。"编者也认为:"新词语的大批量涌现,实际上是在反映人们的诸多追求。你觉得这个词似曾相识,却不能清楚地说出它确切的意义,但它给明天的经济和生活指明了方向。这正是我们收集并整理新词语的意义所在。"[③]

正是这三个"相结合",保证了词典的"如实"。第一个结合,避免了计算机统计与人们语感的矛盾。新词语的产生和广泛使用,最终还是决定于使用词语的人,决定于人们的语言态度。第二个结合,不仅仅是个编纂方法或者收词原则问题,它也适应了当前词语发展的新特点。这种新特点主要体现在两个方面,一方面科学术语在新词语中所占比例越来越大,另一方面科学术语的"泛化"或"非术语化"速度越来越快。与此相适应,语文词典的"百科化"必然成为趋势。第三个结合,实际上扩大了词典的功能。它要求词典具有一定的前瞻性和预测性,这样,词典又有了引导功能,它可以促进新词语甚至是某些科学观念的普及。

三

词典要成为"典范",要反映人们的语言生活,还应该做到"如期"。"如期"是指有一定期限地及时反映,不能总是"过期"了,才去"追认"。

《新华新词语词典》的编纂者打算对该词典"滚动修订,计划以后每隔一年对词典进行一次修订,使这部词典保持常出常新的面貌"。他们认为,该词典是"当代汉语词汇的一个观察站。新词语在经过一段时间后,有的会进入基本词语,有的会完成了一个阶段的任务而潜藏。辞书工作者的任务是对这些新词语进行观察、收集、整理、研究,通过词典编撰的方式来引导和推荐"。这是值得重视的。

每个词都有其发展过程,都是一部流动的历史,词典就应该是这个历史的写照。比如,"网络"这个词,就有一个清晰的发展过程:

> 网络——网状的东西——像网状的东西,指由相互交错的许多分支组成的系统——专指某一系统,即计算机网络系统的简称——与计算机网络相关的系统,多指由特定的行业或专业建立起来的相互联系、相互配合的系统。

这是孤立地就一个词的纵向发展的观察,更为复杂的是由一个词

的发展所引起的连带反应或称横向影响。比如,由"网络"带来了"×网""网×"式词语的大量产生。仅以"网×"为例:

> 网吧、网编、网虫、网导、网德、网毒、网格、网管、网海、网婚、网祭、网键、网交、网教、网警、网剧、网卡、网恋、网聊、网龄、网录、网骂、网盲、网迷、网民、网男、网女、网农、网聘、网企、网桥、网情、网人、网生、网市、网速、网谈、网投、网校、网协、网页、网医、网议、网瘾、网友、网语、网缘、网院、网葬、网责、网站、网招、网址……

> 网博会、网络版、网络股、网络化、网络情、网络缘、网络战……

> 网络爱情、网络安全、网络安葬、网络出版、网络大学、网络导游、网络的士、网络电话、网络电脑、网络犯罪、网络购物、网络广告、网络黄页、网络会议、网络婚姻、网络伙伴、网络货币、网络家电、网络家庭、网络教育、网络经济、网络警察、网络旅游、网络乞丐、网络侵权、网络商店、网络文学、网络小姐、网络小说、网络新闻、网络学校、网络医院、网络银行、网络营销、网络游戏、网络语言、网络杂志、网络住宅、网民一族、网上冲浪、网上购物、网上婚姻、网上警察、网上聊天、网上录取、网上秘书、网上情侣、网上书店、网上银行、网上直播……

> 网络服务商、网络管理员、网络呼叫器、网络化生存、网络计算机、网络咖啡屋、网络式传销、网络寻呼机、网络综合征、网站管理员……

> 网络生存测试、网络文明工程……

这些词语的产生和发展似乎是在一夜之间完成的,绝对时间也不过三五年。新词语的发展速度之快、使用频率之高是前所未有的。

它们常常让人眼花缭乱,应接不暇。词典,要成为"典",就必须"如期"地反映人们的语言生活,不能总是慢一拍。

《新华新词语词典》编纂者打算对该词典"滚动修订,计划以后每隔一年对词典进行一次修订,使这部词典保持常出常新的面貌",正是词典"如期"反映人们语言生活的功能的体现。词典的编纂,尤其是在收词的原则上,过去比较强调其"稳定性",因此,新词语往往很难进入词典。这里有两个问题值得讨论。

其一,"稳定"总是相对的,没有绝对的稳定。上面列举的"网×"式词语,明显存在不稳定状况,如"网警、网络警察、网上警察""网聘、网招"等等,可是这些词频繁地出现在我们的语言生活中,我们没有理由对它们熟视无睹。《新华新词语词典》就同时收录了"网警、网络警察"这两个词语。

其二,一味强调"稳定",势必造成我们的词典"文献性""规范性"有余,而"现实性""引导性"不足。"规范"是词典的重要功能,理想的"规范"应该是潜移默化的"引导",而不是一纸文件的"规定"。正因为如此,词典的"规范"功能不能只是在词语完全自然"稳定"后再去发挥作用,它的规范作用应该贯穿于词语发展的整个过程。

《新华新词语词典》的编纂者希望该词典能成为"当代汉语词汇的一个观察站"。我们认为,编纂者坚持其指导思想及编辑方针,这个目的是一定能达到的。说到"观察站",如果换个角度,我们是否还需要一个有关"旧词语"的词典,或者是"观察站"呢?既可观察变"旧"了的新词语,也可观察逐步趋向消亡或成为历史词的词语,还可观察不流行了的流行词语。这无疑是具有语言学价值的,也扩大了词典的功能,让词典更"典"。

附 注

① 商务印书馆辞书研究中心《〈新华新词语词典〉前言》,商务印书馆 2003 年版。

② 季羡林《季羡林谈〈新华新词语词典〉》,光明日报 2003 年 4 月 10 日。

③ 据《新华新词语词典》主编周洪波先生在新闻发布会上介绍。

《现汉》的语法、语用释义及其对释义元语言提取的影响

厦门大学 苏新春

一 《现汉》的语法释义

《现汉》在释义中对部分词的语法属性与语法功能作了说明。这种说明放在释义前的表示整个词属于该词性,放在义项数码后面的则表示只是该义项具有这一词性。对语法功能则是融于释义的描述之中,有的甚至是根据语法功能的不同来划分义项。

《现汉》释义中标明的词类有不少:助词、象声词、量词、叹词、语气词、发语词、副词、介词、连词、代词、指示词、数词等。下面就每一类各举若干例。词类后面有两个数字,斜线前的是词条数,斜线后的是义项数。

量词,43/207:多[1]、数、把[3]、口子[1]、颗、棵、架次、和[6]、过儿、服、令、丁点儿、档子、沓、车公里、餐、编、帮子[2]、人公里、幢;顶、根、剂、泓、行、桄、轮、煎、疙瘩、杆、幅

口子[1]:量词,指人:你们家有几~?

剂:(1)药剂;制剂:针~|麻醉~。(2)指某些起化学作用或物理作用的物质:杀虫~|冷冻~。(3)量词,用于若干味药配合起来的汤药。也说服(fù)。(4)(~儿)剂子:面~儿。

象声词,164/22:咕咚、呵呵、杭育、咣当、呱呱[2]、咕噜[1]、咕隆、

咕嘟[1]、哼儿哈儿、咯吱、咯噔、格格、嘎吱、嘎嘎、嘎巴[1]、啾啾、咕唧[1]、阿嚏、唠唠嘈嘈；乒、梆、哒、呱嗒[1]、呱唧、哄、轰、霍霍、吧、朗朗、乒乓

咕咚：象声词，重东西落下或大口喝水的声音：大石头～一声掉到水里去了｜他拿起啤酒瓶，对着嘴～～地喝了几口。

乒：(1)象声词：～的一声枪响。(2)指乒乓球：～赛(乒乓球比赛)｜～坛(乒乓球界)。

副词，112/37：将要、立刻、横是、横直、忽然、胡[2]、互相、霍地、极其、极为、既而、继而、好不、渐渐、还、较比、较为、仅仅、尽量、径直；差点儿、纯粹、大半、断[2]、方才、格外、后来、霍然、极、净[1]、坐

将要：副词，表示行为或情况在不久以后发生：他～来北京。

格外：(1)副词，表示超过寻常：久别重逢，大家～亲热｜国庆节的天安门，显得～庄严而美丽。(2)额外；另外：卡车装不下，～找了一辆大车。

连词，53/21：哪怕、慢说、况且、就是[2]、加之、即使、及至、别管、何况、然而、固然、否则、反而、而且、而况、等到、但是、从而；尽管、果然、便[2]、既、不论、不然、除非、或者、可是

慢说：连词，别说：这种动物，～国内少有，全世界也不多。也作漫说。

可是：(1)连词，表示转折，前面常常有'虽然'之类表示让步的连词呼应：大家虽然很累，～都很愉快。(2)真是；实在是：她家媳妇那个贤惠，～百里挑一。

叹词，54/14：好家伙、嘻、咳、嗨、乖乖[2]、欸[4]、呃、咄咄、啊、啐、嘿、吰、哼唧、嗳、唉、哎哟、哎呀、哎；哈[1]、俞、嘘、呜呼、恶、嚯、吓、

啐、呀、嘻

　　好家伙:叹词,表示惊讶或赞叹:～,他们一夜足足走了一百里|～,你们怎么干得这么快呀!

　　呀:(1)叹词,表示惊异:～,下雪了!(2)象声词:门～的一声开了。另见1442页·ya。

助词,48/13:而已、啊、咧[3]、哩、嘞、了、唻、来着、啦、见[2]、喽、耳[2]、嘛、呃、等[3]、得[3]、的话、地、便了、呗、吧、罢了[2]、兮;伊[1]、将、云[1]、且、的[1]、得了[1]、不成、啵、夫、价、尔、猗、一[1]

　　而已:助词,罢了:如此～,岂有他哉|我只不过是随便说说～,不必过于认真。

　　伊[1]:(1)〈书〉助词(用于词语的前面):下车～始|～于胡底|～谁之力。(2)(Yī)姓。

语气词,1:哉

　　哉:〈书〉(1)语气词,表示感叹:呜呼哀～!|快～此风!(2)语气词,跟疑问词合用,表示疑问或反诘:何足道～!|如此而已,岂有他～!

代词,16/3:她、大家[2]、你、你们、人家[2]、俺、他们、她们、它、它们、我、我们、咱们、者[2]、之[2]、他;自己、此、夫

　　她:代词。(1)称自己和对方以外的某个女性。(2)称自己敬爱或珍爱的事物,如祖国、国旗等。

　　自己:(1)代词,复指前头的名词或代词(多强调不由于外力):～动手,丰衣足食|鞋我～去买吧|瓶子不会～倒下来,准是有人碰了它|这种新型客机是我国～制造的。(2)亲近的;关系密切的:～人|～弟兄。

指示代词,7/1:这样、这些、这么、这么着、这里、某、那[1];这

这么：指示代词，指示性质、状态、方式、程度等：有～回事｜大家都～说｜～好的庄稼。也作这末。注意 在口语里常常说 zè•me，以下四条同。

这：(1)指示代词，指示比较近的人或事物。A)后面跟量词或数词加量词，或直接跟名词：～本杂志｜～几匹马｜～孩子｜～地方｜～时候。B)单用：～叫什么？｜～是我们厂的新产品。注意 在口语里，'这'单用或者后面直接跟名词时，说 zhèi；'这'后面跟量词或数词加量词时，常常说 zhèi。以下〖这程子〗、〖这个〗、〖这会儿〗、〖这些〗、〖这样〗各条在口语里都常常说 zhèi。(2)这时候：他～才知道运动的好处｜我～就走。

指示词，1/2：该[3]；各、夫

该[3]：指示词，指上文说过的人或事物（多用于公文）：～地交通便利｜～生品学兼优。

各：(1)指示词。A)表示不止一个：世界～国｜～位来宾。B)表示不止一个并且彼此不同：～种原材料都备齐了｜～人回～的家。(2)副词，表示不止一人或一物同做某事或同有某种属性：左右两侧～有一门｜三种办法～有优点和缺点｜双方～执一词。

疑问代词，12/2：怎么、怎么着、怎么样、怎样、孰、什么、谁、哪样、哪[1]、多少[2]、安[2]、谁；几多、何

孰：〈书〉疑问代词。(1)谁：人非圣贤，～能无过。(2)哪个(表示选择)：～胜～负。(3)什么：是可忍，～不可忍？

何：(1)疑问代词。A)什么：～人｜～物｜～事。B)哪里：

~往|从~而来？C)为什么：吾~畏彼哉？(2)表示反问：~济于事？|~足挂齿？|谈~容易？|有~不可？(3)(Hé)姓。
人称代词,1：您

您：人称代词,你(含敬意)：老师,~早！|~二位想吃点儿什么？

介词,7/24：自从、由于、为²、对于、打³、除了、把²；望¹、赶、对、打从、朝、为、向¹、比¹、于¹、比较、跟、与²

自从：介词,表示时间的起点(指过去)：我~参加了体育锻炼,身体强健多了。

与²：(1)介词,跟：~虎谋皮|~困难作斗争。(2)连词,和：工业~农业|批评~自我批评。

数词,2/4：把³、八；幺、两¹、俩、好几

把³：加在'百、千、万'和'里、丈、顷、斤、个'等量词后头,表示数量近于这个单位数(前头不能再加数词)：个~月|百~块钱。

幺：(1)数目中的'一'叫'幺'(只能单用,不能组成合成数词,也不能带量词,旧时指色子和骨牌中的一点,现在说数字时也用来代替'1')。(2)〈方〉排行最小的：~叔|~妹。(3)〈书〉细；小：~小|~麽。(4)(yāo)姓。'幺'另见845页·ma'嘛'、'吗'；859页·me。

疑问词,2/1：奚、胡³；庸²

奚：(1)〈书〉疑问词,何。(2)(Xī)姓。

庸²：〈书〉(1)用(用于否定式)：无~细述|毋~讳言。(2)疑问词,表示反问；岂：~有济乎？|~可弃乎？

时间词,3/1：过去¹、将来、先前；一旦

过去[1]:时间词,现在以前的时期(区别于'现在、将来'):～的工作只不过像万里长征走完了第一步。

一旦:(1)一天之间(形容时间短):毁于～。(2)不确定的时间词,表示有一天。A)用于已然,表示'忽然有一天':相处三年,～离别,怎么能不想念呢? B)用于未然,表示'要是有一天':理论～为群众所掌握,就会产生巨大的物质力量。

对上列内容稍作归类,把"指示代词""指示词""疑问代词""人称代词"归入"代词",把"语气词"归入"助词",共得11类。列表如下:

词类	量	象声	副	连	叹	助	代	介	数	疑问	时间
"词"	43	164	112	53	54	49	37	7	3	2	3
"义项"	207	22	37	21	14	13	8	24	6	1	
总计:880	250	186	149	74	68	62	45	31	9	3	3

以上分析显示出这样几个特点:(一)数量最多的前三类是量词、象声词、副词。(二)揭示对象主要为"词"的有象声、副、连、叹、助、代等,主要为义项的有量、介。专用为量词的不多,只占五分之一,而"兼用"者,即某个义项为量词用法的占到五分之四,由此可窥见汉语中量词的用法是相当灵活的,派生出来的可能性最大。介词"兼用者"的比例也很高,也反映出介词为准动词,从动词派生而来的规律。(三)"兼用"的功能与本来的实词用法有密切关系,如义项为象声词的就大多是从那个"隔壁"的实词义项衍生而来。

当然,这里关于词性说明的范围限于对一般性的语文词语的范围,而不包括"语言知识"性的词语。如:

> 关联词：在语句中起关联作用的词语。如'因为…所以…'、'一方面…，另一方面…'、'总而言之'等。

就不能当做连词来看待了。

《现汉》对被释词的语法属性的说明不限于这880例，许多时候会汇融在释义之中。这类词例还有百余例，这似乎更见编纂者的语言学功力。里面既有对单独使用特点的概括，也有对搭配对象的说明；既有对构词要求的点拨，也有对成句规律的提炼。这些精彩的诠释反映出作者那高超的语言学家而非单纯的词典编纂家的素质。下面略举数例：

> 越²：叠用，表示程度随着条件的发展而发展（跟'愈…愈…'相同）：脑子～用～灵｜争论～认真，是非～清楚。注意'越来越…'表示程度随着时间发展，如：天气～来～热了。

> 削：xuē 义同'削'（xiāo），专用于合成词，如剥削、削减、削弱。另见1379页 xiāo。

> 们：用在代词或指人的名词后面，表示复数：我～｜你～｜乡亲～｜同志～。注意 名词前有数量词时，后面不加'们'，例如不说'三个孩子～'。

"越²"的释义突出了叠合套用的特点，"削"突出了只能充当构词词素的特点，"们"则强调了结合成词对象的要求。

《现汉》还标出了6个"词缀"，13个有"词缀"义项用法。下面举2个词缀例，1个义项词缀例：

> 边²：（～儿）方位词后缀：前～｜里～｜东～｜左～。

> 家²：后缀。（1）用在某些名词后面，表示属于那一类人：女人～｜孩子～｜姑娘～｜学生～。（2）〈方〉用在男人的名字或

排行后面,指他的妻:秋生~|老三~。另见653页•jie。

么:(1)后缀:这~|那~|怎~|多~。(2)歌词中的衬字:五月的花儿红呀~红似火。另见845页•ma'嘛';1460页yāo'幺'。'麼'另见894页mó。'末'另见896页mò。

通过对有关语法属性与语法功能释义内容的分析,不难看出正是这些精当的诠释,构成了《现汉》的内在素质,使之成为现代汉语语文词典的典范。这样的词典才可称得上"撰"而不是单纯的"编"。

作了词性说明的只是部分词语。实词中主要是象声词、副词、数量词、代词,对名词、动词、形容词三大词类则基本未作说明。《现汉》对名、动、形的分辨是有清醒认识的,这从义项的提取、切分、释义都能体现出来,[①]但在词性标示上则放弃了这一块。介、连、助、叹等虚词是语法属性标示的主要对象。需要看到的是,就是对这部分虚词,对它们较特殊的功能与用法,也未能做到系统标示。如:

焉:〈书〉(1)跟介词'于'加代词'是'相当~:心不在~|乐莫大~。(2)哪里;怎么(多用于反问):~有今日?|~能不去?不入虎穴,~得虎子?(3)乃;才:必知乱之所自起,~能治之。(4)语助词:有厚望~|因以为号~。

这里对义项(1)和(4)作了语法性的说明,但对(2)(3)则没有。参照其例,(2)应该标"疑问词",(3)应该标"副词"才妥。

尔:〈书〉(1)你:~曹|非~之过。(2)如此;这样:果~|不过~~|何其相似乃~。(3)那;这:~日|~时。(4)助词,而已;罢了:无他,但手熟~。(5)形容词后缀(这类形容词多用做状语):率~|卓~不群|莞~而笑。

"尔"只有(4)标为"助词",(5)标为"形容词后缀",可(1)(2)(3)没标,应标上"代词",或分别标"人称代词""代词""指示代词"才齐全。

由此可见,《现汉》所作的语法属性与语法功能的诠释工作,只能看做是"有所释",只是有重点地标示了部分典型的或作者有较深刻认识的词语。下面是一个语料抽样,也可清楚看出这一点。《同义词词林》Ba10"什么"类下收了7个词,它们在《现汉》中都有释义。

什么:疑问代词。(1)表示疑问。A)单用,问事物:这是～？|你找～？|他说～？|～叫押韵？B)用在名词前面,问人或事物:～人？|～事儿？|～颜色？|～地方？(2)虚指,表示不肯定的事物:他们仿佛在谈论～|我饿了,想吃点儿～。(3)任指。A)用在'也'或'都'前面,表示所说的范围之内没有例外:他～也不怕|只要认真学,～都能学会。B)两个'什么'前后照应,表示由前者决定后者:想～说～|～样的人说～样的话。(4)表示惊讶或不满:～！九点了,车还没有开！|这是～鞋！一只大一只小的！(5)表示责难:你笑～？(不应该笑)|你说呀！装～哑巴？(不必装哑巴)(6)表示不同意对方说的某一句话:～晒一天？晒三天也晒不干。(7)用在几个并列成分前面,表示列举不尽:～送个信儿啊,跑个腿儿啊,他都干得了。

甚^2:〈方〉什么①②③:～事？|有～说～|那有～要紧？另见1122页 shén '什'。

啥:〈方〉什么:有～说～|到～地方去？

哪:疑问代词。A)后面跟量词或数词加量词,表示要求在几个人或事物中确定一个:我们这里有两位张师傅,您要见的是～位?｜这些诗里头～两首是你写的? B)单用,跟'什么'相同,常和'什么'交互着用:什么叫吃亏,～叫上算,全都谈不到。注意'哪'后面跟量词或数词加量词的时候,在口语里常常说 něi 或 nǎi,单用的'哪'在口语里只说 nǎ。以下〖哪个〗①、〖哪会儿〗、〖哪门子〗、〖哪些〗、〖哪样〗各条在口语里都常常说 něi-或 nǎi-。

何:(1)疑问代词。A)什么:～人｜～物｜～事。B)哪里:～往｜从～而来? C)为什么:吾～畏彼哉?(2)表示反问:～济于事?｜～足挂齿。｜谈～容易?｜有～不可?(3)(Hé)姓。

啥子:〈方〉什么;什么东西。

哪门子:〈方〉什么,用于反问的语气,表示没有来由:好好儿的,你哭～?｜你们说的是～事呀!

这里用了语法属性标示的只有"什么""何""哪"三词。"甚"采用了同义词对释法来释义,释词"什么"那已有了说明,从宽计"甚"也可算是作了说明。另三条未作标示,正巧它们都是方言词,是不是因为这个缘故呢?否,已作了语法属性标示的 880 条中属方言词的有数十条,如:

敢情:〈方〉副词。(1)表示发现原来没有发现的情况:哟!～夜里下了大雪啦。(2)表示情理明显,不必怀疑:办个托儿所吗? 那～好!

不怕:〈方〉连词,用法跟'哪怕'相同:～天气再冷,他也要用冷水洗脸。

过儿:〈方〉量词,遍:这衣服洗了三～了｜我把书温了好几～。

忒儿:〈方〉象声词,形容鸟急促地振动翅膀的声音:麻雀～一声就飞了。

可见,《现汉》对什么样的词语标示,什么样的词语不标示,是缺乏严格筛选标准的。

了解《现汉》有关语法属性和语法功能的释义对释义元语言是有必要的。既然有了这种标示,就一定会在词典中大量出现相应的专用释义术语,甚至还会表现出相对应的固定的释义格式。如186例"象声词"使用了以下三种释义格式:

咕噜[1]:象声词,水流动或东西滚动的声音:他端起一杯水～～一口就喝完了|石头～～滚下去了。也说咕噜噜。

嘎嘎:象声词,形容鸭子、大雁等叫的声音。也作呷呷。另见400页 gá·ga。

咯吱:象声词:扁担压得～～地直响。

第一种是直接说明是某某的声音,第二种是说明"形容"某某的声音,第三种是不加任何说明,而是直接引述例句,三者之间的量为115∶29∶42。有了这样认识,再来完整地描绘《现汉》关于象声词的释义规律与特点就水到渠成了。

二 《现汉》的语用释义

诠释对象词语在使用上的风格特征,也是《现汉》释义的一个重要组成部分。它使用了哪些有关语用的释义方式,揭示了哪些语用意义,这些语用意义与利用其他手段揭示的词语风格义有何关系?下面对这三个问题作些探讨。

(一)语用义的释义格式

《现汉》有关语用义的释义格式主要有以下三种。

1. "敬辞""谦辞""婉辞"

在释义的一开头就直接标出它们语用义的,只有"敬辞""谦辞""婉辞"三个。如是义项有该义,则放在义项数的后面,义项释义的前面。这是《现汉》有关语用释义中最郑重、最明确的释义格式。另还有两种稍变通的方式,或出现在括注中,或用"敬称""谦称"类的称谓。请看下面,斜线分开的三个数字分别代表三种类型的数量:

"敬辞",87/51/7:高足、奉劝、奉送、奉托、奉赠、府上、俯念、俯允、斧正、贵子、高就、奉告、阁下、恭候、光顾、光临;宝地、法书、拜、高龄、高、俯就、俯察、奉迎、大庆、大驾、笔削、宝着、海量、仰承、雅意、千秋、尊亲;足下、您、用、雅教、相公、贤契、脱帽、恁、仁弟、老伯。

　　高足:敬辞,称呼别人的学生。

　　宝地:(1)指地势优越或物资丰富的地方。(2)敬辞,称对方所在的地方:借贵方一块~暂住几天。

　　足下:对朋友的敬称(多用于书信)。

"谦辞",37/18/43:刍议、寒舍、过誉、过奖、瞽言、菲酌、菲仪、鄙意、错爱、家母、痴长、承欢、承乏、厕身、不敢当;老朽、鄙、鄙薄、鄙人、敝、刍、刍荛、敢[1]、贱、辱、拙;顽健、老儿、马齿徒增、侫、蒲柳、薄礼、芹献、绠短汲深、舍间、舍亲、后学、水酒、千虑一得、斗胆、献芹。

　　刍议:〈书〉谦辞,指自己的议论。

　　老朽:(1)衰老陈腐:昏庸~|~无能。(2)谦辞,老年人自称。

　　顽健:〈书〉谦称自己身体强健。

佞：(1)惯于用花言巧语谄媚人：谄～｜奸～｜～人｜～臣。(2)〈书〉有才智：不～(谦称自己)。

"婉辞"，20/19/1：欠安、出虚恭、挡驾、富态、告便、归天、归西、见背、长眠、弃养、作古、清减、清瘦、试想；例假、不在、潮信、打搅、打扰、方便、更衣、过去[2]、不讳、老实、月例、千古、去[1]、上山、寿、同房[1]；走

欠安：婉辞，称人生病。

例假：(1)依据规定放的假，如元旦、春节、五一、国庆等。(2)婉辞，指月经或月经期。

走：(1)人或鸟兽的脚交互向前移动：行～｜～路｜孩子会～了｜马不～了。(2)跑：奔～相告。(3)(车、船等)运行；移动；挪动：钟不～了｜这条船一个钟头能～三十里｜你这步棋～坏了。(4)离开；去：车刚～｜我明天要～了｜请你～一趟吧｜把土抬～。(5)指人死(婉辞)：她还这么年轻就～了。(6)(亲友之间)来往：～娘家｜～亲戚｜他们两家～得很近。(7)通过；由：咱们～这个门出去吧。(8)漏出；泄漏：～气｜～风｜说～了嘴。(9)改变或失去原样：～样｜～调儿｜茶叶～味了｜你把原意讲～了。

以上分布情况表格显示如下：

	敬辞	谦辞	婉辞
词	87	37	20
义项	51	18	19
其他	7	43	1
总计：283	145	98	40

通过以上分析可以看到这样几个特点：1)从被释词来看，一般来说用敬辞的是指称对方或与对方有关的人与事，用谦辞的是指自己或与自己有关的人和事，用婉辞的是指不好、不吉或不雅的事。2)专用的语用词多，只属某个义项的兼用词较少。3)在表"敬""谦""婉"三种基本语用风格时，典型的表示方法是"敬辞""谦辞""婉辞"，其他两种有变通的说法比较少。像"敬辞"类用"敬称""含敬意""含恭敬意""含尊敬意"等的是 7 例，"谦辞"类稍多，"婉辞"则只有 1 例。像这样表义作用一样，而表意轻重有别、措辞不尽相同的释义语言，在元语言研究那里，是完全可以得到调整以使之统一、规范而简约的。

2. 括注中的"义"与"意"的使用

"某某辞"类的说明，是直接的定性，明确且刚性十足。《现汉》还广泛使用了一种更为常见、灵活的语用义的表达方法，这就是在括号里来揭示语用义。

1)"（某义）"的使用

在括注释义中，用"（某义）"来说明语用义的有 183 例，其中 181 例表的是"贬义"，表其他义的只有 2 例，可谓是清一色。如：

纠集：纠合（含贬义）。也作鸠集。（73 例）

猎奇：搜寻奇异的事情（多含贬义）。（71 例）

上蹿下跳：(1)（动物）到处蹿蹦：小松鼠～，寻找食物。(2)比喻人到处活动（贬义）：～，煽风点火。（20 例）

居心：怀着某种念头（多用于贬义）：～不善｜是何～？（10 例）

论调：议论的倾向；意见（常含贬义）：悲观的～｜这种～貌似公允，很容易迷惑人。（2 例）

拉交情:拉拢感情;攀交情(多指贬义)。(2例)

　　活宝:指可笑的人或滑稽的人(一般含贬义)。(1例)

　　官场:指官吏阶层及其活动范围(贬义,强调其中的虚伪、欺诈、逢迎、倾轧等特点)。(1例)

　　蹲膘:(～儿)多吃好的食物而少活动,以致肥胖(多指牲畜,用于人时带贬义):催肥～。(1例)

在以上9种"贬义"表示法中,"蹲膘"例算是有些例外,因为在括注里加进了补充释义,说明它的使用语境会有不同。其他的8种其实只有两类,只是表现为程度的差异。一是"(含贬义)",一是"(多含贬义)"。对表贬义作出"清一色"的处理是一个值得借鉴的做法。

　　用"(含某义)"格式而表示的不属贬义的其他2例是:

　　无与伦比:没有能比得上的(多含褒义)。

　　花里胡哨:(～的)(1)形容颜色过分鲜艳繁杂(含厌恶义):穿得～的。(2)比喻浮华,不实在。

与181例相比,这2例显得特别的少,特别的醒眼。这是有道理的,因为全书中几乎没有用它来显示"褒义"的。全书的释义语言中共用了11个"褒"字,属于语用义说明的唯此一处。对"厌恶义"全书用的是另外一种格式,详见下文。

　　2)"(某意)"的使用

　　与"(某义)"相对的是"(某意)"的标示法。先看例子:

　　报屁股:指报纸版面上的最后的位置(含诙谐意):～文章。(36例)

　　胆小鬼:胆量小的人(含讥讽意)。(25例)

　　哭天抹泪:哭哭啼啼的样子(含厌恶意)。(22例)

不以为然：不认为是对的，表示不同意（多含轻视意）：～地一笑｜他嘴上虽然没有说不对，心里却～。（17例）

您：人称代词，你（含敬意）：老师，～早！｜～二位想吃点儿什么？（5例）

小家伙：（～儿）对小孩子的称呼（含亲昵意）。（3例）

老头儿：年老的男子（含亲热意）。（3例）

战鹰：指作战的飞机（含喜爱意）：只见四只～直冲云霄。（3例）

滚：（1）滚动；翻转：荷叶上～着亮晶晶的水珠｜那骡子就地打了个～儿又站起来。（2）走开；离开（含斥责意）：～开｜你给我～！（3）（液体）翻腾，特指受热沸腾：锅里水～了。（4）使滚动；使在滚动中沾上（东西）：～元宵｜～雪球◇利～利。（5）缝纫方法，同'绲'③。（6）（Gǔn）姓。（2例）

功败垂成：快要成功的时候遭到失败（含惋惜意）。（2例）

狗吃屎：身体向前跌倒的姿势（含嘲笑意）：摔了个～。（2例）

乜斜：（1）眼睛略眯而斜着看（多表示瞧不起或不满意）：他～着眼睛，眼角挂着讥诮的笑意。（2）眼睛因困倦眯成一条缝：～的睡眼。（2例）

可怜虫：比喻可怜的人（含鄙视意）。（1例）

兴师动众：发动很多人做某件事（多含不值得意）。（1例）

所谓：（1）所说的：～共识，就是指共同的认识。（2）（某些人）所说的（含不承认意）：难道这就是～代表作？（1例）

生米煮成熟饭:比喻事情已经做成,不能再改变(多含无可奈何之意)。(1例)

热和:(1)热(多表示满意):锅里的粥还挺~。(2)亲热:同志们一见面就这么~。(1例)

青天白日:白天(含强调意):~的,竟敢拦路抢劫。(1例)

且慢:暂慢着(含阻止意):~,听我把话说完。(1例)

难得:(1)不容易得到或办到(有可贵意):人才~|灵芝是非常~的药草|他在一年之内两次打破世界纪录,这是十分~的。(2)表示不常常(发生):这样大的雨是很~遇到的。(1例)

某:指示代词。(1)指一定的人或事物(知道名称而不说出):张~|解放军~部。(2)指不定的人或事物:~人|~地~数|~种线索。(3)用来代替自己或自己的名字,如'某,张飞是也。'又如姓张的自称'张某'或'张某人'。(4)用来代替别人的名字(常含不客气意):请转告刘~,做事不要太过分。‖ 注意 有时叠用,如:~~人|~~学校。(1例)

劳师动众:原指出动大批军队,现多指动用大批人力(含小题大作之意)。(1例)

活该:(1)表示应该这样,一点也不委屈(有不值得怜惜的意思):~如此。(2)〈方〉应该;该当(含命中注定意):我~有救,碰上个好医生。(1例)

哼儿哈儿:象声词,形容鼻子和嘴发出的声音(多表示不在意):他总是~的,问他也没用。(1例)

称愿:满足愿望(多指对所恨的人遭遇不幸而感觉快意)。

(1例)

老娘[1]:(1)老母亲。(2)〈方〉已婚中年或老年妇女的自称(含自负意)。(1例)

走水[1]:(1)漏水:房顶～了。(2)流水:渠道～通畅。(3)指失火(含避讳意):仓库～。(1例)

膘:(～儿)肥肉(用于牲畜,用于人时带贬义或戏谑意):长～|跌～(变瘦)|这块肉～厚。(2例)

以上一共139例,分28类。包含语例最多的前四类是"诙谐意""讥讽意""厌恶意""轻蔑意"。其他的每类只有1～2例。

语用意	诙谐意	讥讽意	厌恶意	轻蔑意	其他意
词例	36	25	22	27	39
百分比	25.9%	18.0%	15.8%	12.2%	28.1%

之所以如此不厌其烦地穷尽其类,就是希望展示,在词典的释义中语用的诠释是多么复杂的工作。被释词是那样的千差万别,语用义的内涵是那样的丰富多样,希冀于用统一而规范的表达方式来予以诠释会是多么的困难。但作为词典来说,它不是研究著作,它面向的是社会大众,面向的是一般社会公众使用者,微言大义是进而求之的事,进行基本的释义定位是最根本的要求。也只有这样,才能使释义保持规范,才能避免因编者之不同,感悟之不同而导致释义的千差万别。对释义元语言研究来说,寻求其"大同",舍弃其"微别",应是其最基本也是最重要的原则。因此,在释义元语言的分析与提取工作中,对此现象是不可淡然视之的。

把"某义"与"某意"来对比,可以清楚地看到它们之间有着明显的分野:前者功能单一,后者功能多样。但它们的这些不同释义功能是否与"义"与"意"两个字的本来含义有联系,似乎还难以看出。可以初步断定的是,这只是词典诠释者的选择与规定。抑或有把"义"作为一种统称的上位概念来提出,而将具体的、有着细微差异的各种情感用"某意"这一格式来分门别类,还不得而知。如果是这样的话,"意"中的许多小类其实是可以归入"贬义"之中的。或是编纂者还没有想到这些,只是把"贬义"这最多的一类用"义"来表示,其他的则统统用"意"来概而分之。

3."客套话"

"客套话"是另一类重要的语用义。全书标以"客套话"的有76例。典型的做法是标在释义的最前面,如:

赏光:客套话,用于请对方接受自己的邀请。

屈尊:客套话,降低身份俯就:～求教。

劳神:(1)耗费精神(有时用做请托的客套话):你身体不好,不要多～。(2)客套话,用于请人办事:～代为照顾一下。

这样的有53例。其他变通些放在括注里来显示的有23例,如:

教正:〈书〉指教改正(把自己的作品送给人看时用的客套话):送上拙著一册,敬希～。

小意思:(1)微薄的心意(款待宾客或赠送礼物时的客气话):这是我的一点儿～,送给你做个纪念。(2)指微不足道,算不了什么:这点儿故障,～,一会儿就修好。

属"客套话"的词例主要是用于对话时的词语,如:发福、偏劳、留步、劳驾、久仰、久违、见谅、回见、包涵、高抬贵手、赏脸、多谢、动问、存正、承情;受累[2]、见教、纳福、挂齿、愧领、费心、费神等。

4."某话"

在括注中用"某话"来说明的有49条。其中指"骂人的话"的有 43 条:蠢材、笨蛋、狗腿子、狗屁、狗胆包天、废物²、放屁、乏货、断子绝孙、滚蛋、蠢货、号丧²、畜生、赤佬、吃枪子、吃货、扯臊、操蛋、屌头、婊、村话、狂吠、崽子、下贱、鼠辈、喷粪、孬种、谬种、冒、狗仗人势、懒虫、酒鬼、货、混账、浑蛋、坏蛋、狐狸精、糊涂虫、懒骨头、诈尸、倒头、贱货、王八。如:

　　蠢材:笨家伙(骂人的话)。

　　笨蛋:蠢人(骂人的话)。

标明属"骂人的话"的大都是指称对方,或是对方自身,或是对方的言论行为,强烈表达了对这些人、事、物的厌恶情感。

另外 6 条是:咬字眼儿、万岁、万寿无疆、破钞、流言、火头军。如:

　　万寿无疆:永远生存(祝寿的话)。

　　破钞:为请客、送礼、资助、捐献等而破费钱(大多在感谢别人因为自己而花钱时用做客气话)。

　　火头军:近代小说戏曲中称军队中的炊事员(现代用做戏谑的话)。

(二)语用含意的类型

《现汉》对语用义使用了多种表达形式,或是用描述的语言加以说明,或是用术语来定性。现在可以来归纳一下这些词语及语用义的范围与类型。

首先是它们都属于语言使用中交际性最强的词语,是语言交际表达的"短兵器",直接用来指称交际中的或对方,或己方,或他方。这些称谓性极强的词语,也正是一种语言中最富于"人文性""情感性"的词语,词典对此加以专门的诠释,是很有必要的。它的使用,对规范语言的使用,提高语言的使用水平,有着很好的指导作用。

其次,对这些情感再作些细分,就会发现这些词语大都走了两个极端。一端是尊对方,一端是抑己方,形成了鲜明的两峙。对对方有尊有敬,也有恨有贬,对自己却只有谦、有让、有责、有抑,却罕有自吹自扬、自得自喜的标示。这样它们又不是对称的了。从整个情感分布来看,重贬轻褒,重抑轻扬,乃是语用意义标示的一个基本格局。这也可反映出词典编纂者的用心。在客观、中性地反映词语意义的同时,对那些有着特定语用意义,特别是有着不良情感的词语,给予了特别的关心,在释义上予以了专门的标示。这也告诉我们,在释义元语言的研究中,必须要对语用意义有一个通盘的考虑。在做出敬与谦,褒与贬的基本分界后,其他的语用义如何纳入词典标注的范围,建立怎样的分类范畴,细分到何种程度,都是值得分外小心来处理的事情。

(三)语用释义与其他标注的关系

在谈语用义的标示与其他类标法的关系时,划分清楚语用义与词的概念义之间的关系是第一步要做的事情。语用义是词的附加义,是色彩义,它依托在概念义上,也只有依托在概念义上才能生存,概念义、理性义是词义的实体部分,它对词义来说是不可或缺的。对这部分词义的训释也就成为释义过程中最主要的内容。而语用义对词义的诠释来说,则属于"锦上添花",缺了它会不完美,会有缺憾,但不会影响词义的成立。如"嘲笑:用言辞笑话对方","嘲"看上去与语用义"讥讽"的标注很接近,但它是词义,没有它的存在,释义就不完整。又如:

"回:(1)曲折环绕:～旋│巡～│迂～│～形针│峰～路转。

(2)从别处到原来的地方;还:～家│～乡│送～原处。(3)掉

转:～头|～过身来。(4)答复;回报:～信|～敬。(5)回票。(6)谢绝(邀请);退掉(预定的酒席等);辞去(伙计、佣工)。(7)量词,指事情、动作的次数:来了一～|听过两～|那是另一～事。(8)量词,说书的一个段落,章回小说的一章:一百二十～抄本《红楼梦》。"

"(6)谢绝"带有褒义,把它与"辞掉(邀请)""退回(邀请)""拒绝(邀请)"对比可以看得很清楚,但这种褒义是融入词义之中。又如像下面括注中的内容也是属于词义而非语用义。

老迈:年老(常含衰老意)。——对词义内容的补充

伊于胡底:〈书〉到什么地步为止(对不好的现象表示感叹)。——对词义对象的说明

流言:没有根据的话(多指背后议论、诬蔑或挑拨的话):～飞语|～惑众|散布～。——对词义内容的细分

喁喁[2]:〈书〉(1)随声附和。(2)形容说话的声音(多用于小声说话):～私语。——对词义内容的细分

领受:接受(多指接受好意):～任务|这些礼物,我不能～|他怀着激动的心情～了同志们的慰问。——对词义对象的说明

这就像前面说过《现汉》有词类的标注,但对"关联词"这个词所进行的释义却不能归入词类标注一样。

语用义与其他标注要加以区分的还有许多,这里主要谈谈与"〈书〉"的区分。语用义指的是词在语言使用、感情表达、语言环境上所体现出来的独特含义,主要是情感义,表现在好恶、爱恨、褒贬、庄谐、尊卑等方面,它会对词语的使用范围与效果产生明显的影响。而"〈书〉"则主要指的是它使用的语体环境应该是书面语的

正式交际场合，随之而来的表意效果主要在庄谐、雅俗、严随，对表达效果会有影响，而得体与否是其追求的主要目标。由于二者各有自己的领地，各有自己的内涵，当需要时可同时出现仍属自然之举。如标"贬"的既有"〈书〉"也有"〈方〉"的。在：

私图：〈书〉个人的图谋；企图（含贬义）。

耳报神：〈方〉比喻暗中报告消息的人（含贬义）。

但由于不同的标注中仍存在着相贯通的地方，故仍存在着某种同步性。如标"贬"的181例中，属"〈书〉"的只有9例，属"〈方〉"的有15例；而标"敬辞"和"尊意"的142例中，属"〈书〉"的有25例，属"〈方〉"的无一例。

三　对释义元语言提取的影响

《现汉》对词语的语法特点和语用特点所作的释义，尽管这种释义普遍而不充分，却会对释义元语言的提取产生一定的影响。概括说来，其影响有这样几方面：

1. 根据语法属性与语法功能来释义，使释义具有细致化、清晰化的特点。

2. 更好地显示释义语言的特点，即中性、通用性、语文性。

3. 在释义语言群中增加有关语法释义与语用释义的专用性释义词语。

附　注

① 这方面的内容可详见拙稿《同形词与"词"的意义范围——析〈现代汉语词典〉的同形词词目》，刊《辞书研究》，2000年第5期。

注：本研究为"汉语释义元语言研究"的一部分，据博士论文《汉语释义元语言研究》第三章2—3节改写。该研究得到"教育部人文社会科学研究2003年度（博士点基金）项目"（03JB740006）资助。

影响同形同音词与多义词区分的深层原因

北京语言大学　张　博

一　《现代汉语词典》同形同音词与多义词区分的基本情况

在不同语言的研究中,如何区分同形同音词和多义词都是引起诸多讨论的问题。上个世纪 50 年代,我国语言学界开始普遍关注这个问题,其表现之一是,1958 年中国科学院语言研究所词典编辑室编制的《〈现代汉语词典〉凡例和样稿》(以下简称《样稿》)已拟定通过条目的安排对同形同音词和多义词作出不同的处理。《现代汉语词典》(以下简称《现汉》)是第一部将同形同音词分立条目的汉语词典。它知难而进,不再沿袭以词形为纲的编纂体例,力求"以'词'为纲,从根本上打破了旧词典的格局,创立了一套科学的、符合语文性词典特定内容与要求的新体例"。(赵克勤,1996)

《现汉》同形同音词分立条目一方面是在有关理论探讨的促动下产生的积极的实践性成果,另一方面,实践中面临的各种疑难和处理上的不尽完善之处又反过来促进了同形同音词与多义词关系的理论研究。在《现汉》面世以来的三十年间,多有学者结合其同形同音词分立条目的得失,或对同形同音词与多义词不同的意义关系细加辨析,或对某些条目的分合提出疑义,或对区分同形同音词与多义词的方法进行总结提炼。这些探讨无疑都是很有意义的。但是,综观目前的有关研究,尚有两点不足,一是侧重检讨已分立的同形同音词是否妥当,不太注意多义词的处理有无问题;二是侧重对个别词目分合的微观考订,而缺乏从总体上对分合失误的规律及原因的分析。为弥补这些不足,本文以96版《现汉》为考察范围,对同形同音词与多义词进行双向对比观察,结果发现,《现汉》绝大多数同形同音词的分立是合理的,少量不尽合理的条目既有当分立为同形同音词而误为多义词的,也有当处理为多义词而分立为同形同音词的;而且,这两类失误往往表现出一定的倾向性或与某些特定类别的词语相关。因此,不能把《现汉》同形同音词分立方面的问题简单地归因于审订不精或宽严无度,而应透过具有普遍性的条目处理倾向,找出影响同形同音词判定的深层原因。只有这样,才能有针对性地讨论和确定同形同音词分立条目的细则,为《现汉》的修订和其他语文性词典的编纂提供可资参考的依据。

据本文的初步分析,影响《现汉》同形同音词与多义词区分的主要原因有两个:

1)同形同音词与多义词的区分没有始终坚持编纂者从理论上确立的分合标准。《样稿》规定:(引文中的着重号为笔者所加)

没有形和音的分歧,但所含多项意义中有彼此不相联系的情况,就把这一条分成几条(在字的右肩上加1、2……为记),每条包含一个意义或互有联系的几个意义。

1996年版《现代汉语词典·凡例》(以下简称《凡例》)规定:

关于单字条目。……形同音同而在意义上需要分别处理的,也分立条目。

关于多字条目。……形同音同,但在意义上需要分别处理的,也分立条目。

不难看出,编纂者一直以来强调的划分标准实质上是意义标准。

多义词与同形同音词的本质区别就在于意义上是否有联系,因此,以意义为标准是完全正确的。但是,《现汉》在对具体条目进行处理时,往往于意义标准之外还兼顾一些其他因素,比如,一个词的几个义项是否属于同一语法类别,在某个意义上是否有旧读,注音方式如何,义项是多还是少,使用频率是高还是低,等等。当对这些因素过于看重时,可能会无形中改依其他标准。由于划分标准的不同一,难以保证划分结果的合理性和一致性。

2) 对"意义联系"的性质缺乏严格限定。《样稿》和《凡例》都没有对多义词与同形同音词不同的意义关系作出严格界定,从上引几条规定和举例中,人们只能大致形成这样的印象:同形同音词的意义"彼此不相联系",反之,多义词的多个义项彼此相联系。那么,这种"联系"是指词源学意义上的意义联系,还是现代汉语共时平面上的意义联系,还是二者的合一? 单语素词和多语素词的意义联系有无差异?编纂者并未作出明确限定和区分。这就使《现汉》所依据的意义标准具有一定程度的模糊性,因而在某些情况下影响到同形同音词和多义词的合理区分。

下文将结合《现汉》条目分合实例,对影响同形同音词与多义词区分的两种深层原因及其导致的分合失误作进一步的描述和分析。

二 影响同形同音词与多义词区分之"意义标准"的几个因素

1. 词类

《样稿》确定了"一词多义,分属不同词类,其分合以意义为主,不着重词类分别"的条目分合原则。在一般情况下,能够依此区分同形同音词与多义词。但个别条目的分立却又受到词类的影响。以单音节词为例,有的词性不一而意义相关被处理为同形同音词;反之,有的词性一致而无意义联系被处理为多义词:(只列出相关义项)

A. 排¹ ❶一个挨一个地按着次序摆。❷排成的行列。

排² ❶一种水上交通工具,用竹子或木头平排地连在一起做成。

使¹ ❶派遣;支使。

使² 奉使命办事的人。

被¹ 被子。

被² 〈书〉❶遮盖。

垒¹ 用砖、石、土块等砌或筑。

垒² ❶军营的墙壁或工事。

B. 披 ❶覆盖或搭在肩背上。❷打开;散开。❸(竹木等)裂开。

皂 ❶黑色。❷差役。❸肥皂。

A组分立条目的同形同音词意义联系非常明显,只是词性不一,分属动词和名词,则被离析为两个词。B组"披"❶与❷❸之间没有意义联系;"皂"❶❷与❸之间没有意义联系,只是"披"下3个义项皆为动词义,"皂"下3个义项皆为名词义,则被列于同一词目下,处理为多义词。在多字条目中,个别百科词语和普通词语的分合同样受到词类的影响,例如:

【安定】¹ ❶(生活、形势等)平静正常;稳定。❷使安定。

【安定】² 药名,……有镇静、抗惊厥、使横纹肌松弛等作用。

【集合】¹ ❶许多分散的人或物聚在一起。❷汇集。

【集合】² 数学上指若干具有共同属性的事物的总体。

药名"安定"得名于其有"使安定"的功效,数学术语"集合"源自普通词语"集合",但因普通词语和术语分属动、名而被处理为同形同音词。反之,另有个别意义毫无联系的普通词语和百科词语,因其词性相同,被并于一个词目。例如:

【标本】❶枝节和根本。❷保持实物原样或经过加工整理,供学习、研究时参考用的动物、植物、矿物。

《现汉》既已确定条目分合"以意义为主,不着重词类分别"的原则,可实际操作中为什么会存在与原则相抵牾的处理？究其原因,是在一定程度上混淆了词汇学划分同形同音词与多义词和语法学划分词类时所依据的"意义"。词汇学划分同形同音词与多义词时所强调的意义标准是与词义发展相关的语义联系(详见下文及张博,2004);而语法学划分词类时所关注的是高度抽象的类别意义,或曰语义范畴,比如词表示的是事物、行为动作,还是性状,等等。也就是说,处于不同句法位置上的同音形的语言成分,如果表示的是不同类别的意义,即不符合同一性原则,应被概括为两个词。例如,语法学家认为,指行为动作的"锁"与指事物的"锁"、指行为动作的"代表"与指人的"代表"、指行为动作的"报告"与指事物的"报告"、指行为动作的"死"与指性质的"死(固定、死板、不活动)"等,"不存在兼类现象,根本是两个词,应分属两类词"(陆俭明,1994)。从总体上看,《现汉》区分同形同音词与多义词并未依据类别意义,比如上举"锁""代表""报告""死"等都被处理为多义词而不是分成两个同形同音词。但在个别情况下,类别意义的异同似乎成了决定性因素,特别是当附丽于同音形的两个或多个意义分别为动词义和名词义时,更易发生据词类分立条目的不当处理。词典中对同形同音词与多义词的区分不宜以类别意义为标准,而应始终坚持词汇学的意义标准。如果对这两种标准依违不决,就难以避免条目分合不一致的情况。

2. 旧读

古汉语中不少通过变音别义产生的同族词仍共用同一字形。到现代普通话中,它们的读音往往合流,变得既同形,又同音。对这类词如何处理?从注音上看,《现汉》有明确的原则,即:"在过去或古代汉语里有区别,普通话里不再区分的音,《现汉》只取现在通行的音"。(刘庆隆,1996)从条目上看,如果意义上有联系,《现汉》一般处理为多义词,已消失的旧读或标或不标。例如:

从[1](從)cóng(⑤⑥⑦旧读 zòng):❶跟随。❷顺从;听从。❸从事;参加。❹采取某种方针或态度。❺跟随的人。❻从属的;次要的。❼堂房(亲属)。……

骑 qí:❶两腿跨坐(在牲口或自行车等上面)。❷兼跨两边。❸骑的马,泛指人乘坐的动物。❹骑兵,也泛指骑马的人。

(据《广韵》,❶❷义音渠羁切,qí;❸❹义音奇寄切,jì,《现汉》未标注该旧读。)

如果认为没有意义联系,《现汉》一般分立条目,处理为同形同音词,例如:

> 胜¹(勝)shèng:❶胜利(跟'负'或'败'相对)。❷打败(别人)。❸比另一个优越(后面常带'于、过'等)。❹优美的(景物、境界等)。

> 胜²(勝)shèng(旧读 shēng):能够承担或承受。

但这种据意义联系分合条目的正当处理方式有时受到"旧读"的影响,使某些有明显联系的意义因"旧读"而被另立条目。例如:

> 框¹ kuàng:❶嵌在墙上为安装门窗用的架子。❷(~儿)镶在器物周围起约束、支撑或保护作用的东西。

> 框² kuàng(旧读 kuāng):❶框框。❷在文字、图片的周围加上线条。……

> 听¹(聽、聴)tīng:❶用耳朵接受声音。❷听从(劝告);接受(意见)。……

> 听²(聽、聴)tīng(旧读 tìng):听凭;任凭。

对比《现汉》某些义项对应的多义词和同形同音词,"旧读"对同形同音词分立的影响可看得更清楚。例如:(只列出对比义项)

> 裁 ❶用刀、剪等把片状物分成若干部分。❻衡量;判断。
> 判 ❶分开;分辨。❸评定。❹判决。
> 断¹ ❶(长形的东西)分成两段或几段。
> 断² ❶判断;决定。

断¹❶与断²❶的意义关系与"裁"之❶与❻、"判"之❶与❸❹基本对应,为什么"裁""判"被处理为多义词,"断"却被处理为同形同音词? 当受"断¹"和"断²"旧读分属上声和去声的影响。《广韵·缓韵》:"断,都管切。断绝。"《换韵》:"断,丁贯切。决断。"又如:

背¹ ❶躯干的一部分,部位跟胸和腹相对。
❷某些物体的反面或后部。

背² ❶背部对着(跟'向'相对)。
❻朝着相反的方向。

面¹ ❶头的前部。
❸物体的表面,有时特指某些物体的上部的一层。
❷向着;朝着。
❹当面。

"背""面"本皆指人体部位,有类义关系。背²❶与面¹❷相对应,分别与本义相关,它们词义相反,用法基本相同,故有"背山面海"的说法。可《现汉》对它们的分合处理不同。原因在于,《广韵》"面"无异读,而"背"有清浊对立的两读以区别名、动。《队韵》:"背,补妹切。脊背。"(帮母)又:"背,蒲昧切。弃背。"(並母)

3. 注音方式

《凡例》说明,形同音同但在意义上需分别处理的多字条目有两种分立形式:一种是"在【 】外右上方标注阿拉伯数字,如:【大白】¹【大白】²,【燃点】¹【燃点】²";一种是"注音方式不同的,不标注阿拉伯数字,如:【借款】jiè//kuǎn 和【借款】jièkuǎn"。《现汉》将前一种分立的条目视为同形同音词,应该是没有疑问的;而后一种分立的条目则不能一概而论。《现汉》注音中的"//"号用以标记离合动词,在大多数情况下,与离合动词分立的同形同音条目是与之意义相关的名词。除《凡例》所举"借款"外,另如"存粮、当差、得分、订货、定案、定价、发面、发言、挂钩、画图、回信、监工、兼职"等,都分立两个条目,一个是注音中加"//"号的离合动词条目,一个是注音中无"//"号的名词条目。"这类词虽然分立词目,但两个词目间有着明显的意义上的联系,还是应该看做多义词,是多义词的一种特殊的处理方式。"(王楠,2001)但还有个别注音中有//号和

无//号的同形同音条目意义上并无联系。例如:

【煞气】shà//qì 器物因有小孔而慢慢漏气:车带~了。

【煞气】shàqì ❶凶恶的神色。❷迷信的人指邪气。

【托福】tuō//fú 客套话,意思是依赖别人的福气,使自己幸运(多用于回答别人的问候):托您的福,一切都很顺利。

【托福】tuōfú 美国'对非英语国家留学生的英语考试'(Test of English as a Foreign Language)英文缩写(TOEFL)的音译。

这类分别立目的意义无关的词是同形同音词。如此,《现汉》有无"//"号的同形同音条目实际上包含多义词和同形同音词两种情况,这种处理方式不利于使用者区分多义词和同形同音词。因此,应将"【借款】jiè//kuǎn"和"【借款】jièkuǎn"之类分立的条目加以合并,按多义词处理,在离合动词义项下加注"//";把"【煞气】shà//qì"和"【煞气】shàqì"之类分立的条目与其他同形同音词作一致的处理,即除了标记离合动词的用法外,还应在词目右上方加注阿拉伯数字。

《现汉》中还有两种注音方式不同的多字同形同音条目,一种是注音中第一个字母大/小写对立的条目,如:

【黑人】Hēirén 指黑种人。

【黑人】hēirén ❶姓名没有登记在户籍上的人。❷躲藏起来不敢公开露面的人。

【春秋】chūnqiū❶春季和秋季,常用来表示整个一年,也泛指岁月。❷指人的年岁。

【春秋】Chūnqiū❶我国古代编年体的史书……❷我国历史上的一个时代……

另一种是注音分/连写对立的条目。如:

【不错】bù cuò 对;正确:～,情况正是如此|～,当初他就是这么说的。

【不错】bùcuò 不坏;好:人家待你可真～|虽说年纪大了,身体却还～。

【心灵】xīn líng 心思灵敏:～手巧。

【心灵】xīnlíng 指内心、精神、思想等:幼小的～|眼睛是～的窗户。

注音形式不同不等于实际读音不同,因此,对这两类词语不宜采用与同形异音词一样的条目分立方式。而应根据意义联系的有无作多义词和同形同音词的区分,并按照多义词和同形同音词的处理方式确定条目分合,这样才能弥补《现汉》体例上的3点不一致:1)《现汉》第一个字母大写的单字专名另立条目后都在右上方标注数字,例如"周³Zhōu ❶朝代……""彝²Yí 彝族",多字的专名和普通词语如果意义无关,分立后也应分别在右上方标注数字;2)《现汉》单字多义词目下既有专名义又有普通词语义时,与词目后注音形式不同的第一个字母小写(或大写)的注音形式列于相应义项序号后,例如:"汉¹(漢)Hàn ❶朝代,……❺(hàn)男子。""春秋"这种既有普通词语义又有专名义的多字多义词目也应这样处理。3)《现汉》的一些多字多义词目下既有词组义,也有词义,例如:"【凉水】❶温度低的水。❷生水。"用如❶义的"凉水"与"凉饭""凉茶"一样,是词组,其义与"生水"义相关,故二义列于同一词目下,这种处理较为妥当;而"【不错】bù cuò"与"【不错】bùcuò"意义也相关,不应分立。当然,意义有联系的词组义与词义并列于同一词目下时,可在词组义项序号后加特别标记。

总之,建议在修订后的《现汉》中,分立的同形同音条目都应是真正的同形同音词,而且应有统一的标记,这样才能使同形同音词与多义词的区分更为明确。

4. 义项多少与频率高低

对比《现汉》同形同音词与多义词可以看出,在意义联系基本相当的情况下,词语义项的多少和使用频率的高低对条目的分合也有一定的影响,体现在义项多、频率高则倾向于分,义项少、频率低则倾向于合。例如:(为方便对比,只列出对比义项,个别词序和义项序作了调整。)

A 倒¹:❶上下颠倒或前后颠倒。　反:❶颠倒的;方向相背的。
　　　❷反面的;相反的。　　　　❷(对立面)转换;翻过来。
　　　❸使向相反的方向移动
　　　　或颠倒。

　　倒²:副词。❶表示跟意料相反。　❸反而;相反地。

B 比²:〈书〉❶紧靠;挨着。　　　搂¹:❶捆绑物体使相连接。
　　　❷依附;勾结。　　　　　　❷用胳膊紧紧地钩住。
　　　　　　　　　　　　　　　　❹亲近;依附(多含贬义)。

　　比¹:❶比较;较量。　　　　　❸搂劲儿。

C 正气¹:❶光明正大的作风　　邪气:❶不正当的风气或作风。
　　　　　或风气。
　　正气²:中医指人体的抗病　　　　❷中医指与人体正气相
　　　　　能力。　　　　　　　　　　抗的多种致病因素及
　　　　　　　　　　　　　　　　　　其病理损害。

例 A"倒""反"由实词相应虚化为副词,都能表示跟意料或一般情况相反,该义与实词义仍有联系,故"反"之义项❸未另立条目。可

因"倒"在此义项上可区分为两种情况(a. 相反的意思较明显；b. 相反的意思较轻微)，且继续虚化出 3 个副词义项，副词"倒"的使用频率明显高于副词"反"，故把"倒"的副词义与实词诸义加以离析，分立条目。例 B"摽¹❸"与"比¹❶"同义，如"这两个小组一直在摽着干"中的"摽"可换为"比"，然"摽¹❸"只能出现于有限的句式和语体中，且未由此发展出相关义项；反之，与"比¹❶"相关的义项有 8 个，出现频率都较高，因此，尽管"比¹❶"和"比²"的意义联系与"摽¹"之❸和❶❷❹的关系相对应，可"比"被处理为同形同音词，而"摽¹"却被处理为多义词。例 C"正气¹❶"下还有一个义项"❷刚正的气节"，故将中医学术语"正气²"分立条目，而与之对应的中医学术语"邪气"则未分立，原因是普通词语"邪气"在现代汉语中只有一义。

义项多少及频率高低对《现汉》同形同音词与多义词区分的影响还体现在另外两个方面，一是没有联系的义项被合并于同一词目下的，多为低频词(或词素)且义项数少，例如：

【落泊】〈书〉❶潦倒失意。❷豪迈；不拘束。

竭：〈书〉❶去。❷勇武。

楚¹：❶〈书〉痛苦。❷清晰；整齐。

二是在意义无关的情况下，异形词使用频率高则多分立条目，而使用频率低的则可能不分立条目，例如：

A　房²同'坊'(fáng)。　　B　坌²〈书〉❺同'笨'。

付²：同'副²'。　　　　　　寔：〈书〉❷同'实'。

划²：同'画²'。　　　　　　嗲：〈书〉❷同'唁'。

拣²：同'捡'。　　　　　　翼：❻〈书〉同'翌'。

A 组分立条目的异形词使用频率都比较高；相比之下，B 组"坌²"

等只是偶或借为记录另一词语,因此,尽管所"同"之词"笨"等的词义与词目下的其他义项没有任何联系,也将其并列于同一词目下。

义项的多少与频率的高低何以会影响条目的分合？这大概有两个原因：其一,当词的多个义项来源于路向分歧的词义发展时,线性的义项序列难以全面呈现诸多义项的意义联系,为顾及甲支派诸义由源及流的一脉相承,只好让乙义或乙支派诸义另立门户；其二,汉语中的同形同音词和因同音通假造成的异形词太多,如果逐一为之立目,会使词典条目不胜其烦,为精简条目,只好让某些冷僻词和假借义寄居其他词目之下。尽管这些权宜之计有可理解因素,但因之撼动"每条包含一个意义或互有联系的几个意义"这一基本原则是否妥当？能否设计出一些更好的处理方式？比如,为了"尽量把相关的数义连接起来,但不考求整个词义孳乳的先后"(《样稿》),能否按照语义特征和意义联系的密切程度,把多义词的众多义项归纳为不同的义项群或义项丛,这样似可在一定程度上克服线性排列方式所导致的顾此失彼,避免把多义词离析为同形同音词。再如,能否允许毫无联系的僻义同居一个词目下？如果允许,是否应加特别标记？借义、姓氏等能否附列于其他义项下,而不是与其他义项平列？同"坊"的"房²"、同"副"的"付²"之类是否可以不单立条目？等等。在修订《现汉》时,建议对类似问题细加斟酌,以确保在条目分合上始终坚持意义标准。

三 "意义联系"的性质不明对同形同音词与多义词区分的影响

判定附丽于同音形的两个或多个意义是否有联系,应当从历时和共时两个角度来衡量：其一,是否有源流相因或同出一源的关系;其二,现时是否仍有相同的语义成分或语义内容。词源上无联系的是绝对的同形同音词;词源上有联系的,再看其在现代汉语中是否还有相同的语义成分或语义内容。如有,则仍保持意义联系,属一词多义;如无,则意义联系中断,分化为同形同音词。《凡例》在提到意义的"联系"时,未对其作明确界定,这使《现汉》划分同形同音词和多义词的意义标准带有相当程度的模糊性,对单字条目和多字条目的合理分合都产生了一定的负面影响。

对单字条目分合的影响主要体现在两个方面:

1)对某些词源上有联系的意义,不注重其是否还有相同的语义成分或语义内容,而更看重它们是否属于同一语义范畴,因而误将个别兼有两种词性的多义词处理为同形同音词,如前举"排""使""被""垒"等。

2)对词源上有无联系重视不够,缺乏溯源意识,倾向于把古汉语中附丽于同音形的诸个意义认定为就是有联系的义项,因而误把某些同形同音词处理为多义词。这种失误的根源在于,忽略了古代书面语中的文字通假可以导致来源不同的词附丽于相同的音形,从而产生古已有之的同形同音词。例如:

赖[1]:❶依赖;依靠。❷指无赖。❹不承认自己的错误或责任;抵赖。❺硬说别人有错误;诬赖。……

《说文》:"赖,赢也。从贝,剌声。"赖的本义是赢利、利益。由此引申出依赖、依靠。近古产生的"抵赖""无赖"等义与依赖义无关,当由抵谰之"谰"假借"赖"字而来。《说文》:"谰,抵谰也。"段玉裁注:"抵谰犹今俗语云抵赖也。""赖"声字古分属阳声韵(如"懒嬾")和入声韵(如"癞籁濑"),与"谰"音同或音近,得以借为"谰"。因此,应将赖[1]之❶与❷❹❺加以离析,分属两个词目。

个别晚近形成的同形同音词的词源不溯自明,《现汉》也将其列于同一词目下,例如:

卡:❶卡路里的简称。❷卡片。❸录音机上放置盒式磁带的仓式装置。❹卡车。

"卡"词目下4个义项显示,同音形的"卡"记录的是4个外来词,分别来源于英语calorie、card、cassette和car,与词义发展无关,是典型的同形同音词,《现汉》却将其处理为多义词。这一失误提示我们,若要准确地判定不同的意义有无联系,必须首先弄清意义联系的性质,确立明确的意义标准,否则难以保证同形同音词与多义词区分的合理性和一致性。

对单语素词来说,判定附丽于同音形的若干意义在词源上有无联系,需看其是否有相同的本义或词源义;判定其现时有无意义联系,是看其语义构成中有无相同的义素或语义特征。对于多语素词来说,情况就要复杂得多。其中,一部分多语素词可采用同样的方法分析。例如,"记录"有4个义项:"❶把听到的话或发生的事写下来;❷当场记录下来的材料;❸做记录的人;❹在一定时期、一定范围以内记载下来的最高成绩。"我们判定它们有词源上的意义联系,因为❶义为源,后3个义项都由❶义引申而来;判定它们现时有意义联系,因为后3个义项的语义构成中包含❶义的语义内容,即都含有"记录"这个义素。但是,对于不少多语素多义词来说,不同意义在词义层面上未必有源流关系,举一个简单的例子,"密会"有两个义项:"❶秘密会见。❷秘密会议。"这两个义项并没有本义引申义之分,既如此,也就不宜用义素分析法来鉴定它们有无现时的语义联系。那么,怎样衡量附丽于同音形的多语素词的若干意义有无词源上的联系,并进而判定其现时是否仍有语义联系,就得有更为细致的分析角度。比如,负载多个意义的同音形多语素词的词义是由词组义衍生而来,还是由语素义组合而来?如果是由词组义衍生,那么,衍生的途径如何?词组义与复合词的词义如何?如果是由语素义组合而来,那么,其构成成分是否有同一性,即是同一语素还是同音形语素?如果是同一语素,语素义是否相同?语素义如果不同,那么,不同的语素义在现代汉语中的生存状态如何?复合词的词义与构成它的语素义的关系如何?等等。《凡例》没有从这些角度说明多字条目的分立细则,我们只能根据《凡例》列举的两组分立条目的复合词——【大白】[1]【大白】[2] 和【燃点】[1]【燃点】[2] 来分析,在什么情况下,"形同音同,但在意义上需要分别处理的,也分立条目"。这两组词的意义分别为:

【大白】[1]〈方〉粉刷墙壁用的白垩。

【大白】[2]（事情的原委）完全清楚。

【燃点】[1] 加热使燃烧;点着。

【燃点】[2] 某种物质着火燃烧所需要的最低温度叫做这种物质的燃点。也叫着火点。

从词义关系看,这两组同音形词的词义都没有源流关系,各词词义分别来自语素义的组合。从构成成分的角度看,【大白】[1] 与【大白】[2] 中的"大"同语素且同义项,皆表程度深;"白"则为异义同语素,也就是说,【大白】[1] 之"白"为白色之白,【大白】[2] 之"白"为明白之白,用的是同一语素的不同意义。【燃点】[1]【燃点】[2] 之"燃"义分别为"引着火""燃烧","点"义分别为"引着火""一定程度的标志",皆为异义同语素。从语素义在现代汉语中的生存状态看,4 个语素涉及的 7 义都保留在现代汉语中,且都有较高的出现频率。从结构形式的角度看,【大白】[1] 与【大白】[2] 结构相同,皆为偏正式;

【燃点】¹与【燃点】²结构不同,前者为并列式,后者为偏正式。从词义和语素义的关系看,除【大白】¹外,其他3词的词义与语素义基本相同,也就是说,语素义组合在一起,就大致等于词义;【大白】¹的语素义为"很白",词义则指一种可用做粉刷材料的白色石灰岩,语素义只是词义所表事物的得名理据,因此,词义和语素义的关系较远,二者的联系是间接的,不是直接的。经过分析,我们归纳了《现汉》两组分立条目的同音形复合词的特征,那么,这些特征中的哪一个或哪几个特征是同音形多字条目分立的主要因素?我们不得而知。另外,这些特征能否全面反映附丽于同音形多语素词的不同意义之间的联系?答案是:不能。比如,两个对应的语素中,可能会有一个是同音形语素;同一语素的不同意义中,有的可能相当活跃,有的可能已经死亡或几近死亡,等等。如此说来,《凡例》文字说明和示例所显示的同音形多字条目的分立标准既不清晰也不周严,这导致《现汉》多字条目的分合难免存在不一致的处理。

根据上述特征进行比较,可以发现,个别分立的条目意义可能很密切,反之,处理为多义词的条目可能关系很疏远。例如:

【变形】¹ 形状、格式起变化。

【变形】² 童话或神话故事中指人变成某种动物的形状或动物变成人的形状。

【引领】❶引导,带领。(引❷引导;领❻带;引。并列结构。)

❷〈书〉伸直脖子(远望)。(引❹伸着;领❶颈;脖子。动宾结构。)

【变形】¹【变形】²所用的语素和语素义都相同,结构也相同,【变形】²的意义来自【变形】¹意义的转指,二者有明显的词义层面的源流关系,当处理为多义词。反之,用于❶义的"引领"和用于❷义的"引领"语素相同,但语素义皆不同,"引"分别指"引导"和"伸着","领"分别指"带、引"和"脖子"。表❶义的"引领"为并列结构,表❷义的"引领"为动宾结构。从这几点看,【引领】❶❷的关系与【燃点】¹【燃点】²的关系相当,但双方语素义的生存现状有很大差异,因为,除"引领"外,"领"的"脖子"义仅存于"领巾","引"的"伸着"义仅存于"引颈",而此词罕见。据此,这两个语素义很难为一般人所感知,几近死亡。这样看来,"引领"❶❷两义的联系比【燃点】¹【燃点】²疏远,反倒被处理为多义词,显然是不合适的。

相同情况的多字条目,《现汉》的处理也不尽相同,比如,含有同音形语素的多字条目一般都分立,但也有个别处理为多义词。例如:

A 【名优】¹ 名伶。(优²:旧时称演戏的人。)

【名优】² 有名的,高质量的(商品)。(优¹:❶优良;美好。)

【华胄】¹〈书〉贵族的后裔。(华:荣华;显贵。此义《现汉》未收,当属"华¹"。)

【华胄】²〈书〉华夏的后裔,指汉族。(华³:❶指中国。)

【陈言】¹ 陈述理由、意见等。(陈¹:❷叙说。)

【陈言】²〈书〉陈旧的话。(陈²:时间久的;旧的。)

【婉辞】¹ 婉言。也作婉词。(辞¹:❶优美的语言;文辞;言辞。)

【婉辞】² 婉言拒绝。(辞²:❹躲避;推托。)

B 【大故】❶重大的事故。(故¹:❶事故。)

❷指父亲或母亲死亡。(故²:❸[人]死亡。)

【大略】❶大致的情况或内容。(略¹:❷简单扼要的叙述。)

❷大概；大致。(略¹:❶简单；略微[跟"详"相对]。)

❸远大的谋略。(略²:计划；计谋。)

【招子】❶招贴。(招¹:❷用广告或通知的方式使人来。)

❷挂在商店门口写明商店名称的旗子或其他招揽顾客的标志。(招¹:❷)

❸着儿；办法、计策或手段。(招³:同'着'zhāo①②。)

【谦辞】❶表示谦虚的言辞。(辞¹:❶优美的语言；文辞；言辞。)

❷谦让推辞。(辞²:❹躲避；推托。)

A 组、B 组同样含有同音形语素，特别是其中【婉辞】¹【婉辞】² 的意义联系与【谦辞】❶❷非常对应，可却有分合不一的处理。

《现汉》多字条目分合存在的问题表明，在多语素词中区分同形同音词与多义词格外繁难，需要综合考虑多种因素，进一步细化规则，以衡量意义联系的亲疏有无。

四 结语

词的多义性与同形同音现象普遍存在于人类各种语言之中。但是，由于古汉语词汇具有"单语素－单音节"的类型特征，加之汉语音节结构简单、方块汉字创制困难以及晚近用同音替代法简化汉字等原因，汉语单音节词的多义性和同音同形现象就显得异常突出。从《现汉》来看，右肩标记数字的单字条目共 738 组，计

1654字,占全部单字条目的15.4%。为数众多的单音节同形同音词和多义词作为词素构词,又使复合词中的同形同音现象和多义现象更为纠结难分。《现汉》筚路蓝缕,通过条目安排使现代汉语词汇系统中的同形同音词和多义词有了大致明确的分野。但由于以往词汇学和词典学相关研究的基础较为薄弱,使《现汉》在条目分合上还存在一些难以避免的问题。如欲使新版《现汉》对同形同音词和多义词的区分更为合理一致,尚需在三个方面加强研究:1)进一步明确区分同形同音词与多义词的基本原则和标准;2)针对各种具体情况细化规则和探索适宜可行的操作方法;3)对疑难词语的词源义或本义、意义发展脉络及词义之间的关系进行细致的考订。希望词汇学和辞书学界多有专家学者共同关注这些问题,切实推进汉语同形同音词和多义词的研究,这样才能为语文型词典合理区分同形同音词和多义词打下良好的基础。

主要参考文献

刘庆隆　1996　《现代汉语字词典的注音》,载《〈现代汉语词典〉学术研讨会论文集》,商务印书馆。
陆俭明　1994　《关于词的兼类问题》,《中国语文》第1期。
王　楠　2002　《〈现代汉语词典〉同形词目分析》,载中国辞书学会学术委员会编《中国辞书论集(2001)》,陕西人民出版社。
张　博　2004　《现代汉语同形同音词与多义词的区分原则和方法》,《语言教学与研究》第4期。
赵克勤　1996　《略论〈现代汉语词典〉的社会影响与历史贡献》,载《〈现代汉语词典〉学术研讨会论文集》,商务印书馆。
中国科学院语言研究所词典编辑室　1958　《〈现代汉语词典〉凡例和样稿》,《中国语文》9月号。

《全球华语地区词词典》：
全球华社地区词的大整合

香港中国语文学会　汪惠迪

一

　　互联网已成为地球村居民相互联系的纽带，上网是村民相互沟通、获取信息、从事商务等活动的流行、简易、快捷、高效的方式，成为日常生活中不可或缺的部分。

　　E时代信息传输的特点是网络化、超国界、速度快、频率高、互动强。但是，当人们接收信息进行解读的时候，往往为来自异域的词语所难，不解其意；在日常生活中，这种情形也屡见不鲜。

　　新华社驻台湾记者顾钱江和胡创伟说，"在台湾，我们偶尔会在语词的密林里'迷路'"，又说，有时候，弄不清词意可能还会闹笑话。他们讲了一件趣事。初到台湾驻点采访时，他们跟当地的朋友餐叙过后，朋友问："要不要去'化妆室'？"见他们一脸诧异，那位朋友笑了，解释说就是卫生间。[①]

　　还有，一旦解读错误，写进文章，公诸媒体，便会误导受众。在我国某科研机构的专业网站上，笔者看到一篇介绍马来西亚的资料，作者把该国驻华大使 Dato Abdul Majid Ahmad Khan 译成达图·阿卜杜勒·马吉德·艾哈迈德·汗。Dato 是马来西亚的一种封号，马来西亚和新加坡都译作"拿督"，我国译"达图"，当它出现在人名开头时,后面是不能用间隔号的,否则,就成为人名的组成部分了。这位驻华大使,马来西亚媒体译作拿督阿都·马吉·阿玛·汉。产生错误的原因可能是译者不知道"拿督"是封号。

无法解读或误解的原因是多方面的。从词汇研究的角度来看,笔者认为主要有以下四个方面:一是异域本土词语,不明其义;二是词形相同,但意义或用法迥异;三是词形不同,意义或用法相同;四是同词异译,其形各异,判若云泥。

应当说,异域沟通,遇到词语障碍,并非新问题,不过,专业语文工作者有责任帮助语言用户在获取信息或相互沟通时,逾越词语所造成的障碍。

从1984年10月起,笔者曾在新加坡《联合早报》专事文字工作16年,每天除细读《联合早报》外,还须同时观察周边国家或地区媒体的语用情况,以便比较、鉴别、引进、吸收,使《联合早报》的语用与时俱进。

1995年8月15日,《联合早报》出版电子版,成为全世界最早的中文网络媒体之一,目前日均点击数已逾350万次。早报网的读者,大部分是居住在我国大陆的人民及旅居海外的华侨、华人,由于各地的语用存在差异,每个人的语用习惯也不一样,因此,他们不时就报纸的语用问题提出意见。主要有两条:一是看不懂新加坡的本土词语,二是要求报馆用中国大陆通用的词语替换某些新加坡惯用的词语。

《联合早报》根植于新加坡的土壤中,如果满足了网上读者的要求,本地读者就有意见,因此,在语用上如何平衡读者的要求,是个颇费思量的问题。目前,新闻媒体主办的网络版,无不需要母体扶持,实行资源共享,因而网络版的文稿大多来自印刷版。联合早报网上的文章,绝大多数是从报纸的电脑版上自动复制的,不再改写,因此,在语用上很难完全满足网络受众所提出的要求。

二

为了兼顾本国和海外受众的需要,《联合早报》对地区性词语采用随文括注的方法,行之多年,至今不辍。例如 The Association of South-East Asian Nations(ASEAN),我国大陆译为"东南亚国家联盟"(东盟),可是新加坡叫"亚细安"(ASEAN),因此,在《联合早报》上,"东盟"后面就括注"亚细安",有时又得在"亚细安"后括注"东盟"。又如采用的中国新闻中出现"废旧物品回收人员",其后就括注新加坡人所熟悉的"加龙古尼"(karung guni,马来语音译)。新加坡的记者到我国闽西偏远山区古田镇采访,发新闻回报社,便主动在"洋兰"后括注"胡姬花"(orchid 的音译)。再看一个例子:

> 美国女性现兴的是一"股"隆臀热,即把"八月十五"(粤语即臀部)弄得又圆又结实。(《翘臀万人迷　掀股隆臀热》,联合早报网 2003 年 3 月 7 日,国际新闻)

上例用括注的方式,对采用的香港新闻中所用的方言"八月十五"作了解释,否则,无论本国或海外受众很可能不明其义。

随文括注仅限于比较简单的释义,操作起来颇为费事,而词用问题解决起来就更加麻烦了。由于全世界的中文媒体并不是每一家都做这种括注工作,因此,媒体尤其是网络媒体的受众还是经常迷失在词语的密林中。鉴于此,笔者认为有必要编纂一部《全球华语地区词词典》(以下简称《地区词词典》)。

最近十几年,我国出版了许多新词新语词典、港台用语词典或大陆与港澳台常用词对比词典,但是,这些词典收集、整理、编纂的焦点都定格在两岸三地。我们必须放眼世界,编纂一部能把全球主要华人社区的地区性词语整合在一起的词典。这是一项惠及全世界炎黄子孙的开创性的语文建设工程。

三

《地区词词典》是一部收录全球华社地区词的词典,服务对象是全世界的华人。它不是一部规范型的词典,却可扮演规范与协调的角色。笔者认为《地区词词典》应当是一部收词广泛、注重实用的描写型语文词典。

关于域内外汉语的规范与协调问题,郭熙教授已有详细的论述,兹不赘述。[②] 关于华人和华语的定义,张从兴先生有详细的论述,值得参考。[③] 下面仅就华人社区和地区词这两个概念谈点看法。

(一)华人社区

全世界的华人绝大部分居住在中国,由于台湾还没有跟祖国大陆统一,港澳实行一国两制,因此大陆、台湾、香港和澳门可以看做四个华人社区。

新加坡是一个城市型海岛国家,华族占全国总人口的76.5%,可以看做一个华人社区。马来西亚和泰国各有600万左右的华人;印尼全国总人口为2亿2000万,华人占总人口的3%至5%,约为660万至1000万;菲律宾全国总人口为7500万,华人约占1.3%,有100万左右;越南估计有100万华人;柬埔寨有二三十万;老挝有一二十万;文莱有四五万。这些国家的首都或省(州)的省会(首府)以及其他地区,都有华人聚居的社区。

美国、加拿大、英国、法国、德国、荷兰、比利时、俄罗斯、新西兰、澳大利亚等国家的首都或大城市中都有"唐人街"。

据报道,美国华社开始"华语化"。可以预见,"华语化"将成为全球华社华人语用的发展趋势,《地区词词典》的编纂已经迫在眉睫。

社区是"社会上以某种特征划分的居住区",概念的外延较大。大而言之,是一个国家或一个地区;小而言之,可能只是一个街区。凡有华人聚居,并世世代代在那里生息繁衍的地区,无论大小,均可称之为华人社区。

(二)地区词

地区词是各华人社区所特有的词语,亦即反映当地社会特有的事物或现象的词语。这是地区词中的主要成员,可以叫做"特有词语"。有些华人社区的地区词可能很少,但是,哪怕只有一条,对词典编纂者来说,也是宝贵的。第二类是各社区的异名同实词语。第三类是同形异义词语。第四类是同形异用。下面分别举例略作说明。

(1)特有词语

就资料所见,台海两岸是特有词语最多的社区。《新华新词语词典》收录自 20 世纪 90 年代以来的新词语 4000 条(含相关词语),这些新词语大部分是大陆所特有的词语。

台湾国语推行委员会编纂的《新词语料汇编》(一、二)(1986年7月—1988年12月)共收各类新词语 17115 条(一+二=5715+11400=17115),包括基本词目、中英夹杂词目、英文词目、数目流行语、节缩语、方言语料和大陆地区用语,比较庞杂。但是一年半中就录得 1 万余条,可见新词语数量之多。(详参 http://

www.edu.tw/mandr)

据汤志祥博士统计,20 世纪 90 年代我国大陆地区的"单区词语"共有 1303 条,台湾地区的"单区词语"共有 1849 条,香港地区的"单区词语"共有 925 条,合计 4077 条。④

此外,新加坡也有相当数量的特有词语,拙编《新加坡特有词语词典》收录 1560 条。下面按国家或地区举些例子。

中国大陆——东突、双规、黄金周、红三角、高考移民、候鸟政策、HSK 考试、一票否决制。

台湾省——国宅、站台(非月台义)、月光族、槟榔西施、双 B 主义。

香港特区——斋×(斋啡、斋机、斋坐、斋讲)、笋×(笋盘、笋价、超笋)、差饷、仙股(Penny stock)、O 记(警方的有组织罪案及三合会调查科)、烧炭、露械、无厘头、强积金、牛肉干(非食品义)、打工皇帝、一楼一凤、高官问责制。

澳门特区——冷(葡语 lā,毛线)、嘟嘟(葡语 tudo,全部、所有)、荷官、文案(葡语 largo,公务员中的文书)、科假(葡语 folga,轮班制之休息)、司沙(葡语 sisa,物业转移税)、职阶(葡语 escalāo,职程内的薪俸点)。⑤

新加坡——组屋、路隆(road hump)、乐龄、浸濡、沙斯(SARS)、拥车证、新生水、度岁金、妆艺游行、演说角落、U 转症候群(No U-Turn Syndrome)、族群互信圈(Inter-Racial Confidence Circles)、电梯尿液侦查器(urine detector)、5C(career 事业,cash 现款,credit card 信用卡,car 汽车,condominium 公寓)、O 水准、MRT。

马来西亚——敦(Tun)、令吉(Ringgit)、巫统(United

Malay National Organization,UMNO)、拿督(Dato)、布城(Putra Jaya)、双峰塔、丹斯里(Tan Sri)、甲必丹(Captain)、拿督斯里(Dato Sri)。

地区词按理应当是"单区独用词语",即只在某一华人社区流行的词语。但是,由于政治、经济、地理、历史等原因,有相当数量的地区词在两个、三个或多个华人社区内流行,故有双区词语、三区词语和多区词语之别。例如:

双区词语

新加坡和马来西亚——巴刹(pasar)、峇峇(baba)、娘惹(nonya)、组屋、甘榜(kampung)、固本(coupon)、德士(taxi)、卜基(bookie)、史古打(scooter)、万字票、巴刹马兰(pasar malam)、摩摩喳喳(bubur caca)。

台湾和新加坡——资政、刍像、清道夫。

加拿大和澳大利亚——雅柏文／雅博文(apartment)。

三区词语

台湾、新加坡、马来西亚——残障、报聘、高丽菜(包菜)。

香港、新加坡、马来西亚——花洒、马蹄、邮差、得直。

多区词语

台湾、香港、澳门、新加坡、马来西亚——泊(park)、波霸、同志(同性恋者)、杯葛、主催、垃圾虫、三字经、狗仔队、太平公主、DJ。

(2)异名同实词语。词形不同,意义和用法相同,其中有些是因译法不同而产生变异的外来语。例如:

中乐(香港、澳门)|华乐(新加坡、马来西亚、印尼)|民乐(大陆)|国乐(台湾)

《全球华语地区词词典》:全球华社地区词的大整合 335

伊斯兰教、穆斯林、清真寺(大陆)|回教、回教徒、回教堂(新加坡、马来西亚、印尼)

方便面(大陆)|速食面/明星面(台湾)|公仔面(香港)|快熟面(新加坡、马来西亚)

东盟(大陆、香港、澳门)|东协(台湾、香港、马来西亚)|东合(马来西亚)|亚细安(新加坡)

史古打(scooter,新加坡、马来西亚)|绵羊仔(香港)|机车(台湾,包括motorcycle)|助力车/助动车/轻骑/木兰/小轮摩托车/低座摩托车/轻便型摩托车(大陆)

艾滋病(AIDS,大陆)|爱滋病(台湾、香港、澳门、泰国、印尼、菲律宾、马来西亚、美国、加拿大、新西兰、澳大利亚等)|爱之病(新加坡)

非典、SARS、萨斯(大陆)|SARS、非典、沙斯、沙示、沙士、杀市(香港)|煞、SARS、非典型肺炎(台湾)|沙斯、SARS(新加坡)|非典型肺炎、SARS(马来西亚)

(3)同形异义词语。例如:

懂(知道,新加坡、马来西亚)、烧(温度高,新加坡、马来西亚)、甜(滋味鲜美,新加坡、马来西亚)、药房(诊所,新加坡、马来西亚)、大衣(西装,新加坡、马来西亚)、公司(共同、合作,新加坡、马来西亚)、登记(身份证,新加坡、马来西亚)、戏院(电影院,新加坡、马来西亚)、相信(估计,多带肯定语气,新加坡、马来西亚)、对付(严惩、惩处、追究,新加坡、马来西亚)、辛苦(痛苦、困难或厉害,新加坡、马来西亚)、烧到手(出问题、遇到麻烦,新加坡、马来西亚)。

(4)同形异用,即词形相同,词用不同的词语。例如:

坏蛋(形容词,新加坡)、本事(形容词,新加坡)、美味(形容词,新加坡)、朝向(介词,新加坡)、而已(用于口语,新加坡、马来西亚)、一小撮(中性词)。

四

在编纂《地区词词典》时,笔者认为还须要注意以下几个问题。

第一,降低收词标准,放宽收词范围。既然是描写型词典,不妨"见到就收,逢词必录"。"实录原则,或曰描写原则,对以保留、跟踪新词语为目的的新词词典是处于第一位的原则。""新词语产生后有三种生存可能,一是问世后不久就无人使用,消退、'夭折'了;二是继续不稳定地、小范围地存在;三是被普遍使用、广泛流传而逐渐稳定,进入民族共同语词汇系统而成为其中一分子。"这个过程可以分为三个阶段:初生阶段、发展阶段、成熟阶段。[6]在编纂《地区词词典》时,凡是扑入我们视野的地区词哪怕还处在初生阶段,也应收录,因为我们很难预测它们是一朵昙花还是一颗新星。

笔者认为实行"逢词必录"原则,是辞书编纂工作努力贴近语言用户、贴近语文生活的表现,是对囿于传统、固步自封的语用观的冲击。对此,语言学界还存在着很大的分歧。例如2000年有一本俚语词典收了"太平公主",有人撰文批评它是个"对女性进行侮辱和挖苦的词条",是"粗俗词语",不应让它在国内社会上流行,应作为"语言垃圾"加以扫除。[7]又如有人撰文说:"在'同志'问题上,我们应该立场坚定,态度明确,坚决把坏'同志'拒之门外。"[8]编纂《地区词词典》应当放宽心胸,兼容并蓄,必须破除狭隘的语用观。

第二，进行横向比较，促进相互了解。上述异名同实词语、同形异义词语和同形异用词语在词典中都应进行横向比较，让读者了解它们在词形、词义和词用上的差别。比如新马和印尼的华人都知道什么是"华乐"，却未必知道台海两岸三地叫"民乐""国乐"或"中乐"；同样，两岸三地的中国人也只知道本地叫什么，却未必知道新马、印尼叫"华乐"。经过比较，他们的视野开阔了。有朝一日相互往来，大家入乡随俗，亲和力因共同的语言成分增加而增强。

其次，除词形、词义和词用外，对字形、字音也要进行比较。在这方面，《大陆及港澳台常用词对比词典》《两岸现代汉语常用词典》已经作了有益的尝试，他们的做法和经验值得参考。[9]

在进行横向比较的时候，编纂者应着力于客观描写，应当充分尊重各社区华人的使用习惯，不评论，不抑扬，不表态。

第三，兼顾词语用法，提供语用信息。除像一般语文词典那样注音、释义、举例外，还应兼顾词语用法，尽量提供语用信息。具体做法是标注词性，名词条注明量词，提示语法功能，说明词语色彩，注明所属方言，进行同义辨析，外来词附注外文，等等。比如"帮忙"，在港台新马都作及物动词，后边带宾语，但是普通话里用作不及物动词。"一小撮"在普通话里是贬义词，但在新加坡常见用作中性词。诸如此类都要加以说明或辨析。要敢于正视语用中出现的新现象，而不要采取回避态度。

商务印书馆是我国著名的出版社，在辞书编纂上具有较高的专业水准。笔者希望它能牵头，组织国内、境外和海外的专家学者，发扬群体协作精神，早日启动《地区词词典》的编纂工程。

附 注

① 顾钱江、胡创伟《趣谈两岸词汇差异》,新华社台北 2004 年 1 月 4 日电。

② 郭熙《域内外汉语协调问题刍议》,《语言文字应用》2002 年第 3 期;《普通话词汇和新马华语词汇的协调与规范问题》,《汉语学报》2003 年下卷;汪惠迪、郭熙《华语的规范与协调》,新加坡《联合早报》2002 年 12 月 7 日。

③ 参见张从兴《"华人""华语"的定义问题》,《语文建设通讯》(香港)第 74 期,2003 年 6 月。

④ 参见汤志祥《当代汉语词语的共时状况及其嬗变——90 年代中国大陆、香港、台湾汉语词语现状研究》第 77 页,复旦大学出版社 2001 年版。

⑤ 参见邓景滨《港澳粤方言新词探源》,《中国语文》1997 年第 3 期。

⑥ 参见苏新春、黄启庆《新词语的成熟与规范词典的选录标准——谈〈现代汉语词典〉(2002 增补本)的"附录新词"》,《辞书研究》2003 年第 3 期。

⑦ 参见庞兆麟《辞书怎能汇集语言垃圾》,《语言文字周报》2001 年 10 月 17 日。

⑧ 参见王同伦《莫把同志推下水》,《语文建设》2000 年第 12 期。

⑨ 参见魏励、盛玉麒主编《大陆及港澳台常用词对比词典》,北京工业大学出版社 2000 年版;北京语言大学、(台北)中华语文研习所合编《两岸现代汉语常用词典》,北京语言大学出版社 2003 年版。

词汇现代化与语言规划

教育部语言文字应用研究所 苏金智

一 词汇现代化是语言规划的重要目标

语言规划要有明确的目标,并且要有为了完成既定目标而采取的具体步骤。语言规划的目标主要包括长期的和短期的两种。一般说来,语言规划的目标包括六个方面:语言文字的纯洁化;语言文字的复兴;语言文字的改革;语言文字的标准化;词汇的现代化;语言文字的传播。

语言词汇现代化是语言规划的一个重要的目标。这是因为社会现代化必然产生大量与之相适应的新事物、新信息、新概念、新思想,因此需要与之相适应的词汇来表达。词汇现代化是吸收外来概念和人类思维新成果的必由之路。语言规划工作者应该调整语言文字的形式和功能,使词汇系统能够不断适应现代化的要求。词汇的现代化有两层含义:第一层含义是说改革了的、复兴了的或规范化了的语言的词汇应该符合一定的规范并加以推广;第二层含义是说这些改革了的、复兴了的或规范化了的语言的词汇应该具有现代社会生活的气息,尤其是要能准确表达现代科学技术的新思维、新概念。一种语言能不能及时准确地吸收和传达新概念、新思想和现代化信息,不仅关系到该语言词汇的更新和发展,更重要的是关系到该语言所依赖的社会政治、经济、文化的繁荣与发展,尤其是科学技术的繁荣与发展。词汇的规范化标准化一直是我国语言学界关注的课题,而把词汇的各项规范和标准落实到具体的语言应用中去,也是语文工作者、语文教育工作者、辞书编纂者等长期追求的目标。我国不仅普通话在不断增加现代化气息的词汇,少数民族语言和汉语方言也在不断吸收现代化的词汇。词汇现代化是一个不断发展的过程,因此词汇的规范化也是一个动态的过程。词典的编纂要反映词汇现代化和词汇规范化的内容和成果,但是不会有一本词典能永远不变地反映词汇的现代化进程和规范化的成果。

科技术语的规范化和标准化,是词汇现代化的关键。现代科学技术的发展,产生了大量的专门化的术语。同样的意思,在不同的地区、不同的语言中用不同的术语表述,甚至在同一个地区,同一种语言中也存在着不同的表述。这种现象不仅给人们的思想沟通带来障碍,还会给科学研究的发展带来不便。根据《科技术语研究》2004年第1期"2003年我国科技名词聚焦"一文的材料,2003年我国出现的频率较高的术语有10个:"传染性非典型肺炎""艾滋病""外来种入侵""井喷""龙芯"[1]"不对称数字用户线"[2]"干细胞(stem cell)"[3]"火星大冲"[4]"载人航天""数字电视"。其中"非传染性典型肺炎"是一个尚未确定的术语。各个领域都不断出现新的术语,都存在术语需要统一和规范的必要性。因此,语言规划要在理论上对术语的规范问题进行深入的研究。

二 词汇现代化的范围与方式

词汇现代化所涉及的范围主要是现代社会的新事物、新思维、新概念,一般日常词汇不涉及现代化问题。例如汉语中有"再见"

不用，偏要用 bye, bye bye 或"拜拜"，有"好""行""可以"等不用，偏要用"OK"，这也许是语言使用的习惯问题，也许是某些社会心理影响的结果，但与我们所说的词汇现代化没有任何关系。这种用法不仅不利于词汇现代化，甚至会给词汇现代化带来混乱。汉语词汇现代化主要在普通话层次进行。普通话词汇现代化关系到全国人民的语言生活，关系到汉语词汇系统的健康发展。

词汇现代化不仅在国家通用语言范围上进行，少数民族语言、汉语方言也同时在经历词汇现代化进程。如在闽南话里，老一代所说的"风车""飞船""龙翻身"，年青一代正在用"汽车""飞机""地震"取代，而在普通话出现的大量新词新语也同样在闽南话中出现，例如"计算机""手机""卡拉 OK""VCD""DVD"等等。

词汇现代化的方式主要有借用、创造新词和旧词新用三种。借用是指从文字形式到音义都全部是外来的，如"office"这种办公软件系统，至今还没有相应的汉语词，是从英语借用来的。"Windows 95""Windows 98"中的 Windows，在大陆的普通话里，还没有相应的汉语词，仍然是借用英语词，台湾创造了一个新词，叫"视窗"。现在广泛应用的"XP"系统，"XP"也没有合适的汉语词。"电子邮件""互联网""手机""三个代表"等是根据需要创造出来的新词。而"书记""博士""教授"等词是旧词新用的例子。

直接借用外来词是固有词汇系统暂时没有找到合适表达方式的一种表现。例如"excel"有时也可以用"电子表格"来表达，但是"excel"其实只是电子表格的一种，因为还有"wps office""Spanish"等电子表格，因此电子表格不能准确表达"excel"的准确含义。PowerPoint 汉语有时也说"幻灯片"，但两者仍然有些区别。一是在制作方式和放映方式上 PowerPoint 都与传统意义上的幻灯片有区别,二是用电脑制作的幻灯片除了PowerPoint之外还有其他方式。

研究词汇现代化的方式及其存在问题,对词汇规范化有重要意义。所谓字母词,也是词汇现代化过程中出现的一种现象,它的出现,是由多种因素形成的。如不加以人工干预,在词汇的运动过程中,字母词有的会继续存在下去,有的会被新创造的汉语词或原有的汉语词所取代,有的也许也会在不久的将来自行消失。

三　术语的科学性与通俗性

术语的规范化是词汇现代化的重要的一环。术语的科学性与通俗性是一对矛盾,有的术语两者能够完美统一,而有些术语两者要很好地结合就碰到困难。学术要国际化,术语应该便于同国际社会对话。不管是自然科学还是社会科学,每一门学科都应该建立自己的概念体系和术语系统。术语规范最重要的是内容,但形式也是其重要的方面。准确反映内容,就会体现其科学性。形式上符合语言表达习惯,便于人们使用,就需要通俗易懂。做到了通俗易懂,也就有了通俗性。通俗性要不损害科学性,并不容易。尤其是科技术语,语言形式如果表达不当,往往不能准确表现术语的概念,例如2003年发生的一种突发性新型肺炎,人们使用了十几种名称。较早的用法是"非典型肺炎",对应的英文是atypical pneumonia。世界卫生组织先后用的英文名称有两个,一个就是atypical pneumonia,另一个是severe acute respiratory syndrome,缩写为SARS。因此后者中文出现了许多不同的翻译法。对全称翻译的有"急性严重呼吸道综合症""急性严重呼吸综合症""重症急性呼吸综合症""重症急性呼吸道综合症",对缩写字母的翻译有

"萨斯""沙斯""沙司""沙士""沙示"等。另外还有一些叫法如"原因不明肺炎""传染性非典型肺炎""急性病因不明肺炎""冠状病毒肺炎"等等。现在媒体通称"非典",而医学界专家则直接使用世界卫生组织使用的英文名称的首字母缩略语 SARS。长期以来没有规范的术语。医学专家钟南山在参加今年全国政协会时写了一份提案,要求"为政协报告中的非典更名",认为"非典"的用法不科学,容易引起混淆。这是术语科学性与通俗性矛盾达到不可调和的典型例子。像"非典"这样一种全民已经熟悉的词语,我们认为可以采取变通的办法,也就是两者共存分用。即把"非典"作为俗名或俗称,而把医学专家认为合适的名称定为正式的术语名称,也就是一般的所谓学名。作为术语,需要科学性,需要有一个准确表达其含义的词语来表达,钟南山院士的提案无疑是有道理的。但媒体和普通老百姓更愿意使用符合汉语表达习惯的俗称"非典",也应该是可以的。至于全国政协报告应该使用术语还是俗称,我们认为还是可以讨论的。

四 词汇现代化与文化建设

词汇的现代化,是自身语言的词汇系统的现代化,而不是以吸收外来成分多少来衡量其现代化的程度。要消除一种误解,使用外来词越多,词汇现代化的程度就越高,语言文字的现代化气息就越浓厚。

词汇现代化进程中要处理好语言现代化和文化西方化的关系。西方学者认为语文的现代化实质就是语文的西方化。语言文字既是文化的载体,也是文化的重要组成部分。如果根据这种逻辑推论,语言文字的现代化最后将导致文化的西化。因此我们应该考虑如何在语言文字的现代化进程中既适应社会现代化的需求,又使自己的民族文化不会完全被西方文化同化。语文现代化是信息社会的要求,是社会交际的需要;文化的西方化则是西方文化中心主义的表现,是文化沙文主义。词汇要现代化,但要防止词汇现代化导致文化的全面西方化,思想意识的全盘西化。

要严格限制全部借用的普通外来词进入汉语书面语词汇系统,也就是说汉语已经有自己的合适的词汇表达,没有必要用外语词来替代。为了描写人物的需要,在某些文学作品中,适当的使用一些外语词则另当别论。

因为暂时没有合适的相应的汉语词语而直接全部借用专业外来词,这种现象应该逐渐用汉语词替代。是术语的,应该根据术语的规范原则进行规范。词汇的现代化过程不应该使语言形式的外壳——文字发生质的变化。该文字系统如需进行全面改革乃至彻底废弃则是另外需要解决的问题。专业外来词语原则上不应该在面对普通群众的媒体中传播,没有对应汉语词的最好要加以说明和注释。这不仅是保持语言相对纯洁的需要,也是尊重自身文化,尊重受众的起码要求。

五 词汇现代化与辞书编纂

词典的功能是多方面的,它有真实记录词汇历史演变,反映词汇共时变异的功能,更重要的是,词典编纂应该反映词汇现代化的内容。当然,不同的功能可以由不同性质的词典来完成。不管是哪类词典,它的最重要的功能是指导人们正确解读词汇所蕴涵的含义,在语言实践中准确运用词汇。现当代类词典的作用是指导人们使用规范的语言形式,但也不应该反对词典适当收入一些有一定流通度的非标准变体的语言形式,例如某些方言词、社区词和古语词。词汇规范是每一部现当代词典都起码应该做到的事,因此可以说词汇规范是现当代词典的一个重要的功能。说是重要的功能,并不等于说是唯一的功能。规范是相对的,规范又是发展的,没有一部词典永远是规范的,可以永远正确指导人们的语言使用的。社会的现代化在发展,语文工具书也应该不断推陈出新才能适应词汇现代化的要求,才能充分发挥其指导人们语言实践的重要作用。词典如果没有不断更新,就不能适应词汇现代化和规范化的时代要求。原有词典的不断修订,新词典的不断编纂,才能不断给人们提供真正符合社会生活和语言规范的语文工具书。

对词汇进行规范是词典的重要的功能,也就是说词典编纂者的最基本的职责之一是进行词汇的规范。除此之外,文字、语音、语法等也都应该是规范的。因此真正意义上的词典没有规范和不规范之分,只有规范工作做得好与不好之分。词典名称使用规范还是不使用规范都是一样的,使用规范两字的功能是区分不同的词典。判定一部词典优劣,除了看规范工作做得好与不好之外,还应该看其他的许多方面,例如词条选得是否合适,意义解释是否精当,体例是否一致,总体上是否有自己的特色等等。而作为现当代汉语词典,是否反映词汇现代化内容同样应该作为判断词典优劣的一个重要标准。

附 注

① 龙芯:我国自主研制的中央处理器。"龙芯1号"中央处理器的消息2002年9月28日在北京正式发布,"龙芯2号"中央处理器于2003年12月20日正式亮相。

② 不对称数字用户线：英文 asymmetric digital subscriber line 的译文，其缩写为 ADSL，它是运行在原有普通电话线上的一种新的高速宽带技术。

③ 干细胞：是一类具有自我复制和多分化潜能的细胞，保持未定向分化状态并具有增殖能力，在合适的条件下给予合适的信号，可以分化为许多不同类型的具有特征形态、特异分子标志和特殊功能的成熟细胞。干细胞技术是当今生命科学领域最前沿的高新技术，可能干预治疗一些临床难以治愈的疑难病症，如脊髓损伤、帕金森病、肝衰竭和癌症等。

④ 冲：天文学术语，指当一个移动天体在天球上的黄道坐标中的经度与太阳的经度相差180度时的天象。

主要参考文献

科技术语编辑部　2004　《2003年我国科技名词聚焦》，《科技术语研究》第1期。

科技术语编辑部　2004　《为钟南山更名非典叫好》，《科技术语研究》第1期。

陈　原　1997　《论语文词典的推陈出新——应用社会语言学札记》，《语言文字应用》第1期。

小学作文词汇使用情况

日本高冈短期大学　山田真一

一　研究背景

某一种语言可以分为语音、语法、词汇这三个平面。从汉语教学的角度来说,语音教学的重点不在于"教什么"而在于"怎么教"。但语法教学与词汇教学的重点在于"在什么学习阶段教什么"。因此在汉语教学上需要给语法和词汇一定的框架——教学大纲。为了教学上的需要我们曾经编过《汉语教学基本词汇八种词汇对照表》(简称《对照表》)。此《对照表》是将在中国和日本出版的,从汉语教学的角度来编的八种汉语常用词汇表收集在一起按拼音顺序排列,然后将汉语教学词汇分三个等级而成的词汇表。根据此《对照表》我们又编了日语母语者学习基础汉语时候的《基础汉语教学基本词汇表》(简称《词汇表》)。但是此《词汇表》有两个不够完善的地方。其一是从《词汇表》上无法知道某一个多义词的哪个义项是基本意义;其二是从《词汇表》上无法知道,哪些词是"使用词汇",哪些词是"理解词汇"。为了进一步地完善这个《词汇表》,我们曾经在北京收集了一些小学作文的原始材料来进行过一个很粗略的小学作文词汇调查。本文基于同样材料,进一步分析小学低年级(从一年级至三年级)学生作文里出现的词汇使用情况。

二 词汇的层次

对小学作文词汇进行分析之前,我们简单地概括一下词汇层次的问题。一种语言的词汇层次可以从不同的角度来进行分类。从语体(即使用环境和使用效果)上将词汇分为口语词、普通词、书面词[①]等层次。从运用阶段上可以将词汇分为"理解词汇"(接收性词汇)与"使用词汇"(表达性词汇)。"理解词汇"就是看得懂、听得懂但不一定自己能用上的词语。"使用词汇"指的是不仅仅看得懂、听得懂,而且自己能用得上的词语。从语言习得的角度来看,理解词汇与使用词汇之间的关系大致如下:

在语言习得的初级阶段,使用词汇和理解词汇的范围大小基本上是一致的。随着学习时间的增多,两者之间的差距愈来愈大。使用词汇量的增加没有理解词汇量那么多。这一点只要稍微观察实际语言生活就能认识到。我们可以说某一种语言当中的使用词汇是构成该语言词汇层面的核心部分。

关于语言层次(包括词汇层次)的问题,加拿大学者 Jim Cummins 曾经从 ESL(English as a Second Language:作为第二语言的英语)的角度,提出过这样的一个模式。[②]他认为年少者的语言技能可以分为 BICS(Basic Interpersonal Communicative Skills)和 CALP(Cognitive/Academic Language Proficiency)这两种层次。BICS 是上学以前的,语言生活只限于个人生活圈子里的语言运用能力。我们在此将它叫做"生活语言"。CALP 是上学以后开始学习各种学科以后的语言运用能力。我们可以将它叫做"学习语言"。根据从双语教育的角度来进行的调查结果,他主张要掌握"生活语言"只需要一至两年的学习时间,与此相比要掌握"学习语言"需要五年到七年的学习期间。虽然关于哪些词语属于"生活语言"和哪些属于"学习语言"的问题,目前我们尚未得到令人十分满意的答案,但为了讨论的需要,我们在此举个极其明显的例子来进行探讨。首先举英语的"生活语言"和"学习语言"的例子。

1)英语:

BICS:water(水)

CALP:aqua(aquarium:海洋馆):

英语的 aqua 的来源是拉丁语的"水"。除了 aquarium 以外,还有 aqualung(水肺),aquatic(水生的)等词都属于 CALP 领域的词语。

Cummins 所提出的这种模式可以应用在日语的词汇层次上面。我们再看日语的"生活语言"和"学习语言"的例子。

2)日语:

BICS:inu(犬)　　〈训读(和语:原始日语)〉

CALP:-ken(土佐犬 Tosa-ken)[3]　〈音读("汉语":从古代汉语借来的读音)〉

根据日本国立国语研究所的调查,随着年级的上升,日本小学生作文里出现"和语"的频率降低。小学生的年级越高,"汉语词"(用音读来念的词。但不一定都是从中文借来的)的出现率越高。[4]一般地来说,母语的获得是从"生活语言"开始逐渐转移到"学习语言"。因此对日语母语者而言,"和语"多属于"生活语言",而"汉语"多属于"学习语言"。

我们在谈到从运用阶段上的词汇层次时提过"理解词汇"与"使用词汇"这两种词汇。那么它们跟"生活语言"与"学习语言"之间有何等关系?我们认为"理解词汇"里有"生活语言"和"学习语言","使用词汇"里也有"生活语言"和"学习语言"这两种语言层次。某一个人作为母语刚开始会说某一种语言的时候,"使用词汇"当中"生活语言"占的比率高,而上学以后随着年级的上升,"使用词汇"当中"学习语言"占的比率越来越多。

汉语的词汇系统跟英语或日语不同。英语和日语都在某种程度上从词形(或词种)上能够判断该语言的"生活语言"和"学习语言",而汉语词汇里的"生活语言"和"学习语言"是从词形(包括读音)上无法判断的。因此要划分汉语词汇里的"生活语言"和"学习语言"是极其困难的。虽说如此,以下的小学作文里出现的例子对研究汉语词汇的"生活语言"和"学习语言"也许会给我们打开思路。如:

……我喜欢的动物你可想不到,那就是被冷落在角落里的狗。狗外表也非常漂亮,它的眼睛炯炯有神。狗浑身长着油光光水滑的皮毛。它鼻子湿乎乎的,xiù觉非常灵敏。炎热的夏天,狗总张嘴吐舌。再加上那对三角形的小耳朵,它就更加威wǔ了。狗非常忠实自己的主人,它不xián家贫。狗有一种坚rèn不拔的yì力。它可以为人类办许多事情。警犬可以抓坏蛋,猎犬可以捕捉猎物。……但是,我至今还不明白,人为什么老把坏蛋和狗连起来,什么"走狗"啊、"狗腿子"啦、"狐朋狗友"等等,其实狗是非常有yì的动物。

(三年级:女生。照原文,部分字用拼音写)

我们应该避免用极少的例子来推测、判断。不过我们认为在探讨汉语词汇里的层次问题的时候,这篇文章给我们提供一个线索。从这篇文章里出现的"狗"和"犬"的例子(画线的部分)来看,关于汉语的 BICS 和 CALP 我们可以这样说:

3)汉语：BICS：狗（自由语素）

　　　　CALP：一犬（黏着语素）

"生活语言"和"学习语言"的区别是在语言"共时"的片面上说的，因此这里不考虑"历时"的因素。从上面所举的例子当然不能肯定汉语的自由语素是 BICS 而黏着语素是 CALP。我们在这里只提供对研究汉语词汇里的 BICS 和 CALP 时的起点。

总之，我们认为调查分析小学作文里出现的词汇，对现代汉语词汇层次的研究以及对外汉语词汇教学都有一定的意义。从对外汉语教学的角度来说，给日语母语者进行汉语词汇教学的时候必须得考虑，汉语的 CALP 里的相当一部分词汇对日语母语者来说并不是很陌生的。

三　小学作文使用词汇分析初步结果[5]

对小学作文词汇进行调查分析之后，我们得到了以下的初步认识。

1）低年级的学生就开始使用"四字格"的词语

所谓的"四字格"不一定都是成语，而是用四字的格式构成一定意义的汉语特有的词语单位。从小学作文使用词汇情况，我们可以看到在小学一年级就开始使用"四字格"。随着年级的上升四字格的使用率也多起来。成语的使用一般认为属于修辞领域的问题，但从词汇习得过程的角度来看，对汉语母语者来说有些"四字格"也属于"生活语言"。

举例：

　　a. 爸爸们<u>翻山越岭</u>开着车，终于到了银山塔林。（一年级）

b. 先到了热带鱼馆,我们马上被五颜六色的热带鱼吸引住了,有全身是蓝色的小鱼。(一年级:共有七例)

c. 欣赏画展之后,我就依依不舍地离开了中国美术馆。(二年级:共有三例)

d. 望着这些活泼、可爱、聪明的猴子,我真是恋恋不舍。(二年级:共有四例)

2)低年级就开始使用形容词强调形式

众所周知,汉语形容词有四种强调形式。即 AABB 式(如:高高兴兴),ABAB 式(如:雪白雪白),ABB 式(如:红扑扑),A 里 AB 式(如:糊里糊涂)。这四种形容词强调形式当中,ABB 式强调形式的使用比其他三种形式还要早。

a. 白色的嘴像一把剑。半张着露出白森森的牙齿十分吓人。(一年级)

b. 天上的星星亮晶晶,森林里有各种各样的小鸟。(一年级)

c. 每当我家来了客人,他就慢吞吞地走来好奇地看。(一年级)

我们可以说对汉语母语者,ABB 式形容词强调形式是属于"生活语言"的词汇。

3)从方言使用情况来看,介词的使用较多

在获得"生活语言"的过程中,自然免不了受方言的影响。一般认为上学以后尤其在"公共场所"(比如,学生跟老师交谈,做讲演时等)方言的使用会减少。从我们收集的材料当中就发现使用方言词的一些例子。

a. 妈妈怕我着凉还是穿得很多。快给我热坏了。(把)

(一年级)

　　b. 弟弟使劲地推了我一下,<u>给</u>我埋在了海洋球里。(把)(一年级)

　　c. 一个星期天,我<u>跟</u>家闲着没事做。(在)(五年级)⑥

　　d. 小明和小刚说:"这<u>真</u>个奇妙的办法。"(真的)(二年级)

我们收集的材料都是北京的小学生写的作文,其中出现的方言词也都属于北京方言。值得注意的是在低年级作文里出现的方言词里介词用得多,而且到了高年级也用方言介词。介词跟动词和名词不一样,它是表示词与词之间的语法关系的所谓的"功能词"。因此介词的运用是属于"生活语言"的领域。使用这种方言介词的学生很可能没意识到自己使用的是方言词汇。以上的例子说明北京的小学生不一定能够容易掌握普通话,与此相反,对他们来说,最重要的是有意识地把北京话和普通话分清楚。

4)从词汇误用情况来看,汉语母语者的词意识基于语素意识

汉字基本上可以说是语素⑦,所以汉语母语者一般认为每个汉字都有一定的意义。有助于探讨汉语母语者的词意识的例子,我们所收集的材料中只有一个例子。因此不能以此例为证断定为汉语母语者的词意识基于语素意识。但是从以下的误用例子我们发现,这篇文章的作者在产生未知的词语的时候,基于已经掌握的词(或语素)来类推而产生新的词语。如:

　　今天是星期六,我们一家出去买水果。我们来到卖水果的地方,那个地方的水果特别多,有苹果、草莓、菠萝和好多种水果。有的菠萝特别奇怪是无眼的。有的椰子<u>巨大</u>。有的芒果<u>巨小</u>。我从来都没看见过。白洋瓜特别的白。(二年级)

因为作者不知道"巨"本身就有"很大"的意思,而他认为"巨"等于"很",结果产生了"巨小"这个词。从这个例子我们可以看到,他在产生未知的词语时,基于已掌握的词(或语素)而类推。

四 低年级小学生作文里出现的程度副词

汉语里头的表示程度的副词,根据说话人对某一事物的感情色彩,使用不同程度副词。我们在这里讨论的主要目的在于探讨汉语的"生活语言"和"学习语言"这两种语言层次,因此这里所说的程度副词的范围比较宽。进行调查之前,我们有这样的推测:接近口语词的像"挺""顶""可""怪"等副词属于"生活语言",所以很可能随着年级的上升它的使用会下降。调查结果与我们想象的有所不同。

表一(表中的数字表示出现次数)

	1年级	2年级	3年级	共计		1年级	2年级	3年级	共计
很	103	154	411	668	好	1	3	12	16
真	75	74	245	394	实在	1	1	14	16
非常	30	59	136	225	挺	1	1	8	10
可	27	44	123	194	比较	1	4	4	9
最	16	33	108	157	极	0	1	7	8
太	5	45	29	79	老	0	0	2	2
更	12	2	63	77	分外	0	0	2	2
特别	14	14	36	64	够	0	1	1	2
十分	5	3	23	31	特	1	0	0	1
格外	0	1	20	21	怪	0	0	1	1
更加	0	1	16	17					

从图表中我们可以看到"很"的使用频率最高。这是因为副词

"很"除了表示程度的功能以外,还有语法上的功能。汉语形容词当谓语时一般不应该是单个儿的形容词,至少在形容词之前应该加上"很"。为了更明确的判断哪些程度副词属于"生活语言",哪些属于"学习语言",我们对高年级的小学生作文进行调查分析才能得到有说服力的结论。因此我们在这里只能指出一种推测或倾向。从图表可以看到程度副词当中"很""真""可""最""太""更""特别""十分"等副词属于"生活语言","格外""实在""分外"等副词属于"学习语言"。值得注意的是,"可"和"非常"的使用分布相当广泛。从一年级到三年级其使用频率基本上没有多大的变化。这说明有些副词是在两种语言层次(即"生活语言"和"学习语言")上通用的。

五 小结

根据研究目的的不同,某一种语言的词汇层次可以从几个方面来进行调查分析。通过小学作文使用词汇的调查,我们认为从BICS 和 CALP 的角度来分析汉语的词汇层次,可以应用于语言习得研究或对外汉语词汇教学的领域中。

附 注

① 苏新春、顾江萍《确定"口语词"的难点与对策——对《现汉》取消"口"标注的思考》(中国辞书学会辞书编辑出版专业委员会第三次学术研讨会,1999)

② Jim Cummins "*Bilingualism and Special Education:Isuues in Assessment and Pedagogy*"(第 136—142 页,1984)

③ Tosa 是地名。Tosa-ken 是指一种在土佐地区特有的专用"斗犬"的狗。

④ 《児童の作文使用語彙》(日本国立国语研究所报告 98,1988)
⑤ 小学作文材料来源及材料总量：
〈材料来源〉
史家胡同小学(1—6 年级),北京小学(1—6 年级),光明小学(1—6 年级),丰台小学(3 年级),人大附小(1—6 年级),北外附小(2—5 年级),育英小学(3—5 年级)
〈材料总量〉

年级	篇数	字数
1	156	21,000
2	274	45,000
3	466	126,000
4	229	95,000
5	129	63,000
6	142	83,000
共计	1,296	433,000

＊总字数包括标点符号在内

⑥ ……在大多数情况下"给"可以替换"把"：处置介词。……"跟"的语意,作用与"在 1"(组成介宾词组)相同,它不能出现在动词之后。(周一民《北京口语语法(词法卷)》,语文出版社 1998 年版)
⑦ 有些汉字不是语素。比如,"葡""萄""蝙""蝠"等等。

主要参考文献

国立国语研究所　1988　《児童の作文使用語彙》,日本国立国语研究所报告 98,东京书籍。
吉田研作、柳瀬和明　2003　《日本語を活かした英語授業のすすめ》,大修館书店。
山田真一　1997　《中國語基本語彙八種比較對照表》。
山田真一　1999　《基礎段階における語彙がイドライン策定の試み》,全国中国语教育协议会。

山田真一　2002　《中國語話者の理解語彙と使用語彙に関する研究》,科学研究費补助金研究成果报告书。
周一民　1998　《北京口语语法》(词法卷),语文出版社。
Jim Cummins　1984　*Bilingualism and Special Education:Isuues in Assessment and Pedagogy*, MULTILINGUAL MATTERS.

复合词"从小"语义指向的计算机识别

武汉大学 赫琳

一 引言

在中文信息处理中,当前迫切需要解决的问题是句处理的问题。要让计算机正确处理、理解自然语言中句子的意义,生成符合自然语言规则的句子,这是句处理的目标。要实现这样的目标,必须解决好词本身的意义以及词与词之间的关系义,其中包括具体词语的语义指向。本文探讨由"从小"构成的句式中"从小"的语义指向,以期对中文信息处理提供帮助。

二 句式构成和语义指向

2.1 "从小"在现代汉语中通常被看做是一个能作状语的复合词,常用来表示动作、行为、性状的时间,语义指向某动作、行为或性状,即谓词性成分。"从小"的意思是"年纪小的时候"[1],所以它也必定同时指向具有[+动物]特征的某体词性成分。"从小"指向的谓词性成分往往紧随其后,很容易识别,而体词性成分则位置不固定情况较复杂。如:

(1)他从小就爱运动。(《现代汉语词典》)
(2)我希望每个人从小就开始懂得,学好祖国的语言是我们肩负的历史使命。(初中语文课本第3册)

(3)父亲从小就教育我要做个诚实的人,要对得起自己的良心。(中央电视台《演艺竞技场》)

以上三例"从小"指向的体词性成分分别是"他""每个人""我",在句中做主语、小主语和兼语,有的位于"从小"前,有的位于"从小"后。

2.2 "从小"在现代汉语中可构成以下十五种句式,根据句式之间可能的相互变换关系,可将其分成六组。[②]

(一)S_1:NP+从小+就+V$\longleftrightarrow$$S_2$:从小+NP+就+V。如:我弟弟从小就捣乱。从小我弟弟就捣乱。"从小"语义指向"弟弟"。

(二)S_3:NP+从小+就+V+了$\longleftrightarrow$$S_4$:从小+NP+就+V+了。如:张海迪从小就瘫了。从小张海迪就瘫了。"从小"语义指向"张海迪"。

(三)S_5:NP_1+从小+就+V+了+$NP_2$$\longleftrightarrow$$S_6$:从小+$NP_1$+就+V+了+$NP_2$$\longleftrightarrow$$S_7$:$NP_1$+$NP_2$+从小+就+V+了$\longleftrightarrow$$S_8$:从小+$NP_1$+$NP_2$+就+V+了。如:奶奶从小就瞎了眼睛。从小奶奶就瞎了眼睛。奶奶眼睛从小就瞎了。从小奶奶眼睛就瞎了。"从小"语义指向"奶奶"。

(四)S_9:NP_1+从小+就+V+$NP_2$$\longleftrightarrow$$S_{10}$:从小+$NP_1$+就+V+$NP_2$$\longleftrightarrow$$S_{11}$:$NP_2$+$NP_1$+从小+就+V$\longleftrightarrow$$S_{12}$:$NP_2$+从小+$NP_1$+就+V。如:她从小就喜欢花。从小她就喜欢花。花她从小就喜欢。花从小她就喜欢。"从小"语义指向"她"。

(五)S_{13}:NP_1+从小+就+V_1+NP_2+$VP_2$$\longleftrightarrow$$S_{14}$:从小+$NP_1$+就+$V_1$+$NP_2$+$VP_2$。如:弟弟从小就帮我砍柴。从小弟弟就帮我砍柴。"从小"语义指向"弟弟"。

(六)S_{15}：$NP_1+V_1+NP_2+$从小$+$就$+VP_2$。如：父亲教育我们从小就要好好学习。"从小"语义指向"我们"。

三 语义指向的计算机识别

3.1 从"从小"可构成的句式可以看出，跟"从小"组合的体词性成分有两种：一种是只有一个体词性成分（NP），另一种是有多个体词性成分（NP_1、NP_2）。NP、NP_1 和 NP_2 都可能是由多个具有[＋动物]特征的名词或代词构成，它们之间具有某种结构关系或语义关系。这就使得"从小"语义指向的计算机识别虽然复杂但有章可循。冯志伟(1997)指出："计算机对自然语言的处理，最根本、最关键的问题，是要指出各种语言形式出现和变换的条件。"具体到"从小"的语义指向，就是在什么条件下指向哪一个具体的名词或代词的问题。计算机识别就是要找出 NP 中具体的某一个词。"从小"从语义上讲必定要和[＋动物]名词或代词相匹配，所以，计算机首先要排除[－动物]成分的干扰，识别[＋动物]成分，然后再根据语义指向的具体条件进行正确识别。为了行文的方便，我们将具有[＋动物]特征的名词或代词直接记为[＋动物]。

3.2 从理论上讲，"从小"句式中的[＋动物]可以有很多个，我们先考察"从小"句式中[＋动物]不超过三个的情况。

(一)全句只有 1 个[＋动物]，则指向该[＋动物]。[3]如例(1)。

(二)全句有 2 个[＋动物]。找标志词。在"从小"出现的句式中一般都会出现副词"就"，我们可以用"就"为标志词。识别这两个[＋动物]的具体位置。

1)2 个[＋动物]都在"就"前，则它们可能构成某种结构关系。

构成并列或同位关系,"从小"语义指向这2个[＋动物]。如:我和小王从小就爱唱歌。构成其他关系:第一种定中关系,指向中心语,如:我弟弟从小就捣乱;第二种分别是某一动词的主语和宾语,指向宾语,如:父亲教育我们从小就要好好学习;第三种不在同一个结构层次上,指向较低层次上的[＋动物],如例(2)。它们共同的特点是都指向全句第2个[＋动物]。

2)1个在"就"前,1个在"就"后。这2个[＋动物]可能具有某种语义关系。"从小"含有明显的"从小到大"的意思。与语义指向有关的就是这2个[＋动物]的辈分关系。"就"前[＋动物]辈分高于"就"后[＋动物],指向"就"后[＋动物],如例(3)。"就"前[＋动物]是"就"后[＋动物]的同辈、小辈或辈分不明,指向"就"前[＋动物],如:弟弟从小就帮我/王大爷/王三砍柴。

(三)全句有3个[＋动物]。找标志词"就"。

1)"就"前只有1个[＋动物]。识别"就"前[＋动物]与"就"后2个[＋动物]的辈分关系。"就"前[＋动物]是"就"后2个[＋动物]的同辈、小辈或辈分不明,指向"就"前[＋动物]。如:弟弟从小就帮我和王三砍柴。"就"前[＋动物]辈分高于"就"后[＋动物],识别"就"后[＋动物]的结构关系。构成并列或同位,指向这2个[＋动物]。如:父亲从小就教育我和弟弟要好好学习。构成定中,则指向中心语,即全句第3个[＋动物]。如:父亲从小就教育我弟弟要好好学习。其他关系,则指向"就"后第1个即全句第2个[＋动物]。如:父亲从小就教育我要好好孝敬长辈。

2)"就"前有2个[＋动物]。识别"就"前2个[＋动物]与"就"后[＋动物]的辈分关系。前者是后者的小辈、同辈或辈分不明,识别前者的结构关系:构成并列或同位,指向前2个[＋动物];构成其他关系,指向全句第 2 个[＋动物]。前者辈分高于后者,指向后者,即全句第 3 个[＋动物]。

3)"就"前有 3 个[＋动物]。识别"就"前[＋动物]的结构关系:构成并列或同位,则指向这 3 个[＋动物];构成其他关系,则指向全句第 3 个[＋动物]。

3.3　从以上的分析可以看出,无论全句有多少个[＋动物],按位于"就"前、"就"后分只有两种情况:都在"就"前和有的在"就"前有的在"就"后。都在"就"前则识别"就"前[＋动物]的结构关系。有的在"就"前,有的在"就"后,则识别"就"前[＋动物]和"就"后[＋动物]的辈分关系、"就"前[＋动物]的结构关系、"就"后[＋动物]的结构关系。我们把"从小"句式中出现的[＋动物]总个数记作 a,"就"前[＋动物]个数记作 b,则 a≥b≥1。[＋动物]都在"就"前,则 a＝b;有的在"就"前,有的在"就"后,则 a＞b。

(一)a＝b,识别"就"前 b 个[＋动物]的结构关系:并列或同位,指向该 b 个[＋动物];①其他关系,指向第 b 个[＋动物]。

(二)a＞b,识别"就"前 b 个[＋动物]与"就"后(a－b)个[＋动物]的辈分关系。

1)前者是后者的同辈、小辈或辈分不明。"就"前[＋动物]之间构成并列或同位关系,指向该 b 个[＋动物],其他关系指向第 b 个[＋动物]。

2)前者辈分高于后者。"就"后[＋动物]之间构成并列或同位关系,指向该(a－b)个[＋动物];构成定中关系,指向第 a 个[＋动物];其他关系指向第(b＋1)个[＋动物]。

3.4　由此我们得出计算机识别"从小"语义指向的流程图(以下 Y 代表"是",N 代表"否"):

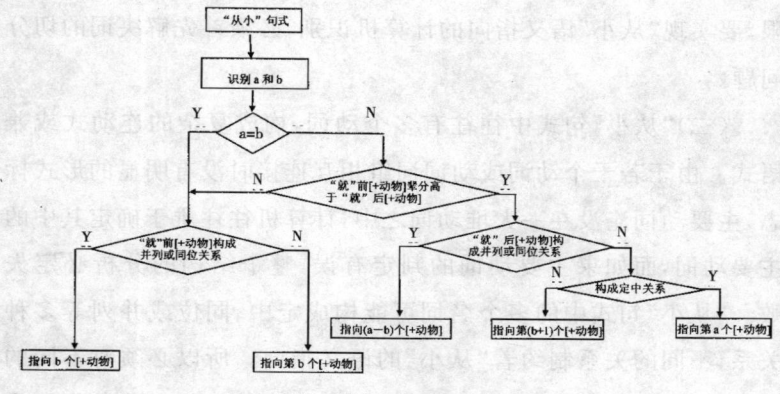

"从小"语义指向流程图

四　结语

本文从中文信息处理的角度,探讨了"从小"各种语义指向的条件,得到了"从小"语义指向的流程图。这将使计算机有可能根据有关的条件,执行相应的动作,从而使整个系统成为一个可以动态地执行的过程。然而,自然语言是人类历史长期发展而约定俗成的产物。它带着几千年人类历史的发展痕迹,比人工语言要复杂得多,因而用计算机处理起来相当困难。人工智能目前面临许多重大难题,而"从小"语义指向的计算机识别又将许多具体问题凸显出来。

(一)计算机要正确识别"从小"句式,必须要把"从小"的一般句式同以下句式区分开:

(4)他从小王那里借了五万块钱就走了。

(5)你要是听从小队长的建议就好了。

以上两例"从小"都不成词。但形式上都构成"……从小……就……"。汉语书面形式实行连续书写,词与词之间没有明显的界限,要实现"从小"语义指向的计算机识别,必须首先解决词的切分问题。

(二)"从小"句式中往往有多个动词,构成复杂的连动式或兼语式。由于若干个动词或动词词组相互连接时没有明显的形式标志,主要动词淹没在一大堆动词之中,计算机往往难于确定其中的主要动词,而如果主要动词的判定有误,整个结构的分析必定失败。"从小"句式中的多个名词可能构成定中、同位或并列等多种关系,不同的关系制约着"从小"的语义指向。所以必须对不同的结构关系进行形式化(linguistic formalism)的区分,使之能以一定的数学形式,严密而规整地表示出来。

(三)汉语是一种分析型语言,语义分析在汉语研究中起着举足轻重的作用。一个句子,只要把词的意义和意义之间的关系弄清楚了,整个句子的含义也就十分清楚了。但是,目前我国对于汉语的语义研究还很不够,汉语义素分析法和汉语语义网络的研究才刚刚起步,汉语的自然语言理解方面还没有十分成熟的理论和方法。这也限制了语义指向的计算机识别。因为在"从小"句式中,"从小"前后名词性成分的辈分关系应能够进行形式化的描述。义素分析法在汉语分析亲属词、军衔词等方面获得相当可观的成绩,其应用范围正在扩大,然而,迄今为止,还没有见到应用义素分析法来分析某一语言整个词汇系统的成果。

(四)汉语中常常出现一些省略现象,"从小"句式中的 NP、NP_1、NP_2 都有可能省略,要进行推理和判断才能理解。加上代词的所指和照应以及知识背景等语用方面的问题,都对计算机的正确识别造成了较大的困难。

所以,计算机识别问题是不可能一蹴而就的,给出流程图仅仅是迈出了一小步,需要进一步研究的问题还很多。总的来说,要最终解决"从小"语义指向的计算机识别问题,还要完成以下的前期工作:第一,"从小"及"从小"前后的词切分问题;第二,"从小"前后名词性成分辈分关系的形式化描写;第三,定中、同位和并列等结构关系的形式化描写;第四,句子成分省略问题的识别。另外,要使计算机能够真正运作起来,还须根据流程图编写程序,使之在计算机上加以实现(computer implementation)。这有待今后进一步地研究和探讨。

附 注

① 中国社会科学院语言研究所《现代汉语词典》第211页,商务印书馆1996年版。

② 各组的变换条件与语义指向没有必然联系,本文不作讨论,将它们分成六组只是为了行文方便。

③ 计算机别识应是完全句,若是省略句则应补足后再进行识别。

④ $a=b=1$,指向全句唯一的[+动物]。

主要参考文献

陆俭明　2001　《关于句处理所要考虑的语义问题》,人大复印资料《语言文字学》第6期。
陆俭明　1997　《关于语义指向分析》,《中国语言学论丛》第1期。
冯志伟　1996　《自然语言的计算机处理》,上海教育出版社。

现代汉语词汇与韩国语汉字词的特征比较

韩国湖南大学　朴相领

一　引言

语言是演变的,尤其是语言里的词汇,演变得最快。词汇因时间的不同而出现变化,如"先生"一词,当"同志"具有正面的政治意义时,你被称为"先生",就有和你划清界限的含义,而具有了贬义。中国改革开放之后,许多有地位的外国"先生"到了中国,"先生"就高贵起来了。这是词汇的时间性变化。

也有因地区不同而发生变化的,汉语词流传很广,周围汉字文化圈国家都受到多多少少的影响,韩国和日本使用的汉字词就是代表性的例子。这些汉字词有些是和中国的汉字词义相近或完全相同;也有些是因为融为该地区的语言而发生变化,使得一部分汉字词互相猜不出意义。

严格来讲,任何一种语言的词汇没有一个保留原型的,这是因为词汇比语音和语法的变化迅速。韩国语在韩国和中国的频繁往来过程中受到汉语的影响,也借用了大量的汉字词。

汉字词被韩语借用后,不断地变化也不断地适应于韩语系统。拙稿试对现代汉语"动词"和现代韩语"名词性词根+动词性词尾"型汉字词的意义和语素的排序及其用法进行共时对比研究。

二　现代汉语词汇的特征

汉语的词汇分为基本词汇和一般词汇。基本词汇具有全民性、稳固性和构词能力强的特点。语言词汇中除基本词汇以外的词语总汇叫做一般词汇。一般词汇发展变化较快,每个时代所产生的新词语多数只能归入一般词汇,同时一般词汇中的一些词语又随时代的发展而消亡。一般词汇中也有历史较长的词汇,但大都全民性较弱,或者是没有多大的构词能力。[1]

基本词汇是汉语词汇的构词核心且常具有固定不变的特性。这在新词的产生和语言的翻译方面起到了有利的作用。韩语和汉语一样,它是借用汉语的基本词汇为基础,又创造了很多新的词汇。由此导致了具有同样语素的汉语和韩语汉字词的差异和变化。

一般词汇随着时间的流逝和社会的变迁、根据语言的需要而发生变化。一方面是因为社会的发展需要丰富词汇,另一方面是随着社会的多样化,需要语言的正确性和生动性。

汉语的特征是由语音、词汇、语法等方面体现出来的。汉语词汇的特征概括如下:

首先,词汇是以单音节语素为基础,但多音节词语占优势。

"习""动""胆"是由一个语素构成的单音节词,"习惯""动物""胆小"是由两个语素构成的双音节词,"习惯法""动物园""胆小鬼"等是由三个语素构成的。由此可见,汉语的词汇是以单音节语素为基础的。从词汇的发展情况来看,双音节词越来越多,从使用状况来看,也是多音节词比单音节词多。

"枇杷""鹌鹑""蝙蝠""巧克力""可口可乐"等虽然是由多个汉

字组成,但是只有一个语素,这种词在外来语、拟声词中比较多。

第二,汉语的词头少而词尾比较多,词根和词根的连接方法、单词和单词连接的组合结构大致是一致的。

第三,音译的外来语少。

因为外来语词汇的词根很多,文字和语音结构有异,所以音译的外来语比较少。

此外,汉语词汇也有形式和韩语的汉字词一样的词,这类同形词的词义、词性和用法是不完全一致的,甚至有些同形词的意义是截然不同的。

三 韩国语词汇的特征

现行韩国语词汇的特征归纳以下 8 种:

第一,近义词多。义近或同一个意思的不同词汇相当多,这是因为韩语受到吸收的外来语和汉字词的影响。语言的发展必然吸收外来语,使其词汇更为丰富、准确。尤其毗邻语言的相互影响是比较大的。韩语里近义词多是汉字词多的缘故。

第二,同音异义词多。由于受到汉字词的影响,同一个读音的词相当多。韩语同音词 80% 以上和汉字词有关。这一点是在韩语词汇教育方面应该加以考虑的。

第三,礼仪词汇丰富。儒教的环境和尊卑观念强烈的社会人际关系,形成了非常复杂的敬语体系。这个敬语体系里的词汇本身带有尊敬对方的意思,这是该类词具有的独特功能。如果有两个相近概念的韩语词和汉字词,且表示尊敬或典雅的词汇的话,一般使用汉字词较多。到了现代汉字词和韩语词的这种区别已经不明显了,但其他的如英语、法语等的外来语从来就没有这种表达敬语方法。

第四,音韵交替而引起的不同词义的词汇丰富。韩语词里拟声词和拟态词相当丰富。由于声母和韵母的细微变化而形成了许多由近义词组成的词群。如表示颜色的词汇共有 676 个,这些几乎都是声母或韵母有稍微变化而致使其义有所不同,这在汉字词或外来语中是很难找到的现象。

第五,作为概念词的汉字词被广泛使用。生活用语中广泛使用韩语词,而概念用语中广泛使用汉字词。与韩语词相比,很多汉字词的概念更具体,所以在说明具体内容的情况下更多地使用汉字词。这是汉字词的优点,同时也弥补了有些韩语词的不足,使语言更加丰富多彩。

第六,基本词汇为韩语词,专业词汇以汉字词占多数。汉字词在韩国语中的使用频率 1—900 个中占 7%,901—1000 中占 51%,2401—2500 中占 63%,频率越低专业词汇的比率就越高,可见频率高的基本词汇中韩语词偏多。日常用语中更多地使用韩语词,少数汉字词在频率高的词汇里和韩语词混为一个词来使用,这表示汉字词融入到韩语词,已化为韩语词。汉字词融合已经到了非专家不能辨认出是汉字词还是韩语词的程度了。这类已经融合了的汉字词,用法上已和韩语词毫无区别。

第七,多音节词发达。韩语多音节词中双音节词占 34.6%,其次是三音节词和四音节词,双音节词、三音节词和四音节词的总和超过 88%,因为双音节词多,所以出现了很多同音异义词。韩语汉字词的同音异义词中双音节词占 93.5%,可见汉字词对韩语同音异义词的影响之大。

第八,主语加前后词缀也不变词性。这个特征使韩国语易于接受外来语。如果外来语本身是可带词缀或可变词性的词汇,到韩语系统里去就可以当主语,所以借用外来语很容易。

韩国语除韩语词外还包括汉字词和外来语,其中汉字词占50%以上,汉字词从三国时代开始使用,成为韩国语重要的一部分。汉字是以形、音、义构成的表意文字,它的读音一般和韩语词是有区别的,但是因为汉字词使用的时间长,有的词难以区分是汉字词还是韩语词,尤其是某些汉字词在形态、意义上有了变化后就更难区分。

四 韩语汉字词的来源及其特征

按照沈在箕的分类,韩语汉字词的来源有如下五种。[②]

第一,起源于中国古典著作。

第二,经由中国的佛教经典而产生的。

第三,产生于汉语口语,即白话文。

第四,来自于日本汉字词。

第五,韩国独自创造的汉字词。

如此来源多样的韩语汉字词有以下特征:

第一,因造词能力强而制造新的汉字词。汉字以一个字代表形、音、义,韩语汉字词里可把它放在词头、词腹、词尾,依据它的位置和词缀不同可造不同的词汇。按照李应百的说法,用2000个汉字可造出60万个词。[③]

"国"的合成词在李熙昇编的《國語大辭典》里收录了1204个词,不过"国"的意思的韩语"나라"的合成词只有11个。名词当中汉字词的比例为77%,冠形词里的汉字词比例则更高。新事物的产生得有新的概念和名称,创造新的汉字词,用作表示新概念的词

汇。汉字词和外来词也可以加上词缀来制造很多新的词汇。现行汉字词里有些是韩国自造的词,如:片纸(信)、福德房(房屋中介所)、查顿(亲家)。

第二,同音词很多,意思的理解有很大的难度。依据汉字的注解有不同的情况。汉字词的造词,用少数的音节就可以造出很多词汇,所以出现许多同音异义词,词义的理解容易产生误会。韩国语的同音词当中82.16%是汉字词,如士气、史记、沙器、诈欺、事记、社基、寺基、射技等这些都是一个音的同音异义字。因此有些时候给语言生活带来相当大的不便。

第三,汉字词词义的划分很细致,因此与韩语词形成一对多的对应关系,所以汉字词主要在专业的、学术方面的、表文言语气的句子里使用。

第四,有韩、中、日三国共同使用的词汇。韩中日三国从古就有频繁的交流,所用的词汇系统理应在其形态和意义方面有一致的或类似的词汇存在。

第五,较长的汉字专有名词经常缩略成两三个音节,这样,汉字词的使用频率越来越高,同音词的数量也随着增加。

五 汉语词汇对比的类型

词汇的形态是指词汇的外表,属于形态学的范畴。词义指词汇的内容,属于词义学的范畴。关于词汇的形态和内容的研究包括共时的和历时的研究。

共时的研究是以同一时期使用的词汇的形态或者意义为研究的对象,通过词汇和词汇之间的对比,找出共同点或不同点以及各自的特性。历时的研究是通过在不同时期使用的相同词汇的形态和意义的开端和发展过程的对比,来阐明词语的词源。

我们试对现代汉语"动词"和现代韩语"名词性词根+动词性词尾"型汉字词的意义和语素的排序及其用法进行共时对比。

第一,同形、同语素对等词。

汉语和韩语汉字词语素的排序、意义及用法一致,词形为AB:AB,或者 A:A 形的词。属于这种类型的词汇,意义上并不完全一致。因为 A:A 同形、同语素对等词数量少,所以并举 AB:AB 同形、同素对等词。

"对等词"是指一种语言和另外一种语言的词汇系统中具有相同或近似的词义、词类,且其用法也一样的词。有的对等词有同源关系,有的没有;如韩语汉字词和汉语词的"学习"有同源关系,"绍介"在韩语汉字词和汉语之间无同源关系。

"同形、同语素对等词"是指一种语言和另外一种语言之间,语素排序相同、词汇的形态相同、词汇的意义和词类相同或近似的词汇。一个语言体系里不能存在这种现象,如果两个词的语素相同、排序相同、意义相同的话,那只能是一个词。

不同系统的两种语言具有可以对比的语素,这表示一种语言借用了另外一种语言的词汇,故"同形同素对等词"可以在邻近语言之间作比较。

AB:AB 同形、同语素对等型

韩〉가열하다.(加热하다)

中〉加热

例:带袋微波加热。

봉지 채 마이크로오븐으로 가열하다.

A:A 同形、同语素对等型

韩〉겸하다.(兼하다)

中〉兼

例：小说家兼翻译家

　　소설가와 번역가를 겸하다.

第二，异形、不同素对等词。这是汉语和韩语汉字词的形态类似，意义相同，字数对称的词汇。这种词汇可以分为以下3种类型。

1. 具有一个同形语素的，而这同形语素位于同一位置，且字数对等的 AB:AC 异形不同语素对等型，或者 AB:CB 异形不同语素对等型。

AB:AC 异形不同语素对等型

韩〉발견하다.(发见하다)

中〉发现

例：介绍甲骨文发现的经过。

　　갑골문의 발견과 경과에 대해서 소개하다.

AB:CB 异形不同语素对等型

韩〉추방하다.(追放하다)

中〉流放

例：清代统治者特别喜欢流放江南人。

　　청나라 통치자들은 유난히 강남사람 추방하기를 좋아했다.

2. 具有一个同形语素的，而这同形语素位于不同的位置，且字数对等的 AB:BC 异形不同语素对等型，或者 AB:CA 异形不同语素对等型。

AB:BC 异形不同语素对等型

韩〉세배하다.(岁拜하다)

中〉拜年

例：中国拜年的习俗行之已久。

　　중국의 歲拜 풍습은 오래되었다.

AB:CA 异形不同语素对等型

韩〉탈출하다.(脱出하다)

中〉逃脱

例：一名7岁小女孩成功地从绑匪手中逃脱。

　　7세 소녀가 유괴범의 손아귀에서 성공적으로 脱出했다.

3. 具有一个同形语素的,而这同形语素的字数不对等的 AB：A 异形不同语素对等型,或者 A：AB 型,这种类型的例文非常少。

AB:A 异形另加语素不对等型

韩〉감당하다.(堪当하다)

中〉堪

例：韩国美女金喜善不堪流言重压突发高烧病倒。

　　한국의 미녀 김희선이 스캔들의 중압을 堪当

　　하지 못하고 고열로 쓰러졌다.

A:AB 异形另加语素不对等型

韩〉칠하다.(漆하다)

中〉涂漆

例：车身的涂漆应根据技术要求调整黏度。

　　차체의 漆은 기술적인 요구에 따라 점도를 조절해야만 한다.

第三,同形、同素异义词。这些词不管是汉语词还是韩语汉字词,都有排序相同的语素,但意思不同或交叉使用。这些词的形式是 AB:AB 型。

AB:AB 同形同素异义型

韩〉세수하다.（洗手하다）

义为"洗脸"。

中〉洗手

    1. 动词词组。

    2. 比喻盗贼、赌徒等改邪归正。

    3. 比喻辞去工作。

例：1. 洗手是提高个人卫生，预防传染病最简单及最有效的方法。

    2. 看到英雄的事迹后，他的心灵受到很大的震动，决定"金盆洗手"。

    3. 我洗手不干了，想转让读写器一套：有建行、农行、工行、邮储等。

第四，逆向同素对等词。即具有对称的两个同形语素，语素的顺序相反，字数对称的 AB:BA 型。

AB:BA 逆向同素对等型。

韩〉소개하다.（绍介하다）

中〉介绍

例：据主办单位介绍，要求订票的电话从来没有断过。

    주최 측의 소개에 따르면 지금껏 예약전화가 끊어진 일이 없다고 한다.

六　结语

韩国语的词汇，词尾的变化比其他语言多，如形容词"아름답다（美丽）"和动词"뛰다（跑）"的后缀稍微改一下就可以变为名词。韩语里的汉字词也同样可以随后缀改变而改变词类，如"加入"借用的是名词，但它在韩语里按后缀的变化既可以成为

名词也可以成为动词。有一些汉字词在借用的过程当中,部分词义被省略不用。

不少的汉字词被借用后,经过长时间的适应、变化和发展,失去原意或另加意义,所以现代汉语词和韩语汉字词严格地作比较的话,除了名词之外几乎找不到同形同素对等词。

语言的融合可以超越国界和民族的限制,从这个意义上来说,语言是人类社会中最不具世俗功利性的事物,一切都是为了满足表达自我、与他人交际的需要,而且只是为了这种需要去实现自身的发展。韩语汉字词的引进和发展为此作了恰当的注脚。当然,语言仍需要一定的外力来规范,才能更好地实现其交际职能,但这种规范必须顺应语言发展的内部规律,才能经得起语言实践的考验。

附 注

① 参考邢公畹《现代汉语教程》第167—170页,南开大学出版社1992年版。
② 沈在箕《国语语汇论》第43—49页,1982年版。(韩国)
③ 李应百《语文政策和意识改革》第25—26页,1999年版。(韩国)

主要参考文献:

北京大学中文系　1997　《语言学论丛》第十九辑,商务印书馆。
方光焘　1997　《方光焘语言学论文集》,商务印书馆。
符淮青　1996　《汉语词汇学史》,安徽教育出版社。
胡明扬、金天相等　1996　《汉语文化研究》,广西师范大学出版社。
李宗江　1999　《汉语常用词演变研究》,汉语大词典出版社。
吕叔湘等　2000　《语法研究入门》,商务印书馆。
马庆株　1998　《汉语语义语法范畴问题》,北京语言文化大学出版社。

邵敬敏、任芝锳、李家树　2003　《汉语语法专题研究》,广西师范大学出版社。
孙锡信　1997　《汉语历史语法丛稿》,汉语大词典出版社。
唐作藩　2001　《汉语史学习与研究》,商务印书馆。
邢公畹　1992　《现代汉语教程》,南开大学出版社。
许威汉　1996　《二十世纪的汉语词汇学》,书海出版社。
李应百　1999　《语文政策和意识改革》。(韩国)
沈在箕　1982　《国语语汇论》。(韩国)

图书在版编目(CIP)数据

词汇学理论与应用(三)/《词汇学理论与应用》编委会编.—北京:商务印书馆,2006

ISBN 7-100-04828-1

Ⅰ.词… Ⅱ.词… Ⅲ.汉语－词汇学－文集 Ⅳ.H136-53

中国版本图书馆 CIP 数据核字(2004)第 025318 号

所有权利保留。
未经许可,不得以任何方式使用。

CÍHUÌXUÉ LǏLÙN YǓ YÌNGYÒNG
词 汇 学 理 论 与 应 用
(三)
《词汇学理论与应用》编委会 编

商 务 印 书 馆 出 版
(北京王府井大街36号 邮政编码 100710)
商 务 印 书 馆 发 行
北京瑞古冠中印刷厂印刷
ISBN 7-100-04828-1/H·1185

2006 年 3 月第 1 版　　开本 850×1168　1/32
2006 年 3 月北京第 1 次印刷　印张 12 1/8

定价:20.00元